D0228115

Coeurs-brisés.com

Emma Garcia

PÔLE
ROMAN

Copyright © 2012 MA Éditions

Première édition Mai 2012

Auteur : Emma Garcia
Traductrice : Marie Boudewyn

Titre original : *Never Google Heartbreak* copyright © 2011 Emma Garcia.

Toute représentation ou reproduction, intégrale ou partielle, faite sans le consentement de MA Éditions est illicite (article L122-4 du code de la propriété intellectuelle).
Cette représentation ou reproduction illicite, par quelque procédé que ce soit, constituerait une contrefaçon sanctionnée par les articles L335-2 et suivants du code de la propriété intellectuelle.
Le code de la propriété intellectuelle n'autorise aux termes de l'article L122-5 que les reproductions strictement destinées à l'usage privé et non destinées à l'utilisation collective d'une part, et d'autre part, que les analyses et courtes citations dans un but d'exemple et d'illustration.

ISBN : 978-2-822-400992

Prologue

Il y a plus de place dans un cœur brisé
– Carly Simon

Rob Waters m'a demandé ma main trois mois après notre première nuit ensemble. J'ai cru sur le coup que nous vivions une folle passion dévorante, du genre qu'évoquent les magazines feuilletés chez le coiffeur. Après deux mariages ajournés en cinq ans, j'ai enfin admis que le meilleur restait à venir.

N'empêche que dans deux mois, nous allons nous passer la bague au doigt pour de bon. Cette fois, tout est prévu : notre nuit de noces au château de Burnby, près de chez ses parents, le photographe et la Rolls. Rob s'est beaucoup impliqué dans les préparatifs. Tant mieux, d'ailleurs : c'est lui qui a opté pour le sorbet à la liqueur de fraise dans sa timbale croustillante.

Nous ne prévoyons rien de sophistiqué. Rob portera un costume Hugo Boss bleu marine et une chemise pastel assortie aux roses de mon bouquet. J'ai opté pour une robe à la coupe toute simple, garnie de dentelle, juste ce qu'il faut. Les meringues des fois précédentes, je les ai revendues sur eBay.

Il nous reste encore à nous procurer les alliances. En platine, comme ma bague de fiançailles. C'est marrant mais je ne m'en suis encore jamais séparée, même quand Rob a voulu reporter notre mariage parce que les églises l'angoissent, puis parce que cela lui faisait drôle d'avoir trente-cinq ans. Sans doute que j'aime Rob ;

ce n'est pas plus compliqué que ça. Je l'aime et pas seulement en raison de ce qui saute aux yeux : qu'il est incroyablement beau et riche, par-dessus le marché. J'aime la manière dont il est bâti, sa moue boudeuse et ses boucles blondes. J'aime sa démarche et son habitude de se lover en chien de fusil en dormant. J'aime sa manie de plisser le nez en reniflant quand il se concentre. J'ai même fini par aimer le surnom qu'il m'a donné : Lapin. Ça ne me gêne plus qu'il me crie : « Qui c'est, mon sale petit lapin ? » pendant l'amour. Je me contente de répondre : « C'est moi. »

Comme il ne devrait plus tarder à rentrer de sa séance de musculation, je prépare du saumon au riz sauvage avec des endives en salade ; son plat préféré. Je m'aperçois que je sifflote en m'affairant en cuisine. J'ai vraiment de la chance de vivre dans un magnifique appartement en plein cœur de Londres, la ville la plus trépidante au monde. Je suis jeune (enfin, encore à peu près), amoureuse et sur le point de me marier. En somme, j'ai tout ce que j'ai toujours voulu.

La porte claque. Le voilà de retour plus tôt que prévu. Je vais à sa rencontre sur le palier. Il lève les yeux sur moi, si beau qu'une volée de cloches se met à carillonner dans mon cœur.

— Coucou ! On va bientôt passer à table, lui annoncé-je en souriant.

— Coucou, Viv ! me répond-il et je devine, à sa voix, que quelque chose ne va pas.

Je décide de l'attendre au salon. Il a dû passer une sale journée au boulot. Il me rejoint enfin mais reste planté devant moi. L'expression de ses yeux bleus me glace le sang. Je la reconnais : je la lui ai déjà vue. À deux reprises. Il secoue la tête d'un air navré, en guettant ma réaction.

— Oh non ! m'écrié-je avant de m'effondrer dans le canapé imitation d'époque.

— Je ne peux pas, Viv, m'annonce-t-il.

À ces mots, mon cœur se brise comme une plaque de verglas qu'on piétine.

Cœurs-brisés.com – Aide en ligne aux amoureux déçus

Rob Waters et moi marquons une pause, le temps de découvrir ce que nous voulons vraiment, chacun de notre côté. Le temps pour lui, en fait, de découvrir à quel point il est paumé sans moi.

C'est moi qui ai décidé de ne plus vivre sous le même toit que lui ; pour repartir d'un meilleur pied, comme quand on taille un magnifique rosier touffu ; dans l'espoir qu'il donnera des fleurs plus belles encore. Or notre relation aussi va refleurir quand Rob se rendra compte de ce qu'il a perdu et qu'il me reviendra.

Que ce soit clair, donc : nous n'avons pas rompu, nous marquons une pause – ce n'est pas pareil.

Évidemment, ça m'a démolie qu'il renonce à m'épouser… une fois de plus. Il ne se sentait pas tout à fait mûr, pas encore prêt, dans sa tête. Je n'avais aucune envie de partir mais je ne pouvais pas non plus rester à l'attendre comme une araignée sur sa toile ! Le soir même, sans rien dire, j'ai fait mes valises. Il m'a demandé de ne pas m'en aller, mais cette fois, quelque chose venait de se briser entre nous. J'ai laissé ma robe de mariée et mon voile sur un cintre accroché à la porte de la penderie.

Depuis, j'occupe un deux-pièces de célibataire dans le nord de Londres. Pas mal, dans le genre. Un petit bijou, même. Et quel soulagement quand le canapé a enfin passé la porte (une fois démontés les pieds et après une heure à le pousser) ! C'est curieux mais il paraissait minuscule chez Rob. Chaque matin, à mon réveil, je me dis qu'il va débarquer d'une minute à l'autre pour m'annoncer qu'il a commis une erreur monumentale, qu'il veut m'épouser et que tout recommencera comme avant.

Malgré tout, depuis mon départ, il ne m'a pas donné signe de vie (à l'exception d'un texto me demandant si je me souvenais où il rangeait son matériel de hockey). Ces derniers temps, les ruptures et les cœurs brisés en sont venus à me fasciner au point que cela tourne chez moi à l'obsession. Je mène des recherches en ligne en *googlisant* des termes comme « cœur brisé », « vieille fille » ou « larguée », rien que par curiosité. Rob ne m'a pas larguée, bien sûr que non. N'empêche que le sujet m'intéresse. Je peux vous dire qu'il y en a, du malheur, sur Internet. J'ai aussi commencé à collectionner les manuels de développement personnel. Je passe des soirées entières dans des librairies, au rayon psychologie pratique. Il existe des tas de moyens de se tendre à soi-même une main secourable. Si seulement tous ces cœurs brisés en ligne en prenaient conscience !

L'idée m'est venue de créer un site Internet qui leur redonnerait de l'espoir, et surtout le sourire. Une sorte de magazine en ligne des relations sentimentales. Le point de convergence entre le développement personnel et les peines de cœur ; en admettant que le concept ait du sens… On y trouverait des études de cas, des conseils, un forum où s'épancher auprès d'oreilles compatissantes, et même des petites annonces. Je connais quelqu'un au bureau qui pourrait se charger de la mise en page.

Voilà ce qui m'a principalement occupé l'esprit, ces dernières semaines, depuis que j'ai quitté Rob. Un début de projet dans lequel me lancer pour ne pas souffrir de son absence au moindre instant de loisir.

Je souffre quand même de son absence au moindre instant de loisir. Je me demande ce qu'il fait, sans arrêt, à n'importe quelle heure. D'un autre côté, je n'ai pas le cœur brisé… Comme je l'ai dit, nous marquons simplement une pause. C'est en tout cas ce dont je tente de me convaincre soir après soir, à l'heure où je sors son t-shirt de sous mon oreiller pour y enfouir mon visage en inspirant les derniers vestiges de son odeur.

Chapitre 1

Étude de cas

Je me rappelle que, ce matin-là, il avait très envie de faire l'amour. Après, je suis partie travailler, comme d'habitude. À neuf heures et demie à peu près, il m'a envoyé un texto : « Je te quitte. »
C'est tout ce qu'il a écrit. Quand je suis rentrée à la maison, il avait déjà fait ses valises. Ce qui m'a vraiment démolie, c'est qu'il a combiné son coup en douce, dans mon dos. En plus, il a emporté les couverts. Après deux ans de vie commune, il ne m'a même pas laissé une cuiller pour touiller mon thé.

Debbie, 28 ans, Glamorgan

Me voilà en compagnie de Lucy B.C.B.G., dans son appartement de Battersea, un lundi soir. Nous venons de chercher sur le Net d'autres histoires de rupture pour le site web.

— Il y avait une fille, à mon boulot…

— Hum ? marmonne Lucy sans lever les yeux.

— Elle a surpris son fiancé au lit avec leur voisine de dix-huit ans.

— C'est moche.

— Du coup, elle allait tous les soirs rôder du côté de chez lui.

— Pourquoi ?

— Pour le voir.

— Ce n'est pas du harcèlement ?

— Elle lui laissait des petits messages anonymes… des tas, collés sur sa porte.

— La pauvre !

— Ça représente un sacré investissement, ne serait-ce qu'en temps. Imagine un peu… tous les soirs !

J'envisage un instant d'en faire autant ; sauf que Rob habite une rue particulièrement passante et que je connais tous ses voisins, puisque j'ai moi-même vécu là cinq ans.

Je jette un coup d'œil à mon portable, au cas où j'aurais reçu un texto.

— Appelle-le, me conseille Lucy.

— Impossible. Comme je te l'ai expliqué : j'attends que lui m'appelle.

— Tu t'apprêtais à l'épouser et là, tu n'oses même plus lui adresser la parole ?

— Je ne peux quand même pas l'appeler après que j'ai décidé de vivre seule, si ? Qu'est-ce que je vais lui dire : « Hé, salut ! Je ne te manque pas encore ? Ça te dirait, que je revienne ? Si on se mariait ? »

— Et s'il ne t'appelle pas ?

— Il le fera. Il serait d'ailleurs temps. Il a eu une semaine pour accuser le coup, une autre pour profiter de sa liberté, aller à la salle de musculation, mater le rugby à la télé et tout le reste, et une autre encore pour se rendre compte qu'il se sentait perdu, sans moi. Il va m'appeler d'un instant à l'autre ; c'est couru d'avance.

Je lance à Lucy un regard noir. Il est impératif de la rallier à ma théorie.

— Si tu le dis ! cède Lucy en haussant les épaules, avant de vider son verre.

Le mien, je l'ai terminé il y a dix minutes. Je fumerais bien une cigarette, tout à coup. Quelle soirée, avec ces histoires de largage ! Je me réjouis d'autant plus de ne pas avoir été larguée. Lucy ramasse nos verres.

— Tu en veux un autre ? me propose-t-elle en se rendant à la cuisine de sa démarche au-dessus de tout soupçon.

Mon regard tombe sur les meubles où l'on pourrait se mirer et la moquette d'un blanc immaculé. J'ai lu quelque part que l'état d'un intérieur reflétait l'état d'esprit de son occupante. Si c'est vrai, alors Lucy doit être éminemment saine d'esprit. Je me souviens qu'à la fac, elle a refait la déco de sa piaule. Non contente d'assortir les teintes dominantes, elle y a installé une télé couleur, des rideaux en taffetas et des bougies parfumées. Dans ma chambre, je me suis contentée d'amener un sac à linge neuf. J'ai cru mourir quand elle a toqué à ma porte et m'a demandé, du ton le plus distingué du monde, si un gin tonic me tentait. Je n'en revenais pas que rien ne parvienne à la troubler. Je l'ai surnommée Lucy B.C.B.G. et c'est ainsi qu'elle s'est présentée au bal des étudiants de première année, comme s'il s'agissait d'un titre de noblesse.

Quoi qu'il en soit, elle s'en est bien sortie, et elle le mérite. Elle bosse dur, du moins à l'entendre. Je songe à mon propre appartement. Bien que je n'aie même pas encore fini de déballer mes affaires, je sais que le résultat me déprimera de toute façon. Vous savez pourquoi ? Parce que j'occupe un appartement de célibataire ! Je n'ai rien contre l'esprit de célibat, c'est juste que je ne fais pas partie du club. D'accord, j'ai pris mon indépendance, mais je n'en reste pas moins fiancée. J'ai « quelqu'un ». Je me frotte l'annulaire. J'ai l'impression qu'il lui manque quelque chose, sans ma bague de fiançailles.

Oh là, là, j'ai le moral à zéro !

Un mois entier sans Rob. Bon. D'accord, nous avons décidé de marquer une pause mais je ne m'attendais pas à ça. À une coupure aussi radicale… comme s'il était mort !

Je pose les pieds sur la table basse, auprès d'une pile bien ordonnée de magazines. Je remarque une fille en couverture, à la mise en plis dans le vent et aux lèvres caramel. « Celles à qui tout sourit » annonce le titre qui lui barre la poitrine. Je consulte l'article. On y voit une femme à qui tout sourit, en talons hauts, à la coiffure impeccable, dans un bureau, en train de brandir un crayon d'un air d'autorité. Sur la page suivante, la même se prélasse en pyjama satin devant un plateau de croissants alors qu'elle n'a pas dû en manger depuis le début des années 1980. La voilà ensuite en train de câliner trois superbes enfants sur une plage privée. (Attendez ! Il n'y en a pas un qui louche ?)

Vraiment, tout lui sourit, à celle-là. Elle a une magnifique maison, un poste de direction dans une entreprise vaccinée contre la crise, une vie de couple épanouie et même le temps de cuisiner. Elle n'a pas l'air du genre à attendre un coup de fil de son ex-fiancé, elle. Je remplis le questionnaire à la fin.

Êtes-vous de celles à qui tout sourit ?

Votre âge : 32 ans. Mais, comme chacun le sait : les chiffres ne veulent pas dire grand-chose.

Votre situation sentimentale : En pause.

Quelle note de 1 à 5 attribueriez-vous à votre vie de couple, un 5 frôlant la perfection ? Non concernée.

Quelle note de 1 à 5 attribueriez-vous à votre carrière, un 5 correspondant au plein épanouissement professionnel ? Non concernée, là encore. Je me contente de gagner ma vie ; je ne dirais pas que je mène une « carrière ».

Comment qualifieriez-vous votre relation avec vos meilleurs amis ? Hum… Mes meilleurs amis ? Lucy et Max, je suppose. Les plus anciens, du moins. Je coche « satisfaisante » avant de me raviser en choisissant « excellente », au cas où Lucy tomberait dessus.

Reste à compter les points pour découvrir le profil qui nous correspond le mieux. Ce qui ressort du mien, c'est que je dois définir mes priorités et me fixer des objectifs à long terme. Voilà ce qu'il me faut.

Mon objectif à long terme, c'est Rob, bien sûr : l'épouser, lui donner des enfants, mais j'imagine que je devrais songer aussi à mener une carrière. Histoire de moins passer pour une ratée. Sans compter que l'idée de devenir acheteuse pour les magasins Barnes and Worth avant de partir en congé de maternité me séduit depuis belle lurette.

Je suis chef de produit au département cadeaux pour femmes. Je passe donc le plus clair de mon temps à réfléchir à ce qui pourrait faire plaisir à une tante vieille fille ou une belle-mère.

Du lait hydratant et du bain moussant « Ondée d'été » (l'achat du coffret donne droit en prime à une trousse de toilette à motifs de gouttes de pluie). Des parapluies rétractables, des ensembles de manucure, des gants de massage, des trousses de maquillage, des porte-clés en forme d'animaux à lampe de poche intégrée. Des fichus en plastique imperméable, des mini-trousses de jardinage, des assortiments de pots de confiture. Vous voyez le genre.

Je jette un coup d'œil à mon téléphone obstinément muet. L'anniversaire de Rob tombe ce mois-ci. Faut-il que je le lui souhaite ? Au bout de combien de temps oublie-t-on l'anniversaire de son fiancé ? Je vais me renseigner ; c'est tout à fait le genre d'infos qui mérite de figurer sur un site comme le mien.

L'an dernier, je lui ai offert un voyage surprise à Rome. Romantique à souhait ! Sauf qu'il m'a demandé de ne plus lui réserver la surprise d'un voyage parce qu'il s'est senti « embobiné ». Mieux vaut ne pas me rappeler les bons moments ! Ce qu'il me faut, c'est un retour à la réalité, aussi déplaisante soit-elle. Histoire de remettre en perspective la situation. Je ramasse un magazine.

« Un expert affirme que la fertilité diminue chez les femmes au fil des ans. » Sous la manchette, une jeune cadre en tailleur lance un regard navré à des chaussons de naissance en laine. « La fécondité chute radicalement après 35 ans » précise la légende. Là, pour le coup, je me sens vraiment mal. J'examine la femme aux chaussons qui a trop attendu avant de concevoir. Elle me ressemble un peu. Pourquoi imprime-t-on des articles pareils ? Pourquoi ? Au risque qu'une femme de trente-cinq ans tombe dessus ! Que faut-il que je fasse ? Que je parte en courant à la recherche d'un mâle en goguette pour qu'il me plante sa graine avant de dire adieu à ma fertilité ?

De toute façon, je n'ai pas encore trente-cinq ans. Il me reste deux mois avant la chute « radicale » de ma fécondité. Or, d'ici là, je me serai remise avec Rob. Je jette le magazine par terre.

Lucy nous apporte du champagne. Du vrai, pas du mousseux. Elle en a les moyens : elle occupe un poste en vue dans la City. Je connais les détails de ses aventures sexuelles mais pas la manière dont elle gagne sa vie. Elle me l'a pourtant expliqué, un jour : il était question d'actions, de dividendes, de marché haussier ou baissier et de passages d'ordre en bourse. L'impression m'en est restée que Lucy compte, dans le milieu de la finance. Je siffle ma coupe à longs traits.

— À mon avis, reprends-je, il faudrait pouvoir laisser des commentaires en ligne sur ses ex. Tu sais, comme sur Amazon, où les clients attribuent autant d'étoiles à tel ou tel livre ? Histoire de se décider en connaissance de cause. Ça serait amusant, non ?

— Sauf que nos ex ont tendance à nous dépeindre comme le mal incarné.

— Pas tous. Si ?

— À cause de toi, Roger le rouquin a viré sa veste.

— Attends ! Je ne l'ai pas incité à devenir homo, Lucy. Ce n'est pas une religion : il ne s'est pas converti.

— Et le type avec qui tu as couché, après qu'il a réparé ta voiture ? Il a raconté partout que tu avais gâché sa vie.

Je l'observe attentivement.

— Tu sais : je te vois bien remonter le moral des âmes en peine, avec ta manie d'appeler un chat, un chat.

— Hum… « Parlez-en à Lucy ». Ça me plaît bien, commente-t-elle d'un ton rêveur.

J'éteins mon téléphone pour le rallumer aussitôt, au cas où il serait tombé en panne.

— Pourquoi n'appelles-tu pas Rob ? Je ne comprends pas ce qui te retient.

— Rien !

— Alors vas-y. Abrège tes souffrances. Et les miennes, par la même occasion.

— D'accord.

La dernière chose dont j'ai envie, c'est d'appeler Rob. Je ne lui ai plus parlé depuis mon déménagement. Je suis sûre que la règle, quand un couple « marque une pause », veut que le premier à rappeler soit celui qui n'est pas parti. C'est vrai, quoi : on ne peut décemment pas quitter quelqu'un pour le harceler de coups de fil matin, midi et soir. Lucy me fusille du regard. Et si je me contentais de faire mine de lui parler ?

— Et ne fais pas semblant de discuter avec lui rien qu'en plaçant quelques « oui », « bien sûr », par-ci, par-là, me met-elle en garde.

Je cherche les coordonnées de Rob dans mon répertoire et obtempère. Je montre à Lucy l'écran de mon téléphone indiquant – quelle horreur ! – que je l'appelle pour de vrai et colle l'appareil à mon oreille en soutenant son regard. Ça sonne. Panique à bord ! Mon cœur bondit.

— Rob Waters, j'écoute ?

Je raccroche aussi sec et me débarrasse du téléphone comme d'une patate chaude.

— Bien joué, commente Lucy.

Mon portable se met à sonner. Où est-il tombé ? Je me dépêche de le ramasser.

— C'est lui !

— Sans déconner ! relève Lucy en posant sur moi des yeux de merlan frit.

Je presse la touche verte.

— Vivienne Summers à l'appareil.

— Salut, c'est Rob. Tu cherches à me joindre ?

Rien que le timbre de son adorable voix me déchire le cœur.

— Non, je ne crois pas, prétends-je d'un air détaché.

— Ton numéro s'est pourtant affiché.

—Ah ! J'ai dû composer le tien par erreur.

— Oh. Bon. Comment ça va, sinon ? La forme ?

— Bien ! La pêche ! Pas une minute à moi… Et toi ?

— Super !

Un silence s'installe, meublé par des bruits de couverts.

— Tu es en train de manger ?

— Tu seras là, samedi ? me demande-t-il au même moment.

— Samedi ?

Oui ! Un bon point ! Surtout : feindre que ça m'est sorti de la tête que Jane et Hugo se marient samedi et que nous aussi avions songé à cette date-là pour le plus beau jour de notre vie.

— Au mariage de Hugo ? précise-t-il.

— Ah oui, c'est vrai ! Oui, je compte venir.

— Moi aussi. Ça promet d'être une sacrée fête !

Il a l'air de sous-entendre que ma présence ne lui fait ni chaud ni froid mais je devine à sa voix qu'il a hâte de me revoir. Nous allons nous retrouver à la même fête. Je m'arrangerai pour resplendir. Il a besoin de me revoir, c'est évident. Il va me supplier de renouer avec lui. Nous ne penserons bientôt plus à notre mois de séparation. Un jour, nous en rirons, même, au coin d'un bon feu de cheminée.

— À vrai dire, je comptais t'appeler à propos de samedi, lâche-t-il.

— Ah bon ?

Il va me demander de l'accompagner. Bien sûr, je refuserai ; je ne voudrais pas qu'il se figure que je n'attendais que ça.

— Oui, je voulais te prévenir que je ne viendrai pas seul mais avec… euh… quelqu'un.

J'ai l'impression qu'une arête s'est coincée en travers de ma gorge.

— Quelqu'un ? Ah. Qui ? demandé-je d'une voix curieusement haut perchée.

— Une amie.

— *Une* amie ?

— Oui.

Son ton navré me perce le cœur. J'en reste baba.

— Quel genre ?

— Comment ça, quel genre ?

— Eh bien, c'est juste une amie à toi ou ton amie ; genre avec qui tu couches ?

Lucy passe la main au ras de sa gorge en esquissant le geste de la trancher. Je me détourne.

— Quelle importance ?

— Comment veux-tu que je sache, moi, si elle a de l'importance pour toi ? À toi de me le dire. Où l'as-tu rencontrée ? Quand ? Mince, Rob ! Il n'y a qu'un mois que je suis partie !

— Écoute, Viv, ne te mets pas dans des états pareils...

— Quoi ? Qui se met dans quel état ? Certainement pas moi !

— Je n'ai pas le temps d'en discuter maintenant. Je voulais juste te prévenir que je ne viendrai pas seul...

— Moi non plus. J'amènerai quelqu'un. Pas *une* amie, évidemment. Non ! En un sens... Tu as bien fait d'en parler. Je comptais te l'annoncer, que tu saches à quoi t'attendre. Je me demandais comment tu le prendrais, de me voir avec un autre...

— Bien. Super ! À samedi, alors ?

— À samedi !

Il faut à tout prix que je raccroche avant lui. Je presse la touche rouge.

— Ciao, Viv ! l'entends-je conclure alors même que je m'effondre.

Chapitre 2

Commentaires clients

E-mail de C. Heslop à Vivienne Summers, 2 juillet 08:00
Re : Commentaires clients

Vivienne est une fille super. Je la recommande sans hésiter pour une soirée en tête à tête. J'attribuerais à son physique un 8 sur 10 ; plus si elle se met en frais. C'est quelqu'un de volontaire – certains diraient « têtue », ce qui a d'ailleurs fini par me poser problème. On ne s'ennuie pas avec elle : impulsive et spontanée, elle peut devenir épuisante. Il m'est arrivé de la trouver un peu collante, aussi.

Charlie Heslop, 36 ans, Londres

J'aimerais préciser que l'auteur de ce message a passé une nuit sur le pas de ma porte pour savoir à quelle heure je rentrais… et il ose me trouver collante ? Pouah ! Je clique sur « Supprimer ». Lucy avait raison : mieux vaut ne pas créer de rubrique « Commentaires clients » sur mon site.

De toute façon, je me sens incapable de réfléchir à son contenu ou à quoi que ce soit d'autre parce que…

Rob a rencontré quelqu'un.

Je l'ai clamé haut et fort, je l'ai noté sur un bout de papier et même souligné mais je n'arrive pas à m'y faire.

Mes pensées tournent en boucle. Qui c'est ? Je l'ai déjà vue ? Où l'a-t-il connue ? Ils se fréquentaient avant mon départ ? Elle a de grosses cuisses ? Et ainsi de suite pendant des heures et des heures… Et je m'étonne qu'on soit déjà mercredi matin.

Quand on annonce par téléphone à son ex-future épouse « je ne viendrai pas seul, samedi », il ne faut pas s'attendre à ce que la nouvelle passe comme une lettre à la poste. J'ai l'impression qu'il m'a poignardée. Happée par une abominable spirale de désespoir, je fais tout de travers et n'en dors plus. Au boulot, je me mets en pilotage automatique. À propos de boulot… Je jette un coup d'œil à la pendule. Sept heures et quart.

Oh non ! Aller travailler aujourd'hui est au-dessus de mes forces. Je crois que je couve quelque chose. En cherchant bien, j'ai la gorge qui gratte et je me sens barbouillée. Mieux vaut que je traîne chez moi en pyjama. Je fais les cent pas autour de la table basse en plastique en passant et repassant sur la portion de linoléum chauffée par le soleil. Je me juche sur l'accoudoir du canapé en laissant mon regard errer sur les toits et imagine Rob en compagnie de… de ce diable femelle. Je les vois d'ici réviser le Kâmasûtra en se moquant de mon manque de souplesse avant d'entasser dans des sacs poubelle ce que j'ai oublié en partant… mon gel douche, des paquets à moitié entamés de teinture, des plats croûtés de restes de soufflé carbonisés. Dans la rue, les employés de bureau entament leur exode matinal en direction de la gare.

Il faut que j'aille travailler. Aujourd'hui est prévue une réunion que je ne peux pas manquer. Je sors de ma penderie des habits qui s'entassent par terre. Mon Rob à moi… il m'a trouvé une remplaçante. « Je voulais te prévenir que je ne viendrai pas seul. » Voilà textuellement ce qu'il m'a dit ; voilà la phrase qui m'a précipitée en enfer. J'enfile une robe noire en luttant contre la fermeture éclair. Je n'arrive pas à y croire. J'attendais qu'il m'appelle et, pendant ce temps-là, lui sortait avec une autre. Je ne suis pourtant partie qu'un mois. Je ne lui ai pas un tout petit peu manqué ? Il n'aurait pas pu me passer ne serait-ce qu'un coup de fil ? J'allume le néon de la salle de bains et m'empare de ma brosse à dents.

Sans doute qu'en ce moment même, il se réveille auprès d'elle… dans *notre* lit. Rien que d'y penser, ça me rend folle. Je me rince la bouche en hâte et me revoilà en train de faire les cent pas.

Dans mon appart, rien n'a l'air à sa place. Je ne m'y reconnais pas ; au point, d'ailleurs, que ça en devient angoissant. C'est Rob, que je veux ; notre – ou plutôt « sa » – magnifique maison hors de prix, nos petites habitudes du matin. Je suppose qu'il est parti courir, sitôt avalé son bol de fruits et de pétales de riz. Je l'imagine dans son t-shirt bleu qui lui colle au torse. À son retour, il passera sous la douche en se lavant les cheveux d'abord. Ses boucles blondes mouillées vireront au châtain. J'adore le regarder pendant que je me prépare. Nous partons toujours au travail en même temps… enfin, nous *partions*, plutôt. Et le baiser qu'il me collait sur la joue en descendant du train… À qui est-ce qu'il le donne, à présent ? À elle, tiens !

Je regagne ma chambre en cinq enjambées et m'assieds sur le lit, le temps d'attacher la bride de mes sandales noires. Il y a tout juste un mois que j'ai acquis ce lit. Je me rappelle ma réflexion que je ne jetais pas d'argent par les fenêtres puisque Rob et moi devions de toute façon meubler la chambre d'amis. Quand elle est venue, Lucy a testé l'élasticité du sommier.

— Pense un peu aux folles nuits d'aventure que tu vas passer sur ce matelas ! m'a-t-elle dit.

— Quand Rob viendra me voir ?

— Euh, non. J'ai parlé d'« aventure ».

— Faire l'amour avec lui, c'est toute une aventure ! ai-je protesté d'un ton indigné.

— Ah oui ? Parce que tu ne sais jamais quand il va éteindre la lumière ? a-t-elle répliqué en riant.

Pour ses peines, je l'ai repoussée sur le dessus-de-lit.

Sacrée Lucy ! Un soupir m'échappe pendant que je me peigne. Quelle idiote ! Quelle imbécile de penser que j'allais manquer à Rob. Je l'imagine en train de ramener une fille à la maison ; il tourne la clé dans la serrure, pousse la porte. Elle admire *ma* décoration, s'allonge sur les draps que j'ai choisis, *moi*. Aïe ! Ça me déchire le cœur ! Il est à moi, c'est mon mari, mon avenir. Je ne m'imagine pas vivre sans lui. Nos destins sont liés ; c'est lui qui l'a dit. Je n'essayais même pas encore de me détacher de lui quand il s'est précipité dans les bras d'une autre. Il ne s'est retourné que pour me lancer une bombe en plein cœur.

Oh là, là ! Je sens la crise d'angoisse qui pointe. Je m'efforce de respirer lentement en cherchant de la crème matifiante dans ma trousse de maquillage. Je souligne mes paupières au khôl et m'arme d'un bâton de rouge à lèvres mais j'ai les yeux tellement bouffis à force de pleurer qu'il ne faut pas s'attendre à un miracle.

Et les parents de Rob alors ? Ils m'adorent ! Marie m'offre toujours des pantoufles à Noël. Jamais plus ils ne me serviront de vin doux dans leur service en cristal sous leur véranda ? Et Bob qui avait promis de m'apprendre le golf ! Et Marie ? Que fera-t-elle de mes prochaines pantoufles si elle les a déjà choisies ? Je retourne au séjour. Quand les reverrai-je ? Je les imaginais déjà grands-parents, les cheveux gris, le nez chaussé de lunettes, d'une patience d'ange avec mes enfants ; comme dans un conte de fées. Ils représentaient le seul élément stable dans ma vie, mon point d'ancrage. Maintenant, je peux leur dire adieu. Je ne le supporterai pas ! Je me jette sur les coussins en sanglotant à fendre l'âme.

Au bout d'un moment, j'attrape des fourmis dans les jambes. Je me lève et consulte la pendule. Sept heures et demie. Je me tourne vers l'immense miroir à dorures qui m'avait tapé dans l'œil au moment d'emménager et qui me paraît à présent ridicule. Trop lourd pour qu'on l'accroche, il ne plairait pas à Rob. Je croyais qu'il ferait chic, incliné contre le mur, mais il me renvoie un drôle de reflet de moi-même. La largeur de mes cuisses ne dépasse pas celle de mes épaules. J'ai vérifié. Je me campe face à lui et m'examine. Une brune aux yeux gonflés, dans une robe quelconque. Je rentre mon ventre, j'ouvre grand les yeux et donne du volume à ma frange. J'essuie les coulures de mon maquillage. Je me redresse un instant, avant de reprendre ma posture habituelle. Inutile de se voiler la face : j'ai l'air de ce que je suis : une pauvre fille au trente-sixième dessous. Au secours ! Heureusement qu'une touche de raccourci sur mon portable me permet de composer instantanément le numéro de Lucy.

— Lucy, j'écoute ?

— Salut, c'est moi. Je peux te demander un truc, vite fait…

— Ce n'est pas le moment, Viv, me répond-elle d'une voix étouffée.

— Oh, l'affaire d'une minute ; même pas. Je voulais juste savoir : tu me décrirais comment ? Je suis jolie, à ton avis ?

— Oui.

— Mais jolie comment ? Sexy ? Féminine ? Sophistiquée ?

— Sexy, lâche-t-elle d'un filet de voix.

— Hum. Sexy comment ? Genre : une bombe ? Ou plus subtil ? On dirait qu'elle halète, tout d'un coup.

— Qu'est-ce qui te plairait le plus ?

— Dans l'idéal ? Je dirais… naturellement sexy, comme malgré moi.

— Eh bien, c'est tout à fait ça.

— Sauf que je le fais exprès, en réalité.

— Peu importe, Viv ! Il y a un homme sous ma couette alors je ne veux plus t'entendre.

Là-dessus, elle raccroche.

Je n'y crois pas ! Quelle égoïste ! Il arrive à Lucy de se montrer dure. Elle sait pourtant que j'ai le cœur brisé. Et puis, qui c'est, l'homme sous sa couette ? Elle n'a personne, en ce moment. Je ne peux pas croire qu'elle sorte avec quelqu'un sans m'avoir avertie. Non seulement elle est égoïste mais c'est une cachottière !

Je me rends à la cuisine, l'œil hagard. J'hésite à me préparer du café. Je considère les meubles laqués roses : ridicules à côté des placards sur mesure en noyer chez Rob. Qu'est-ce qui m'est passé par la tête au moment de choisir cet appart ? J'ouvre le frigo, dont je scrute les profondeurs. Soupirer à fendre l'âme m'apporte au moins un début de soulagement. Comment réagissent les autres dans ces cas-là ? Sans doute qu'elles vont chez leurs parents pleurer devant une tasse de thé. Le hic, c'est que je n'ai pas cette possibilité. Ma mère est, disons… une globe-trotteuse. Elle est tombée enceinte au lycée et n'a jamais révélé l'identité de mon père. Je suis née l'année de ses seize ans. Après mon septième anniversaire, convaincue que s'occuper d'un enfant n'était pas son truc, elle est partie « avec des manouches », comme disait grand-père. Cela dit, je pourrais me réfugier chez Mémé. Pourquoi pas, oui ? Je vais l'appeler. Je referme le frigo et m'empare du téléphone.

Pas de réponse. Où est-elle passée ?

Je m'effondre sur le canapé et la rappelle, encore et encore. Sans doute qu'elle bricole au jardin. Je l'imagine en train de tailler ses rosiers dans une robe-sac en lin, chaussée de ses espèces de sabots de vache, indifférente à mes souffrances. Je persiste à composer son numéro. Elle décroche enfin, haletante.

— Ici le 71-89-00 ?

— Mémé ! Pas moyen de te joindre. Où étais-tu passée ?

— Oh ? Nulle part, prétend-elle du ton pas très franc d'un gosse pris en flagrant délit de mensonge.

— Il a rencontré quelqu'un, Mémé.

Sous le coup de la douleur, un gémissement m'échappe.

— Qui ça, puce ?

— Rob. Mon Rob.

Un silence s'installe.

— Tu ne te rappelles pas que nous devions nous marier ?

— Je croyais que tu avais rompu.

— Hum… oui. N'empêche qu'il a quelqu'un d'autre, maintenant. Ce n'était pas prévu !

Ma vue se brouille et ma voix grimpe dans les aigus. Je distingue un bruit à l'autre bout de la ligne : un choc métallique contre du carrelage.

— Mémé ? Ça va ?

Des gloussements étouffés me parviennent.

— Mémé ?

— Oui, chérie, tout va bien. Reggie est là, il vient de renverser le seau à champagne.

— Le seau à… champagne ?

— Oui. Ramasse-le, Reg. Sinon, la glace va couler partout.

— Il siffle du champagne chez toi, dès le saut du lit ?

— Eh oui, puce, admet-elle d'un ton pas mécontent de soi.

— Il n'est que huit heures.

— On s'offre un brunch au champagne. J'ai sorti du saumon fumé.

— Un brunch ? Ça se prend vers onze heures, un brunch.

— Ah bon ? Mettons qu'on petit-déjeune au champagne, alors.

Il ne manquait plus que ça ! Tout le monde s'éclate sauf moi, si je comprends bien.

— Bon, Mémé, je ne vais pas te déranger plus longtemps. Je ne voudrais pas que mes peines de cœur gâchent ton petit-déjeuner, surtout !

— D'accord, puce. Tu me rappelles ?

— Pourquoi pas.

— Au revoir, poussin !

Je raccroche. Poussin ? Un brunch au champagne ? Je devine là l'influence de Reggie, le voisin. Il est toujours fourré chez Mémé… surtout depuis la mort de grand-père. Il lui arrive même de répondre au téléphone ! Oh là ! S'il y a bien une chose dont je n'ai pas besoin, c'est d'une Mémé éperdue d'amour à huit heures du matin. Elle n'est pas censée mener une vie sentimentale plus épanouie que la mienne. Pas à soixante-quatorze ans !

Je range mon portable dans mon sac. Il serait temps que je parte au travail. Je tergiverse en me demandant s'il est nécessaire que j'emporte un manteau. Je sors sur le palier, retourne chercher mon sac, puis mes clés, avant de dévaler l'escalier moquetté qui sent le moisi.

Ma petite voix intérieure hausse le ton comme si un point d'exclamation soulignait mes moindres réflexions. Enfin… Quelle belle journée ! Un temps splendide pour un mariage. Celui de Jane et Hugo par exemple. Dans trois jours. Que faire ? Je ne peux pas y aller. Je ne peux pas, non plus, ne pas y aller : je leur ai promis de venir.

Je monte à bord du bus juste avant la fermeture de la porte et m'adosse au compartiment à bagages tandis que le conducteur déboule pied au plancher dans les rues de Londres. Je comptais me présenter au mariage dans ma vieille robe de cocktail bleue et repartir au bras de Rob. Changement de plan ! Il me reste trois jours pour me dénicher une tenue qui en jette, perdre une demi-douzaine de kilos et trouver un nouveau petit ami. Mon cas est désespéré. J'examine les vitrines alors que nous avançons par à-coups dans le West End. Je m'imagine essayer les habits qui attirent mon regard. Je me compare à ma rivale au physique de rêve et ne me trouve pas à la hauteur. Enfin : mon arrêt.

Je me mêle au flot des employés en me demandant face à chaque femme que je croise dans Baker Street : et si c'était elle ? Je traverse la rue. Les portes à tambour de l'immeuble Barnes and Worth m'avalent aussitôt.

Je me glisse dans l'ascenseur bondé. Les portes se ferment mais la petite flèche lumineuse pointée vers le haut s'éteint parce qu'un grand type poivre et sel vient de se faufiler dans la cabine. Je recule devant ses énormes souliers vernis. La flèche s'illumine. Nous voilà partis. Non ! Entre encore une femme boudinée par sa robe-salopette. Elle se répand en excuses en se réfugiant dans un coin, sur la pointe des pieds. Hum. Cette fois, c'est la bonne. Revoilà la flèche !

Attendez ! Nom d'un petit bonhomme ! Les portes coulissent une fois de plus. Je surprends notre reflet sur les carreaux en miroir du mur en face : des sardines humaines en boîte. Un type aux cheveux gominés pas très nets tente de pénétrer dans la cabine. Inutile d'espérer qu'il passera ! Il lui faut un siècle avant de comprendre qu'il retarde le départ. Bien sûr, sitôt refermées, les portes s'ouvrent à nouveau parce qu'il n'a rien trouvé de mieux que d'appuyer sur le bouton.

— Il n'y a plus de place ! Arrêtez d'appeler l'ascenseur ! glapis-je derrière Monsieur poivre et sel.

Un certain émoi gagne l'assistance au moment du départ. L'odeur d'un pet se mêle à celle de la mousse à raser. Je compte les pellicules sur le col de Monsieur poivre et sel en sentant des coups d'œil appuyés sur ma nuque. Je me retourne, en m'attendant à un sourire ou un commentaire mais non : tout le monde fuit mon regard. Je n'aperçois que des visages fermés exprimant une stupeur animale. Du bétail.

M'en fiche ! Je ne sais pas par quel miracle mais je jure que je ne sortirai pas d'ici ce soir sans une robe et un plan d'action. Je le jure, je le jure, je le jure.

Chapitre 3

Tirer les leçons

Nouvelle discussion : Tirer les leçons

Gâteau de lune : Quelqu'un peut-il m'aider ? Mon copain m'a plaquée et j'ai le moral dans les chaussettes.

Alicat : Ma pauvre ! Ne t'en fais pas, va ! Je me suis fait larguer en beauté l'an dernier : je sais ce que tu ressens. Le seul conseil que je peux te donner c'est : un jour à la fois.

Rayon de soleil : Et ne te fais jamais tatouer un B sur chaque fesse.

Gâteau de lune : BB ? Ses initiales ?

Rayon de soleil : Son prénom, c'est Bob.

Alicat : Renonce à l'aimer, lui, mais ne renonce pas à l'amour.

Rayon de soleil : Et détruis toutes les vidéos de vous au lit.

Alicat : Tôt ou tard, tu tireras un trait sur lui et ça ira mieux, crois-moi.

Gâteau de lune : Merci à tous. Je suppose qu'un jour, je retrouverai l'espoir.

Koola : Bande de tarés.

Mon bureau se situe au treizième étage. Bien que je le qualifie de « bureau », il mérite plus le nom de « poste de travail ». Nous sommes parqués entre des cloisons mobiles comme des vaches laitières dans une étable. De ma place, je vois par-dessus le panneau jusqu'au bout de la salle – grise, mais alors ce qui s'appelle grise, éclairée par des néons dont le bourdonnement file la migraine. Je suis sûre que je souffre du syndrome du bâtiment malsain. Je m'installe sur ma chaise à roulettes en m'efforçant de ne pas penser à mon ventre noué.

Ce matin a lieu une réunion visant à « retenir les leçons » : nous revenons sur nos choix de produits malencontreux dans l'intention d'en tirer un enseignement. Christie, mon assistante, s'est chargée de sélectionner des produits qui se sont mal vendus et d'analyser les avis de panels de consommateurs. Elle m'a suppliée de la laisser prendre la parole devant Pète-sec, l'acheteuse principale, notre chef. J'ai accepté. Tant pis si j'ai l'impression de lâcher un gentil petit toutou dans l'enclos d'un rottweiler ! Je n'avais pas le temps de m'en occuper.

Je suis des yeux Christie, une blonde platine au chignon impeccable, alors qu'elle rejoint son poste en se dandinant. Une couche de fond de teint doré empêche sa peau de respirer. De hauts talons rouges et un tailleur bleu parachèvent ce que j'appellerais son style hôtesse de l'air. Sans doute est-ce ainsi qu'elle se croit tenue de s'habiller, eu égard à son poste.

— Bonjour ! chantonne-t-elle. Tu as entendu parler des coupes budgétaires ?

— Pardon ?

Je tente sans succès de mettre en route mon ordinateur, qui date de Mathusalem.

— On va se serrer la ceinture chez Barnes and Worth. Attends-toi à des restrictions et un plan d'austérité.

— Qui te l'as dit ?

— Paul l'a entendu à la radio.

— Oh ! Les habituelles mesures de récession ! À ta place, je ne m'inquièterais pas. Les gens achètent plus de cadeaux inutiles en temps de crise : ce qui signifie plus de boulot pour nous !

— Ah oui ? relève-t-elle, ravie.

Se serrer la ceinture ? Ça ne me dit rien qui vaille. Je ne prétendrai pas que je raffole de mon travail ni même, certains jours, qu'il ne me pèse pas mais il y a pire ; d'autant que je paye mon loyer grâce à lui. La perspective de me retrouver au chômage ne m'emballe pas.

— Prête ? demandé-je à Christie.

— J'ai consulté les chiffres de vente de l'an dernier et repéré les trois produits les moins populaires chaque mois.

— Super.

Je tripote le bouton de l'écran, qui ne veut pas rester allumé.

— J'ai aussi imprimé les commentaires des panels de consommateurs.

— Tu sais ce que tu vas dire, alors ?

— Qu'est-ce que je vais dire ?

— Ce que tu penses des produits ?

— Oh ! je n'y avais pas réfléchi.

— Attends-toi à ce que Pète-sec te pose la question.

Je consulte ma messagerie. Rien de la part de Rob. Je me demande s'il écrit en ce moment même à sa nouvelle copine. Une douleur fulgurante me perce le cœur. Je tente de me raisonner en me concentrant sur mon travail. Je survole la liste dressée par Christie et prends mentalement des notes. Je me sens à cran. Branchée sur le 220. Pourvu que la réunion ne s'éternise pas ! Je dois dénicher une robe. Peu importe son prix ou sa coupe, il faut seulement qu'elle m'aille à merveille ; qu'elle me flatte en masquant comme par miracle mes grosses cuisses et qu'elle mette en valeur mon décolleté. Christie a intérêt à assurer. Je me lève.

On y va ?

Elle ramasse ses documents. Le claquement de ses talons m'accompagne le long du couloir jusqu'à la salle de réunion.

À cause de cette saleté de climatisation, je frissonne dans ma robe sans manches. Nous prenons place à la grande table ovale. Pète-sec nous rejoint. Des demi-lunes trônent au bout de son nez en bec d'aigle.

— Bonjour, Vivienne, me salue-t-elle en m'adressant un regard peu amène. Christine !

— Bonjour ! lui répondons-nous en chœur comme des écolières.

— Avant tout, Vivienne, je tiens à souligner que j'aime savoir où l'on va : un e-mail rappelant les différents points de la réunion aurait été le bienvenu.

Oups ! Christie devait s'en charger : la responsabilité d'organiser la réunion lui revenait en principe. Un léger malaise me gagne.

— Tiens ! annoncé-je à Pète-sec en lui tendant par-dessus la table un tirage papier de mon plan de réunion. Toutes mes excuses. Sache que, hier soir encore, nous analysions les réactions des clients, qui ont déterminé l'articulation des différents points de notre exposé.

D'où sortent de tels bobards ?

— Bon. Dans ces conditions…

Pète-sec étudie mon document en haussant les sourcils.

— Très bien ! Commençons par la présentation des produits qui n'ont pas trouvé preneur.

Un pli barre à présent ses lèvres peinturlurées. De ses yeux d'ambre, elle sonde Christie, qui se lève et, d'une voix tremblante, se met à lire un bout de papier froissé.

— L'objectif de la réunion d'aujourd'hui, d'une importance stratégique à mon sens, consiste à revenir sur les produits qui ne se sont pas bien écoulés afin de comprendre pourquoi ils ne se sont pas bien écoulés puis de mettre en œuvre une stratégie nous évitant à l'avenir de sélectionner d'autres produits ne s'écoulant pas bien.

Pète-sec marmonne quelque chose comme : « Bonté divine ! » avant de se verser un verre d'eau.

Faut-il que j'achète de nouvelles chaussures en plus d'une robe ? Et si je prolongeais ma pause déjeuner ce midi en poussant jusqu'à Oxford Street ? Je me demande ce que portera « l'amie » que Rob compte amener samedi.

Christie brandit un ensemble bonnet de douche et gant de crin en nous faisant part des commentaires du panel.

— « C'est démodé : ma mémé avait le même, or il y a dix ans qu'elle est morte » déclame-t-elle d'un ton pétulant. « Jamais je n'achèterais ce truc. Je déteste les bonnets de douche. » « Je m'attendrais à trouver ça dans un magasin de soldes ; pas chez Barnes and Worth. »

Pète-sec affiche une mine consternée.

Nom d'une pipe ! Christie s'enfonce en lisant un commentaire après l'autre au lieu de nous en proposer un résumé pertinent. À quoi joue-t-elle ? Elle n'en est quand même pas à sa première réunion. N'a-t-elle donc rien retenu des précédentes ? Je la croyais capable de se débrouiller. Tout à l'heure, je la tuerai mais, avant, je dois nous tirer d'urgence de ce mauvais pas. Comment m'y prendre sans l'humilier ? Mes ongles labourent mes paumes sous la table.

— « Ça ne me plaît pas du tout. C'est censé être de quelle couleur ? » poursuit Christine avec entrain.

Pète-sec enfonce son index manucuré dans sa joue avant de le pointer sur mon assistante à la manière d'un pistolet.

— Stop ! Pourquoi ne pas avoir demandé l'avis du panel au moment de la conception du produit, avant de le fabriquer en cinq mille exemplaires ? Ça n'a pas de sens !

Elle saisit le bonnet de douche entre le pouce et l'index comme s'il s'agissait d'un slip sale et le lance à Christie.

— Dis-moi, Christine : tu en achèterais un, personnellement ?

Christie part d'un petit rire.

— Sans façon !

— Alors qui en a eu l'idée ? Qui a donné son feu vert ? s'impatiente Pète-sec.

S'installe alors un silence de la même qualité que quand un vase en cristal hors de prix vacille avant de se fracasser par terre. Christie pose sur moi ses grands yeux larmoyants. Je me lève et récupère le bonnet.

— Tu permets ? L'ensemble gant et bonnet appartient à la gamme de produits « Naïades » évoquant l'univers des stars des années 1950. L'ensemble pédicure, le bain moussant, le lait hydratant et la crème pour les mains ont tous rencontré un franc succès. Le panel de consommateurs a bien accueilli l'ensemble des produits au moment de leur lancement mais je me demande aujourd'hui si le choix d'un turban et d'une éponge assortie n'aurait pas été plus judicieux. C'est moi qui ai eu l'idée du gant et du bonnet et c'est… euh… toi qui m'as donné ton aval.

La réunion se poursuit cahin-caha jusqu'au déjeuner. Je défends Christie de mon mieux, encore que le type qui descend les poubelles se montrerait plus convaincant que moi. Voilà en tout cas les leçons tirées de notre expérience :

1. Les produits d'une même gamme doivent plaire autant les uns que les autres.

2. Le client doit être convaincu d'acheter de la qualité.

3. Christie peut dire adieu à son poste.

Nous ramassons en silence les invendus. Il émane de Christie une gêne aussi palpable qu'une nappe de brume. Je salue Pète-sec d'un hochement de tête mais elle me retient.

— Vivienne, je peux te dire un mot ?

— Bien sûr.

Christie hésite à nous laisser.

— Vas-y ! la chasse Pète-sec d'un geste impatient de son poignet alourdi de bracelets.

La porte se referme sur mon assistante. Je me rassieds.

— Vivienne, je n'irai pas par quatre chemins. J'ai reçu l'ordre de pratiquer des coupes budgétaires. Il va falloir que je me sépare de certains collaborateurs. A priori, tout le monde est sur la sellette mais, entre nous, me confie-t-elle en me perçant du regard, ton assistante Christine me fait l'effet d'une parfaite incapable.

— Christie.

— Pardon ?

— Elle s'appelle Christie, pas Christine.

— Peu importe. Il faut se débarrasser d'elle.

— Ah, entendu. Attends ! Tu as le droit de la virer aussi sec ? Du jour au lendemain ?

— Oui.

Un sourire peiné flotte sur ses lèvres comme si le poids de ses responsabilités l'écrasait. Elle ramasse ses documents et se lève dans un nuage de parfum suffocant.

— Et si je me chargeais de la former ? Elle manque d'expérience. Sans doute parce que je ne lui laisse pas encore assez de responsabilités.

— Vivienne, c'est très gentil à toi de la défendre mais, si tu comptes diriger une équipe un jour, il faudra t'endurcir.

— Je vois. Quand même, je m'en veux. C'est la première fois qu'elle prend la parole en réunion. Ce ne serait pas plus rentable de la garder que d'embaucher une nouvelle assistante qu'il faudra ensuite former ?

Un petit rire échappe à Pète-sec.

— Je ne compte pas la remplacer.

— Ah. Dans ce cas. Ça me paraît tout de même injuste.

Je me triture les mains. Mes oreilles me cuisent.

— Bon ! Contente-toi de lui donner un avertissement verbal, alors. Je lui laisse une chance de se rattraper, mais pas deux ! À la prochaine bourde, elle s'en va.

Pète-sec se lève. Je manque de peu de tomber en arrêt face à ses mi-bas roses dans ses sandales couleur de morve. Elle ouvre la porte.

— Je compte sur toi pour dresser le bilan de la réunion et le diffuser ?

— Euh… d'ici vendredi prochain ?

— Avant mon rendez-vous avec les autres acheteurs demain, à neuf heures.

Elle me laisse en tête à tête avec la climatisation qui gargouille. J'ai l'impression de flotter à la dérive sur une mer houleuse – une sensation de ballottement supportable tant que je ne songe pas aux trombes d'eau qui menacent de me tomber dessus. Il va falloir que je donne un coup de collier si je dois boucler ce satané bilan. Avant tout, il faut que je me trouve une robe ! Je gribouille « fais ch' » sur mon bloc-notes et m'en vais dire deux mots à Christie.

Penaude, elle s'est réfugiée dans son bureau, sur lequel s'entassent les invendus. Une rougeur lui marbre le cou. Je remarque qu'elle a écrit en travers de ses notes en vue de la réunion : « Ne pas merder, la prochaine fois » en le soulignant d'un double trait. Je m'assieds à côté d'elle.

— Quelle catastrophe ! lâche-t-elle.

— Hum. Disons que ça aurait pu mieux se passer.

— Je m'étais pourtant donné du mal.

— Je m'en doute.

— Les commentaires des clients ne lui ont pas plu, hein ?

— Ah ! Tu sais ce que c'est : du haut de son poste, elle a tendance à snober les consommateurs. La remarque à propos de la mémé lui a arraché une grimace.

— Oh là, là ! Qu'est-ce qu'elle t'a dit ?

— Que je devais te donner un avertissement.

Christie s'apprête à protester lorsque sa bouche se tord.

— Hé ! N'en fais pas une montagne.

— Un avertissement ! En quoi ça consiste ? s'inquiète-t-elle d'un ton geignard.

— J'imagine que je dois te conseiller de faire attention ?

Elle secoue la tête.

— Je n'aurais pas dû commencer par le bonnet de douche. Personne n'aime les bonnets de douche.

Je le ramasse et l'enfile.

— Moi, si.

Un pâle sourire éclaire son visage.

— Ne fais pas de vagues ! lui dis-je en agitant l'index.

— Oh là, là !

Elle enfouit son visage entre ses mains avant d'éclater en sanglots. J'ôte le bonnet.

— Allez, Christie ! Ne pleure pas. Tu connais Pète-sec.

Je lui tapote le dos.

— Christie, tu n'as rien à te reprocher.

Elle pousse un petit cri étonnamment sonore. Au département comptabilité, quelques têtes se tournent vers nous.

— Christie, c'est de ma faute : j'aurais dû te préciser de ne pas lire les commentaires.

— Tu crois ?

— Oui.

— Alors pourquoi tu ne m'as rien dit ? s'étonne-t-elle en me fixant, les joues baignées de larmes.

— Ça m'est sorti de la tête.

— Merci bien !

— En fait, je ne m'attendais pas à ce que tu les lises.

Elle continue à me sonder de ses grands yeux larmoyants. La vue des coulures qui marbrent son fond de teint me donne mauvaise conscience. Pourquoi n'ai-je pas supervisé son intervention ? Parce que je la croyais capable de se débrouiller seule. Ou plutôt : parce que j'avais l'esprit ailleurs. Obnubilée par mon site Internet et mes problèmes de cœur, par le mariage de samedi et mon Rob qui sort avec une autre.

Avant même de m'en rendre compte, je déballe à Christie toute mon histoire. Elle n'en revient pas, vu qu'il n'est pas dans nos habitudes d'évoquer notre vie privée, si ce n'est pour répondre à la question : « Tu as passé un bon week-end ? »

— Comment vas-tu trouver une robe en si peu de temps ? Quand comptes-tu l'acheter ?

Une brusque montée d'adrénaline me donne envie de courir d'un bout à l'autre du bureau.

— Aucune idée. Pas aujourd'hui, je suppose ? Je dois rédiger le compte rendu de la réunion.

— Pas question ! s'écrie-t-elle avec une telle véhémence que j'en sursaute. Il faut à tout prix que tu fasses les boutiques.

— Tu l'as dit !

Eh bien ! Elle prend mes soucis à cœur !

— Je pourrais me charger du compte rendu à ta place ? Non ! Je suis nulle en rédaction. Mauvaise idée.

— Ne t'inquiète pas, Christie. Je trouverai bien une solution.

— Attends, je sais ! Mon ami Nigel est styliste ; enfin, il est surtout étudiant pour l'instant mais il ne manque pas de talent. Il pourrait te prêter l'une de ses créations. Ça m'est arrivé de lui en emprunter, quand j'avais besoin d'une robe qui en jette.

— Ah ?

Et à quelle occasion a-t-elle eu besoin d'une robe qui en jette ? Sa proposition me tente à peu près un quart de seconde. Christie a une conception tellement avant-gardiste de la mode qu'elle lui vaut souvent des moqueries à n'en plus finir. Comme le jour où elle a mis des bas en moumoute blanche et que tout le monde n'arrêtait pas de bêler sur son passage.

— Merci mais je ne crois pas qu'il existe de robes haute couture à ma taille.

— Tu fais du combien ? Du 42 ?

— Du 38.

Elle considère mes hanches.

— Ou du 40. Selon les marques.

— Je peux toujours lui demander. La dernière tenue qu'il m'a prêtée a vraiment épaté mes amis. S'il a quelque chose dans ses cartons, il te l'amènera cet après-midi. Il suit les cours de St Martins, pas loin d'ici. Je lui demande ? Peut-être qu'il détient la réponse à tes prières.

Tu parles ! Une simple robe ne suffira pas à les exaucer. D'un autre côté, s'il pouvait m'éviter de faire les boutiques dans l'urgence en essayant toutes les tenues qui me tombent sous la main dans des cabines mal éclairées qui sentent les pieds…

— D'accord, Christie. Pourquoi pas, après tout ? Merci ! ajouté-je face à sa mine implorante.

— Je t'en prie ! renchérit-elle en souriant. Je me sens tellement mieux grâce à toi, Viv.

— Super !

— Tes problèmes m'ont aidée à relativiser les miens.

Elle se lève et lisse sa jupe.

— Tant mieux ! lâché-je en clignant des yeux, éberluée.

— Je vais déjeuner. Je te ramène quelque chose ?

Je décline son offre et la regarde s'éloigner. Puis je rassemble ses brouillons et m'attelle au compte rendu. Une heure plus tard, je n'en suis toujours qu'au premier paragraphe. Impossible de me concentrer. Mon cerveau ne cesse de me bombarder de réflexions génératrices de panique. Je sors mon carnet et y cherche une page vierge à la suite de mes notes concernant mon site Internet. J'y inscris un titre que je souligne.

À faire – avant le mariage
1. La robe. En acheter une.
2. Les chaussures. En dénicher une paire.
3. Mes cheveux. Trouver une solution.
4. Ma silhouette. ??

Pas très utile, comme liste. Oh zut ! D'habitude, je raffole des préparatifs : ils font partie du plaisir. Là, en revanche, il ne me reste que deux jours et demi, or l'enjeu est de taille. Je sais que j'ai intérêt à dévaliser les boutiques de Kensington High Street mais je me sens paralysée. Vaincue d'avance. Il sort avec une autre. Peu importe ma tenue : elle n'y changera rien. Ce n'est pas une robe qui va me rendre Rob ! Quand je raisonne ainsi, mon cœur me semble sur le point d'éclater et je ne suis plus bonne qu'à geindre, au désespoir.

Or ça ne m'aide pas.

Je regarde par la fenêtre le soleil auréolé d'une brume de chaleur. Quelle journée splendide ! Elle s'annonce pourtant longue et solitaire. Le compte rendu de réunion en souffrance me fait de l'œil depuis mon écran d'ordinateur. Un besoin irrépressible de prendre l'air me saisit. Surtout : pas question de rester seule.

Qui pourrait bien ne rien avoir de mieux à faire que de traîner avec moi un mercredi après-midi ensoleillé ?

*
**

Dans l'arrière-salle du *Crown* surgit Max en jean et t-shirt, ses vieilles bottines noires de motard aux pieds en dépit de la chaleur. Il repousse sur son front des lunettes de soleil à monture rouge pareilles à des yeux de mouche. Il cligne des paupières, le temps de s'accoutumer à la pénombre. Je lui adresse un signe de la main depuis ma table.

— Tu te prends pour une chauve-souris ? Il fait beau dehors, m'informe-t-il.

— Tu m'embêtes ! Dès que le soleil se pointe, tout le monde se pâme et en profite pour faire ce que personne ne fait d'habitude : batifoler dans les parcs, par exemple. Au risque de se tordre la cheville. Personnellement, j'aime autant écumer les bars comme à l'ordinaire. C'est toi qui ne réagis pas normalement.

Il me scrute un instant.

— C'est pire que ce que je craignais, commente-t-il. Qu'est-ce que tu veux boire ? Une pinte de sang de vierge ?

— Du vin blanc, s'il te plaît. Un grand verre. Et pas de chips, surtout : quand il y en a sur la table, je ne peux pas m'empêcher d'en grignoter.

Je le suis des yeux alors qu'il s'accoude au comptoir et devise avec la serveuse. Elle rejette ses cheveux en arrière en éclatant de rire pendant qu'elle lui sert son demi. Il nous apporte nos commandes, un sourire aux lèvres.

— Et toi alors ? lui lancé-je.

Il approche de ma table un tabouret du bar.

— Tu n'étais pas occupé à peindre un chef-d'œuvre ?

— Je ne suis jamais trop occupé pour te voir.

— Je me demande comment tu parviens à gagner ta vie en t'éclipsant au pub à la moindre occasion.

— Tu as raison : je ferais mieux de m'en aller.

Il siffle sa bière. Je porte mon verre à mes lèvres. Il ouvre un sachet de grattons, qu'il croque à grand bruit, l'un après l'autre.

— Quoi ? Tu n'aimes pas les rillons.

— Les grattons.

— T'en veux ?

— Non.

Il verse le fond du sachet directement dans son gosier et froisse le papier d'emballage pour le déposer dans le cendrier. Il se cure ensuite les molaires du bout de la langue.

— Élégant, commenté-je.

— Qu'est-ce qui te chagrine ?

— Oh, je ne sais pas. Peut-être la perspective d'affronter mon ex et sa nouvelle copine à un mariage où je dois aller seule, samedi.

Il avale une gorgée de bière.

— N'y va pas.

— Il le faut pourtant, Max. Contrairement à toi, j'honore ma parole.

Il tire la grimace et me confie :

— Alors je t'accompagne.

— Toi ?

J'éclate de rire.

— Le bar est à volonté. Tu ne t'en relèverais pas. Ça ferait désordre.

— Je n'ai rien de prévu, samedi.

— Rappelle-toi le dîner mondain où tu t'es pointé.

— Il me reste un costume… au fond d'un placard.

— Celui que tu portais à la remise de ton diplôme ?

— Non. Pourquoi ? Et quand bien même ? Où est le problème ?

— Tu oses me poser la question !

Son sourire révèle une dent de devant cassée. Pourquoi n'y remédie-t-il pas ? Les dentistes font des merveilles de nos jours.

— Je dis seulement que, si Daniel Craig est déjà pris samedi, moi, je veux bien te dépanner.

Dans mon désespoir, je songe sérieusement à me pointer au mariage au bras de Max, mon excellent ami, tout à fait capable de s'habiller correctement, une fois convaincu de laisser tomber les espadrilles ou la cravate orange – si ce n'est pas les deux à la fois. Je ne pourrai pas le présenter comme mon petit ami, vu que Rob le connaît déjà. D'un autre côté, il n'est pas question que je me rende seule à la fête.

Oh et pourquoi pas, après tout ? J'aurai l'air moins cruche avec lui. Célibataire mais pas esseulée pour autant et n'éprouvant pas le besoin de me jeter la tête la première dans une nouvelle relation.

— De quelle couleur, le costume ?

S'il me répond autre chose que gris ou bleu pétrole, je renonce à l'emmener avec moi.

— Marine… à rayures.

— Fines, les rayures ? Ou façon transat ? me renseigné-je d'un air soupçonneux.

— Pour qui tu me prends, Viv ? Il est très bien, mon costume. Il me va comme un gant.

— Mais ça ne t'ennuierait pas de venir ?

— Non ! m'assure-t-il d'un ton exagérément patient.

— D'accord. Je demanderai à Jane si elle n'y voit pas d'objection.

— Elle va m'adorer ! Elle est déjà casée ?

— C'est elle qui se marie. Tu n'oublieras pas, hein ?

— Nan !

— Tout ce que je te demande, c'est de m'accompagner. Entendu ? Pas de flirter avec les demoiselles d'honneur. Et dès que Rob s'approche, tu t'éclipses.

— Compris ! conclut-il en se mettant au garde-à-vous.

— Merci, Max. Merci mille fois ! lui dis-je en lui tapotant le genou.

— Pas de quoi ! rétorque-t-il, un sourire béat aux lèvres.

Je finis mon verre. Quand je le repose, Max me sourit toujours aussi bêtement.

— Quoi ?

— Rien !

Il détourne la tête et nous restons un moment sans rien dire.

— Bon… mieux vaut que j'y retourne.

Je me lève et dépose un baiser sur sa joue mal rasée.

— Merci d'être venu.

— Vivement samedi ! lance-t-il alors que je me risque enfin à la lumière du jour.

*
**

Je retourne au bureau de meilleure humeur. Peut-être grâce au vin ou parce que Max a promis de m'accompagner au mariage. Voilà un bon début : je ne me retrouverai pas seule. Mon samedi s'annonce un tout petit peu moins catastrophique que prévu.

À la sortie de l'ascenseur, sur les étagères coulissantes derrière le poste de travail de Christie, une robe attire mon regard. Blanche et rose à la jupe en plumes. Christie se détourne un instant du site qu'elle consultait, sans rapport avec le boulot.

— Nigel vient de passer. Tu l'as raté de peu, m'annonce-t-elle mais ce n'est pas à elle que je prête attention : je n'ai d'yeux que pour la robe.

— C'est lui qui l'a dessinée ?

Je caresse les plumes blanches mousseuses à la légèreté aérienne sous un haut en soie d'un rose pâle à souhait.

— Eh oui ! Il est doué, hein ? Il est d'accord pour te la prêter mais, si jamais tu la taches ou que tu l'abîmes, tu devras le rembourser.

Je m'empare du cintre et plaque la robe contre moi. Je n'avais encore rien vu de tel. J'en ai des palpitations rien qu'à la sentir frôler ma peau. Une vraie merveille, dans le genre ! De fines bretelles en satin la retiennent aux épaules. Dans le dos court une rangée de minuscules boutons. J'en frémis de bonheur.

— Combien elle vaut ?

— Oh, dans les mille.

— Mille… livres ?

Christie acquiesce.

— Ah. Tant que ça !

Je n'ai plus qu'à en prendre soin. Après tout, je vais à un mariage ; pas à une rave.

— Elle est magnifique ! insiste Christie. Regarde !

Elle se connecte au site de Nigel et me montre la vidéo d'un défilé où la création de son ami apparaît sur une mannequin chaussée de souliers à talons carrés beiges. Le mouvement des plumes est à tomber ! La robe donne à celle qui la porte beaucoup d'allure mais sans forcer le trait. Comme si cela lui venait naturellement. C'est décidé : je la prends !

— Une robe pareille, il n'y en a pas deux. Tu peux être sûre que personne ne l'aura déjà vue.

Christie se retourne sur sa chaise à roulettes pour me détailler alors que je brandis à bout de bras ma future tenue de samedi.

— Tu penses qu'elle m'ira ?

— Emmène-la chez toi et essaye-la.

Je la repose en m'imaginant me présenter avec au mariage de Jane. Réussirai-je à tirer mon épingle du jeu ?

— Elle en jette, hein ?

— Crois-moi : tu ne trouveras pas mieux ! affirme Christie.

*
**

De retour chez moi, je me glisse dans la robe de mes rêves. Après mon troisième verre de pinot, je m'adresse à mon reflet dans le miroir.

— Coucou ! Tiens ? C'est toi ! J'adore ta robe. Ah ? Merci, c'est un ami styliste qui l'a conçue pour moi.

J'esquisse un pas de danse et mêle ma voix à celle de Paloma Faith en provenance de mon iPod. Les plumes virevoltent : génial ! Le haut est… disons… près du corps. Au moins, il souligne ma poitrine. Je n'ai que des chaussures à talons carrés en cuir noir. Elles feront l'affaire.

— Salut, Rob !

Je m'approche du miroir. Mon khôl me donne un de ces regards !

— Comment ça va ? Oh, moi ? Super ! Appelle-moi, un de ces quatre.

Je vais et viens devant la glace en minaudant. Il n'y a pas photo : c'est bien *la* robe qu'il me fallait. Digne d'entrer dans la légende. Un jour, j'en parlerai à nos enfants.

La pénombre envahit la pièce à mesure que le soleil décline mais les plumes continuent comme par magie de chatoyer dans le miroir.

Mon iPod passe à Ronan Keating : la chanson fétiche de Rob. Il en raffole tellement qu'il nous est arrivé de faire l'amour en l'écoutant. Je me récite les paroles :

— Quand tu ne dis rien du tout...

Je considère mes yeux brillants. Une larme roule sur ma joue.

— Je n'arrive pas à croire que je l'aie perdu ! soupiré-je.

Je sirote une gorgée de vin. Il me vient tout à coup à l'esprit que ce qui est perdu doit pouvoir se retrouver. Jaillit alors une étincelle d'espoir. Je verrai Rob samedi. Nous allons nous retrouver face à face. Même s'il ne vient pas seul, nous aurons l'occasion de parler. Je refuse de croire qu'il soit trop tard. Une petite flamme se ravive en moi. Je baisse les yeux sur ma magnifique robe et me figure la réaction de Rob. Quand il m'apercevra, il en restera baba. Il s'approchera pour mieux voir... et fondra sur moi au mépris des protestations de sa copine. Je me raccroche à ma conviction comme un naufragé à sa bouée.

L'affaire est dans le sac. Vivement samedi, tiens !

D'ici quelques jours, j'aurai reconquis l'homme de ma vie.

Chapitre 4

Trucs et astuces pour être au top

Utiliser des tonnes de maquillage et d'autobronzant et donner un max de volume à ses cheveux.

Marnie, 28 ans, Cheadle

Buvez beaucoup d'eau et dormez tout votre soûl.

Freya, 42 ans, Brighton

Une jupe infroissable, un jean moulant, un bustier, des bottes et un manteau de fourrure.

Shirelle, 22 ans, Londres

Les jours où je tiens à paraître à mon avantage, je mets des talons. Quand je marche, j'ai l'impression qu'ils me fredonnent : « Clic, clic, m'en fiche ! Clic, clic, ça ne m'atteint pas. »

Rebecca, 25 ans, Teddington

Achetez-vous des habits qui vous vont. Quel est l'intérêt de porter un jean d'ado après l'âge ingrat ?

Sue, 33 ans, Lyme-Regis

Au bout de plusieurs jours sans manger, je me trouve meilleure mine… sauf que je me sens vraiment mal, alors ne prenez pas modèle sur moi. Mangez à votre faim et mangez ce que vous aimez ; ça vous mettra de bonne humeur et vous resplendirez.

Ruby, 30 ans, Denham

Reste toi-même.

Ta maman

Si j'en crois la flopée de magazines que j'ai lus à ce sujet, les moyens ne manquent pas de se rendre plus présentable sans passer sous le bistouri : perdre du poids, se blanchir les dents, bronzer, se pomponner, dénicher la tenue de créateur la plus chère possible et passer chez le coiffeur. Je tire un trait sur le régime et le détartrage : pas le temps. L'autobronzant ne me paraît pas une mauvaise idée sauf qu'il risque de tacher la robe donc : on laisse tomber. Va pour le reste et croisons les doigts !

Déjà jeudi ! Je quitte le bureau en avance à quatre heures et demie : je suis attendue chez David Hedley, le meilleur coiffeur de Londres. Enfin, il paraît. Je n'y suis jamais allée mais j'ai lu dans un magazine de Christie que sa clientèle se composait de mannequins et qu'il utilisait des brosses introuvables dans le commerce. J'ai de la chance d'avoir un rendez-vous, même s'il a fallu pour l'obtenir que je raconte l'histoire du mariage, de Rob et de sa nouvelle copine. Je dois en outre passer chez Selfridges demain midi pour une épilation des jambes et du maillot. L'esthéticienne m'a promis de s'occuper de mes sourcils en prime, à l'œil.

Jusqu'ici : tout va bien. Il ne me reste plus qu'à m'esquiver en douce. Pourquoi l'ascenseur met-il un temps fou à venir quand je dois filer à l'anglaise ? Réponse : parce qu'il transporte Pète-sec ma chef et La Verrue, sa chef à elle.

— Bonsoir, Viv ! me salue La Verrue.

— Je dois passer à la photocopieuse, bafouillé-je.

— Veinarde ! commente-t-elle.

Pète-sec lève les yeux au ciel.

Je souris malgré moi alors que les portes de la cabine se referment : me voilà en route pour le paradis du cheveu.

*
**

Des fauteuils en peluche et des miroirs aux cadres ouvragés meublent le salon en béton brut et en acier du genre hangar industriel. Une hôtesse d'accueil en collant citron, maigre comme un clou, me tend la carte des boissons et me prie de patienter sur un canapé en velours. Une certaine Mandy va s'occuper de moi. Je me sens de l'énergie à revendre ! En attendant mon tour, je feuillette un somptueux catalogue de coiffures. J'aimerais avoir le courage d'opter pour une coupe « lutin » en blond peroxydé. Le courage ou le physique qui va avec. Frange ou pas frange ? Là est la question !

— Bonjour. C'est vous, Viv ?

Une femme rondelette dont les racines ont eu le temps de reprendre leur couleur naturelle me tend une blouse. J'espère que ce n'est pas Mandy : un brin de toilette ne lui ferait pas de mal.

— Oui, admets-je en souriant.

— Je m'appelle Mandy. C'est moi qui vais m'occuper de vous aujourd'hui.

— Super.

J'enfile la blouse et lui emboîte le pas. Elle me conduit à un miroir et me tripote les cheveux : elle les plaque d'un côté en les faisant bouffer puis les laisse s'aplatir.

— Bon ! Qu'est-ce que ce sera ? me demande-t-elle.

Ah ! J'ai horreur qu'on me pose la question. Un coiffeur est censé déterminer lui-même ce qui convient. En principe, il doit lui suffire d'un regard et en avant, marche ! « Un léger dégradé au niveau des pointes sans toucher à la longueur » ou quelque chose dans ce goût-là. Enfin… pas mot pour mot puisque c'est ce que je me résigne à réclamer d'habitude. D'ailleurs, je le demanderais bien une fois de plus si Mandy ne repoussait pas mes cheveux dans mes yeux en me coinçant le menton sur la poitrine. Surtout : ne pas oublier qu'il s'agit du meilleur salon de Londres !

— Vous avez tellement de cheveux !

Je tente de redresser la tête mais Mandy me la penche d'un côté puis d'un autre.

— Épais, en plus.

Sans doute que je ne devrais pas en avoir autant. Comme s'il y avait une limite à ne pas dépasser, en la matière.

— Qu'est-ce que vous me conseillez ? réussis-je enfin à placer.

— Vous voulez les raccourcir ou pas ?

Je lui indique que non. Elle prend un air soucieux.

— Vous avez un gros volume de cheveux, là ! insiste-t-elle en me comprimant les tempes. Ça ne va pas du tout ! Ils manquent de mouvement. Trop raplapla.

—Ah.

Je ne me doutais pas qu'il fallait du mouvement à mes cheveux !

— On pourrait amincir au niveau des racines et conserver la longueur en éclaircissant quelques mèches, propose Mandy.

Soulagée d'apprendre qu'il reste quelque chose à tenter, j'abonde aussitôt dans son sens.

Elle s'éclipse, le temps de préparer ma coloration. Mon moral retombe comme un soufflé. Je parie que la copine de Rob n'a pas une crinière comme la mienne. Je parie que ses cheveux sont plus soyeux que ceux d'un bébé et qu'ils sentent bon les fruits des bois. Pourquoi faut-il que j'aie une telle tignasse ? Je n'ai pas connu mon père mais c'est sûrement de sa faute. Je m'apprête à maudire ma mère d'avoir laissé un chevelu la culbuter quand je reçois un texto de Lucy.

« Ça te dirait qu'on se voie en vitesse ? »

« Oui sauf que je suis chez le coiffeur. »

« OK. Appelle-moi quand tu sors. »

Parfait : j'aurai au moins l'occasion de lui montrer ma nouvelle tête ! Mandy revient et me propose à boire. Je commande du vin blanc et la regarde entortiller des bouts de papier alu autour de mon crâne. Elle ne se débrouille pas mal, finalement. Enfin, je suppose, puisqu'elle travaille ici. Je balaie du regard les alentours. C'est fou le nombre de blondes à l'air friqué auprès desquelles s'empresse le personnel ! Je commence enfin à me détendre.

— Les clientes vous demandent souvent si vous partez en vacances, Mandy ?

— Non.

— Ah. Je me demandais si c'est vrai ce qu'on dit : qu'on parle toujours vacances chez le coiffeur ?

— Non, me détrompe-t-elle d'un air soucieux comme si je déraillais.

Sans doute est-elle trop concentrée sur sa tâche pour bavarder : une vraie pro. Elle approche de ma tête un séchoir à roulettes qu'elle allume et qui tourne autour de mon crâne comme les satellites d'une planète.

— Je laisse la couleur prendre et je reviens. Je vous apporte quelque chose ?

Je recommande du vin. Je m'examine dans le miroir et me demande si je n'ai pas l'air plus mince. Je n'ai pas avalé grand-chose depuis lundi. Il me semble distinguer les os de mes pommettes quand je tourne la tête. Je feuillette un magazine où je découvre un article à propos d'une femme dont les implants mammaires ont explosé. Un homme dont le badge indique « Daniel » interrompt ma lecture par un délicieux massage du cuir chevelu.

Mandy revient. En avant pour le débroussaillage ! Des mèches humides s'éparpillent à mes pieds. J'entends la lame du peigne rasoir me frôler l'oreille. Je me demande si elle n'y va pas de trop bon cœur. Enfin ! je lui fais confiance. Des quantités de mannequins fréquentent ce salon.

— La couleur vous plaît ? me demande Mandy.

À vrai dire, je ne vois pas la différence. Sans doute parce que mes cheveux n'ont pas fini de sécher.

— Oui. Très subtile…

Ma remarque me vaut un sourire. Mandy s'arme d'un sèche-cheveux et d'une brosse. Un halo de vapeur se forme autour de mon crâne. Elle vaporise du fixatif sur son œuvre et me montre ma nuque dans un miroir. J'approuve d'un hochement de tête, même si j'ai l'impression de porter un casque. Je ne voudrais pas la froisser. Elle brosse mes habits et me reconduit à l'hôtesse filiforme qui me réclame d'un ton guilleret :

— Deux cents livres !

J'avale de travers et lui tends ma carte de crédit. Je survole la facture : quinze livres rien que pour le vin ! Bah ! ça valait le coût. C'est quand même le salon le plus couru de Londres. Je n'aurai jamais été aussi bien coiffée… une fois que j'aurai déplacé deux, trois mèches à la maison.

— Votre coupe est très réussie. Elle vous plaît ? me demande l'hôtesse alors que je tape mon code secret.

— Oh oui. Beaucoup. Pour me plaire, elle me plaît. Et c'est vrai que c'est une réussite. Non ?

Pour une raison que je ne m'explique pas, un gloussement m'échappe. J'adresse un petit signe de la main à l'hôtesse et me dépêche de rejoindre Lucy.

C'est fou ce que je sens le vent sur mes oreilles. C'est une impression ou les passants me regardent de travers ? Ce sont mes cheveux qu'ils reluquent ? Il me semble qu'une fille à la sortie du métro louchait dessus. Heureusement, Lucy m'a donné rendez-vous dans le quartier : sitôt tombé son verdict, je retoucherai ma coiffure dans les toilettes. Elle m'attend dans notre repaire favori où l'on sert de l'excellent vin et de délicieuses tapas. Je descends l'escalier en colimaçon et l'aperçois dans un coin, devant une bouteille et deux verres.

— Qu'est-ce que tu en dis ? commencé-je en lissant mes cheveux.

— Tu sors de chez le coiffeur, là ? me demande-t-elle alors que je m'assieds.

— Ben… oui. J'y suis restée trois heures.

— Maintenant que tu le dis. Tu as eu droit à un effilage au niveau des racines…

Elle se lève à moitié pour inspecter le dessus de mon crâne.

— Et même pas qu'un peu.

— Ah bon ?

Ma main y palpe en effet un début d'épi.

— Ça me va bien au moins ?

— Ouais. C'est sympa.

— Sympa ? Tu plaisantes ! Je viens de claquer deux cents livres.

— Chez le coiffeur ? relève-t-elle d'un ton incrédule.

— On m'a éclairci des mèches plein la tête.

— Tu as dépensé deux cents livres pour que tes cheveux paraissent un tout petit peu plus foncés ?

— Oui, Lucy.

Je me verse un verre et jette un coup d'œil aux cheveux de Lucy, tellement fins et soyeux qu'ils laissent deviner ses oreilles par transparence. Comment pourrait-elle me comprendre, la veinarde ?

— Hum… Grand bien te fasse ! Le brushing revient à la mode alors ?

Je consulte la carte des tapas.

— Pauvre Lucy ! Ne sois pas jalouse de mon charme.

— Tu es tellement jolie ! me susurre-t-elle d'une voix mièvre à souhait.

— Je sais. Et toi : éblouissante ! renchéris-je sur le même ton.

Elle lève son verre et nous trinquons.

— Attends un peu que je te raconte à propos de la robe…

Nous terminons la bouteille avant d'en commander une autre en épiloguant sur ce qui m'attend samedi. Comment me comporter face à Rob ? Quelle stratégie adopter au cas où il chercherait à me parler ? Comment traiter sa nouvelle copine ? Je rentre chez moi en taxi et envoie un texto à Lucy pour lui dire à quel point je l'apprécie en tant qu'amie. Elle me répond « Et toi, donc, ma poule ! ». Je me rends alors compte que je ne lui ai pas posé une seule question à propos de l'homme sous sa couette.

*
**

Beaucoup de vin plus trop peu à manger égalent : mal de tête. Voilà une leçon que je n'ai pas fini d'apprendre. Aujourd'hui, c'est vendredi et je vais arriver en retard au bureau, ce qui ne m'arrange pas, vu qu'il va me falloir une longue pause déjeuner pour l'épilation du siècle.

Mes cheveux ce matin me donnent un petit air de Tina Turner. Et vu la longueur : pas moyen de les attacher en queue-de-cheval. Tu parles d'effiler les racines ! Mandy a dû se lâcher avec le peigne rasoir dans mon dos. Quant à ma coloration… Ça vous dit quelque chose, les habits neufs de l'empereur ? Je m'efforce de ne pas pleurer en rattrapant le désastre à coups de fixatif mais une mèche s'obstine à rebiquer. J'ai l'air d'un imbécile de cacatoès et il est l'heure de partir.

Dans le bus, je consulte mon agenda, au cas où une obligation professionnelle me serait sortie de la tête. Je jette un coup d'œil à la page de samedi. J'ai dessiné un gros cœur sous la date. Le jour où je vais reconquérir l'homme de ma vie ! Le jour du mariage de Jane, aussi. Je ne sais pas si je la verrai beaucoup, une fois qu'elle aura épousé Hugo. Il la suit partout à la trace. Essayez de parler à Jane d'un sujet quelconque et voilà Hugo qui lui caresse le bras ou lui couvre les cheveux de baisers. Beurk ! Il est du genre trapu alors qu'elle est toute fine. Imaginez un hippopotame nain en costume passant la bague au doigt de la fée Clochette. Enfin ! Il paraît qu'il faut de tout pour faire un monde : la preuve. Rien au rayon boulot en tout cas. Hormis que je dois réfléchir à une nouvelle gamme de cadeaux de Noël.

Surgit dans mon esprit la navrante perspective d'un Noël sans Rob mais je me hâte de ne plus y penser. Il se pourrait tout à fait que nous passions devant monsieur le maire d'ici la fin de l'année. Et me voilà qui rêve aux mariages en hiver – fourrure blanche, roses rouges et bougies – jusqu'à mon arrêt.

Au bureau, je passe une matinée ennuyeuse au possible. Impossible d'aligner deux idées cohérentes à cause de ma gueule de bois et de mon ventre noué quand je songe à demain. À quoi bon entreprendre quoi que ce soit de sérieux dans ces conditions ? Christie trouve ma nouvelle coupe « piquante ». J'ajoute quelques élastiques de plus à la boule que j'ai confectionnée l'an dernier et teste la force de l'aimant à trombones. Après quelques e-mails à des fournisseurs et plusieurs réussites sur ordinateur, l'heure arrive enfin – résonnez tambours, sonnez trompettes – de me rendre à l'institut de beauté.

Arrivée au grand magasin Selfridges, je prends l'ascenseur qui me dépose au dernier étage, à l'entrée d'une rutilante clinique futuriste tout en vert et blanc où je n'aperçois que des créatures de rêve. Avant que je commence à faire tache, une hôtesse d'accueil me conduit à une salle de soins et me prie d'enfiler une culotte en papier. Entre alors une magnifique femme de couleur.

— On commence par le maillot brésilien ? Le plus pénible d'abord ? me conseille-t-elle en m'adressant un sourire radieux.

Je ne m'épile le maillot à la cire que quand je compte porter un bikini ; c'est-à-dire rarement. Les sourcils gratuits en prime ont toutefois vaincu mes hésitations. Puis imaginez si Rob et moi nous remettons ensemble dès demain et qu'une chose en entraînant une autre nous finissons au lit… En voilà une surprise ! Lui qui me rebattait sans arrêt les oreilles avec ses fantasmes d'épilation intégrale.

— Le maillot brésilien ? Quand on ne laisse qu'une bande ?

— Sur le dessus, oui. Sinon on enlève tout le bas.

Le bas ? C'est à dire ? Ce qui dépasse de sous le maillot de bain ou… quoi ?

— Tout le bas ?

Ça me paraît beaucoup.

— Exactement.

— Et ça plaît ?

Je me sens nerveuse, d'un coup.

— Hé ! Il ne me reste plus un poil dans la culotte. Mon petit ami en est dingue ! Il ne me lâche plus d'une semelle.

J'imagine Rob ne me lâchant plus d'une semelle et me suppliant de renouer avec lui.

— D'accord !

— Écartez les jambes et relevez les genoux.

Ce qui suit ne va pas sans m'irriter quelque peu. En guise de finition, l'esthéticienne manie la pince à épiler entre mes cuisses. J'ai droit à un petit cœur sur le mont de Vénus. Après cela, les jambes et les sourcils me semblent une partie de plaisir. Ma peau rouge et gonflée m'élance.

— Vous avez beaucoup de cheveux aussi, j'imagine, commente l'esthéticienne en balayant.

— Plus maintenant, conclus-je avant de m'en aller.

*
**

Cet après-midi-là, chaque passage aux toilettes me réserve une surprise sans cesse renouvelée. Dieu merci, cinq heures sonnent enfin et me voilà libre de filer à la pharmacie me procurer de la crème à l'Aloe vera.

Sitôt rentrée chez moi, j'appelle Max.

— Allô ?

— C'est moi. Prêt, pour demain ?

— Qu'est-ce qui se passe, demain ?

— Le mariage !

— Attends : je ne t'ai jamais demandé de m'épouser.

— Max ! Ne déconne pas. C'est Jane qui se marie ! Et tu m'accompagnes.

— D'accord.

— Tu avais oublié, avoue ?

— Non.

— Tu as ressorti ton costume ?

— Ouais.

— Bon ! Tu l'enfileras demain matin et tu attendras que je passe te prendre en taxi. Je serai chez toi avant midi.

— Entendu. Qu'est-ce que tu comptes mettre ?

— Une robe, pourquoi ?

— Pour assortir ma tenue à la tienne.

— L'assortir ?

— Oui, glisser à ma boutonnière une fleur de la couleur de ta jupe, pour bien montrer que nous sommes ensemble.

— Sauf que nous ne sommes pas ensemble. Je vais me remettre avec Rob.

— Ah oui. Compris.

— Bon… À demain, alors ?

— À moins que je ne survive pas à la nuit.

— À plus, Max.

Je raccroche. Je tends l'oreille aux sirènes de police et à la circulation dans la rue. Chez moi, en revanche : pas un bruit. Je suspends la robe et son cintre à la porte de la penderie au-dessus de mes chaussures. Je dresse une liste de préparatifs de dernière minute, que je pose sur ma table de chevet. Je me couche de bonne heure mais ne trouve pas le sommeil et finis par lire des manuels de développement personnel jusqu'à minuit. « Guettez le rugissement du lion qui sommeille en vous ! » En moi ne se tapit qu'un gentil petit chaton.

Miaou !

Chapitre 5

Ce qu'on ne ferait pas par amour !

Un soir, j'ai installé ma table basse dans un jardin public (alors que j'habite au deuxième sans ascenseur) en disposant des coussins autour. J'ai cuisiné thaïlandais – entrée, plat, dessert : la totale – dressé le couvert et mis du vin blanc à rafraîchir. J'ai attendu. Au bout d'un moment, j'ai bu le vin. Le riz, je l'ai donné aux pigeons. La nuit est tombée. Je me suis endormie. Pour finir, il n'est pas venu. Quelqu'un m'a chipé mes coussins.

Maria, 34 ans, Battersea

Avec mon copain Andy, je tiens une petite boulangerie, où l'on vend des gâteaux décorés des lettres de l'alphabet. Un jour, j'en ai disposé en vitrine qui formaient la phrase : « Épouse-moi, Andy ». J'ai d'abord cru qu'il ne les avait pas remarqués mais, quand j'ai jeté un coup d'œil à la devanture, ils avaient changé de place.
Ils disaient « Quand tu veux ».

Rachel, 30 ans, Liverpool

Le cognement d'un marteau me réveille. Huit heures ! Les rayons d'un soleil éclatant filtrent à travers les stores : un temps idéal pour un mariage. Je jette un coup d'œil entre deux lamelles. Des hommes aux perruques multicolores disposent des tonneaux sur le trottoir.

Sans doute qu'un bar du quartier organise une fête ce soir. J'enfile ma robe de chambre en soie. Dans la salle de bains : revue de détail. J'ai les yeux cernés et manifestement pas à cause d'une nuit de folie. Je m'applique du gel anti-cernes. L'emballage prétend qu'il réduit les poches et lisse les rides. Un vrai miracle ! Pour 2,49 livres seulement. Mon cœur cesse de battre quand mes yeux se posent sur la robe près du miroir et mes escarpins sagement rangés dessous. Je me sens dans la peau d'un gladiateur examinant son armure, sauf que je ne sais pas qui je m'apprête à affronter.

J'imagine un instant ma rivale béatement blottie auprès de

Rob, en plein sommeil post-coïtal, le front lisse et l'esprit libre de tout souci. Mon estomac se retourne aussitôt. Nom d'un petit bonhomme ! Je me concentre sur la préparation du café : j'allume le gaz sous la bouilloire et parcours ma liste en attendant que l'eau chauffe.

8h30	bain
9h	lait de corps hydratant
9h30	ongles
10h	maquillage (sexy)
10h30	coiffure (style négligé savamment étudié)
11h	habillage
11h30	taxi
11h40	chez Max
12h00	arrivée à l'église, en avance
13h	mariage !

J'ai dessiné dans la marge des fleurs sur des tiges munies de feuilles. Christie m'a dit un jour que, quand on dessine des fleurs, c'est parce qu'on a envie de se marier et de fonder une famille. C'est fou ce qu'il y a de vrai là-dedans ! La bouilloire siffle. Je me verse du café. Impossible d'avaler une bouchée. Pour un peu, je me croirais de retour à l'école, le matin de l'épreuve du 400 mètres haies.

Je relève le store : des policiers bavardent sur le trottoir, en bras de chemise et gilet pare-balles. L'écusson de leur casque étincelle au soleil. Un type les rejoint en traversant la chaussée, tellement bien fait qu'il en paraît presque repoussant. Ils se montrent du doigt un camion garé à deux pas de là. Sans doute que se pose à eux un problème de logistique relatif aux livraisons d'un restaurant. Je pars me faire couler un bain.

*
**

Bon. Onze heures et demie. Voilà une heure que je suis prête et toujours pas de taxi. J'appelle le central de réservation.

— Taxi Kins, me répond une voix chagrine.

— Bonjour ! Ici, Vivienne Summers : j'ai demandé un taxi pour onze heures et demie mais il n'arrive pas.

— Ne quittez pas je vous prie.

Une interprétation de *Green Sleeves* au kazoo m'écorche les tympans.

— Madame ? Votre chauffeur m'assure qu'il sera chez vous d'ici cinq minutes.

— Eh bien j'espère ! Je suis attendue à un mariage, figurez-vous.

— Oui, madame. Cinq minutes.

Bon. Midi moins le quart. Tout va bien. Pas de panique. Il est en route. Sans doute même qu'en me postant à la fenêtre, je le verrai qui m'attend. C'est curieux la quantité de badauds dans le quartier aujourd'hui. Je retourne au miroir inspecter mon maquillage. D'habitude, j'ai la main plus légère sur le khôl. Enfin ! Le résultat me plaît bien, même si j'ai plus l'air parée pour une soirée en boîte qu'un mariage. En tout cas : la robe en jette. Seyante au possible.

Zut de flûte ! Midi moins cinq. Où est passé ce fichu taxi ? Je rappelle.

— Taxis Kins ? me répond le type de tout à l'heure d'un ton qui indique que je l'enquiquine.

— C'est encore Vivienne Summers. Où est mon taxi ? Il est midi !

— Ne quittez pas je vous prie.

La Cucaracha a remplacé le « best of » du kazoo.

Madame ? Je regrette mais votre taxi est pris dans les embouteillages. Il arrivera dans une demi-heure.

— Quoi ! Vous rigolez ? Envoyez-moi un taxi tout de suite !

— Navré, Madame, mais vous allez devoir patienter une demi-heure.

Je manque de peu de m'étrangler.

— Oh, là, là ! À quoi bon réserver un taxi s'il se pointe quand ça lui chante ! Je dois me rendre à un mariage et j'ai demandé un taxi à onze heures et demie !

Retentit à mon oreille une version de *Nobody Does it Better* au kazoo.

— Oh mon Dieu ! Oh mon Dieu !

Je tourne un petit moment en rond comme une poule dans sa cage, ramasse mon sac et déboule dans la rue, les plumes hérissées.

— Pourvu que je trouve un taxi ! Pourvu que je trouve un taxi !

Je n'ai pas parcouru cent mètres que je vois des barrières bloquant l'accès de l'avenue où défilent des chars de carnaval. Une fanfare entonne une reprise de Madonna. *Like a Virgin.* Un éphèbe vêtu d'une espèce de harnais danse sur le trottoir. Je l'attrape par une bretelle.

— Pardon mais qu'est-ce qui se passe ?

Sans cesser de se déhancher, il me répond avec une moue :

— C'est le défilé de la fierté gaie, chérie !

Je jette un coup d'œil autour de moi. Aussi loin que porte ma vue s'étend une file de chars. Des banderoles clament « Homo, catho et fier de l'être » ou encore « Parents d'homo et fiers de l'être ». Le camion qui transporte la fanfare remorque une coupe géante remplie de types déguisés en fruits. Un poireau se rapproche de deux cerises à l'avant. Des bananes en string jaune brandissent un drapeau « fruité et déjanté ». En temps normal, je me mêlerais aux réjouissances mais pourquoi faut-il qu'ils passent par ma rue aujourd'hui ? Déjà midi dix ! J'appelle Max.

— Hé ! je suis prêt. Tu m'attends à la porte de l'immeuble ?

— Non ! Je suis coincée par le défilé de la fierté gaie. Pas moyen de trouver un taxi.

— Merde.

— Nous allons arriver en retard !

— OK. Pas de panique, Viv. T'es où ?

— Dans l'avenue, devant mon immeuble.

— J'ai une idée ! Prends la petite rue de traverse en t'éloignant du défilé et remonte l'artère suivante. Attends-moi devant le traiteur. Je viens te chercher. D'accord ?

— Tu ne trouveras jamais de taxi.

— Va m'attendre. J'arrive.

Mon cœur bat la chamade. Je remonte la petite rue en question en envoyant valser les canettes de bière vides en travers de mon chemin. Mes talons s'enfoncent entre les pavés. Une image se forme dans mon esprit : de la crasse urbaine en train de se coller à ma belle robe vaporeuse. Et ce n'est pas le pire : quelqu'un a élu domicile parmi des cartons. Je passe devant en retenant mon souffle, tourne au coin et m'arrête devant le traiteur.

Me voilà donc au point de rendez-vous. À ma gauche : des rues désertes interdites à la circulation en prévision du défilé. Je consulte mon téléphone. Une minute s'écoule. Je jette un nouveau coup d'œil à l'écran : dix minutes viennent de passer.

Je tente de garder mon calme : une pellicule de sueur se forme sur ma peau. J'entends enfin vrombir un moteur : celui d'une moto aux phares en œil de crapaud. Le type en combinaison de cuir noir qui la conduit s'approche de moi en levant un bras et s'arrête sous mon nez. Il enlève son casque en souriant de toutes ses dents. C'est Max. Il me semble que je viens de toucher le fond. Il s'attend à ce que je monte à l'arrière. Oh mais il y a pire : il va falloir que j'enfile un casque.

— Pas question !

— Comme si tu avais le choix.

Il met pied à terre et sort du coffre un casque jaune canari sans visière plus un énorme blouson de cuir, qu'il me tend. Puis il se remet en selle et démarre le moteur en me criant par-dessus le crachotement de sa bécane :

— Il est midi et demi !

C'est tout juste si je ne pleure pas en enfonçant le casque sur ma coiffure. J'attache la boucle sous mon menton. J'ai la tête tellement comprimée qu'il me semble avoir des fesses à la place des joues. J'enfile le blouson : il m'arrive presque aux genoux. Les rembourrages en métal me meurtrissent les épaules et les coudes.

De la sueur me ruisselle le long du dos. Je me hisse à l'arrière en calant mes talons hauts en bois sur les repose-pieds. Je m'apprête à rajuster ma robe quand l'engin bondit en avant. Ma jupe en plumes gonfle autour de mes hanches. Nous voilà partis ! Max fonce à toute vitesse devant un bus. Je me raccroche à son blouson à franges pour éviter de glisser. Impossible de regarder droit devant moi : le vent me gifle en pleine face en me bombardant de bestioles. Il y a d'ailleurs un truc qui gigote au creux de mon œil droit. Je me mets à couvert derrière Max et me raccroche à lui comme à une bûche dans des rapides. C'est un casque d'enfant qu'il m'a filé : il me serre les tempes comme un étau. Un parfum épicé se mêle aux relents d'huile et d'essence : peut-être appartenait-il à une fille à la tête pas plus grosse qu'une épingle ? Il a en tout cas saccagé ma coiffure. Et Dieu sait quelle catastrophe guette ma robe battue par le vent ! Nous marquons une halte à un feu rouge. Max pose un pied à terre. Je remarque alors ses chaussures : impeccables. La classe ! Tant mieux : il a fait un effort. Il relève sa visière et se tourne à moitié pour me tapoter la cuisse.

— Ça va ?

— Non !

Je distingue en plan rapproché son iris moucheté de vert et son gros nez de profil avant que la moto fuse dans une accélération qui manque de peu de me laisser sur le bas-côté. Je me recroqueville en attendant que Max se faufile dans de petites rues où il ralentit. Enfin : voilà l'église ! Immense. Presque de la taille d'une cathédrale. Une Jaguar de collection s'arrête devant l'entrée.

Max gare sa moto sur le parvis. Le toussotement du moteur quand il rétrograde lui vaut un coup d'œil inquiet des organisateurs en costume gris en haut des marches. Je m'extirpe du casque alors que Max coupe le contact. De puissants accords jaillissent de l'orgue. La portière de la Jaguar s'ouvre. Apparaît le père de Jane. Il ressemble tellement à Hugo que c'en est presque malsain. Max se change nonchalamment à côté de sa moto. Je me débarrasse du blouson, échevelée, moite de sueur. En lissant ma jupe, je repère une tache brune sur l'ourlet. La faute au pot d'échappement.

— Eh merde ! Tu as vu, Max ?

— Quoi ?

— Ta moto à la con a brûlé ma robe.

À cet instant sort de la Jaguar la mariée : une ravissante petite poupée en robe à paillettes dont la traîne ondoie derrière elle. Le vent s'engouffre sous son voile. Ses trois demoiselles d'honneur aux tenues noir et blanc dépariées avec beaucoup de goût s'empressent à sa rescousse. Elle serre au creux de sa main un bouquet de roses retenu par un ruban argent. D'une pression dans le bas du dos, Max me pousse vers l'église.

— Ferme la bouche si tu ne veux pas qu'y tombent des mouches.

— Les mouches, je les ai dans les yeux à cause de ta satanée moto !

Nous sourions aux organisateurs. Je prends un livret de messe et entre dans l'église en me sentant aussi sale que si je venais de me vautrer dans la fange. L'assemblée au grand complet se retourne sur nous. Max adresse aux invités un discret salut de la main avant de prendre place sur le premier banc venu.

— Eh bien ! Nous y voilà, murmure-t-il entre ses dents.

*
**

Je lui inflige un pinçon à la cuisse, arrange comme je peux ma tenue et me passe l'index sous l'œil : le bout de mon doigt en ressort tout noir. Je me demande si je ne pourrais pas me rendre plus présentable aux toilettes avant le début des mondanités lorsque l'organiste attaque une marche. Tout le monde se lève. Entre la mariée qui remonte la travée à petits pas.

Elle adresse un sourire à la cantonade et un petit signe en prime à ses amis. Les paillettes de sa robe scintillent à la lueur des cierges. Je passe en revue la tenue de Max : un costume bleu pétrole subtilement rayé, une chemise blanche et une cravate rose. Il a plaqué en arrière ses boucles rebelles qui retombent sur son col. Rasé de frais, du haut de son mètre quatre-vingt-huit, il a l'air… plus que passable. Je souris intérieurement, transportée par un élan de tendresse. Mon estomac se noue alors que je cherche des yeux Rob. Je ne le vois nulle part. Il a dû arriver de bonne heure et se placer aux premiers rangs.

Je m'évente avec le livret de messe. L'assemblée se lève pour chanter un hymne. Je jette un coup d'œil à ma gauche : à deux pas de moi se tient la fille la plus adorable que j'aie jamais vue. On dirait un bonbon au caramel – une queue-de-cheval retient ses cheveux à peine plus cuivrés que son teint. La coupe de sa robe chocolat au lait, à la fois simple et chic, souligne à merveille la finesse de sa silhouette. Ses chaussures à talons noires à brides lui donnent juste la touche de glamour qu'il faut. À côté d'elle, je me sens dans la peau d'un travelo. Elle a dû deviner que je la détaillais car elle se tourne vers moi en m'adressant un sourire d'une blancheur à couper le souffle. Ses yeux de chat d'un bleu à la limpidité céleste se posent sur moi. C'est à peine si elle s'est maquillée. Un pas de côté me permet d'entrevoir celui qui l'accompagne. Mon cœur cesse de battre. Horreur ! Malheur ! Qui chante à pleins poumons fièrement campé auprès d'elle ? Mon Rob.

Je tente de suivre la musique en reprenant mon souffle, sous le choc, mais maintenant que je sais qu'il est là, je n'entends plus que sa voix.

« Nul ne lui résistera ; dût-il se mesurer à un géant. »

Je me sens défaillir. Un mélange de panique et de défaitisme me submerge comme une lame de fond. J'en ai des sueurs froides. Je baisse les yeux sur mon ourlet brûlé auprès des mollets bronzés de ma rivale. D'ici quelques minutes, Rob me reconnaîtra. Il me présentera à cette déesse et il faudra que je lui sourie malgré les coulures de mon maquillage et mes cheveux aplatis par le casque. Hors de question ! Je dois à tout prix m'éclipser. Je me tourne vers

Max et lui chuchote en interrompant ses bramements de baryton :

— Il faut que je sorte.

— Quoi ?

— Pousse-toi… on s'en va !

Il jette des coups d'œil affolés autour de lui comme s'il venait d'être mordu à la jambe puis il repère la fille et sa mâchoire se décroche. Je lui donne un coup de coude en marmonnant :

— Rob est là ! C'est sa copine.

Je repousse Max en tournant le dos à Rob mais autant déplacer une montagne. Une femme devant nous avec une plume dans les cheveux se retourne. L'hymne touche à sa fin. L'organiste n'en a plus pour longtemps. Je tambourine de toutes mes forces contre le bras de Max.

— Qu'est-ce que tu attends ?

Une main se pose sur mon épaule. Rob. C'est sans issue. Bonté divine ! Je m'esclaffe comme si Max venait de me raconter la meilleure blague de tous les temps et m'essuie les yeux d'un air de peiner à reprendre mon sérieux. Un rayon de soleil tombe sur les boucles dorées de Rob. Un sourire serein arque ses lèvres merveilleusement dessinées. Ses yeux bleus débordent de tendresse.

— Coucou, Vivienne !

— Rob ! Bonjour ! le salué-je sur un ton hystérique qui incite le mari de l'emplumée à me foudroyer du regard.

— Comment ça va ? murmure-t-il.

— Bien, bien !

Le regard de la perfection faite femme oscille de Rob à moi. Il lui prend la main ; un geste qui ne m'a pas échappé.

— Je te présente Sam.

On dirait un chat en train d'exhiber un oiseau mort. *Non mais vise-moi ça !*

— Bonjour, Sam.

Je lui souris. Elle aussi me sourit mais, lorsque Rob lui indique qui je suis, ses sourcils se froncent.

Par chance, l'organiste m'épargne le supplice d'une explication en entamant un autre hymne. Je la sens me détailler ; ce qui me hérisse. Elle se colle contre Rob au point qu'ils ne dévoileraient pas plus leur intimité en faisant l'amour. Je ne me sens pas la force de joindre ma voix au chœur. Mon esprit tourne en rond. De quoi devenir folle ! Je passe le reste de la célébration dans l'abattement le plus complet sans trouver le courage de me tourner vers eux. Vivement que ça se termine !

Les époux enfin unis par les liens sacrés du mariage remontent la travée comme au ralenti. Jane me sourit au passage. Je me sens face à elle dans la peau d'une naufragée qui verrait s'éloigner le dernier canot de sauvetage. Je m'appuie lourdement sur Max qui cède enfin : nous sortons de la nef comme du ventre d'une baleine pour nous retrouver sous un charmant soleil estival.

Je hoquette en poussant Max devant moi. Nous ne nous arrêtons qu'une fois parvenus à un mur contre lequel m'adosser à l'abri des regards. Je me cache les yeux d'une main.

— Oh Seigneur ! Oh mon Dieu !

— C'était à l'intérieur de l'église qu'il fallait le dire.

— Je ne le supporterai pas. Je croyais que si… mais non.

Je reprends mon souffle en tendant l'oreille au pépiement des étourneaux – et des invités de la noce. De toutes parts fusent des exclamations du genre « Magnifique ! » ou « Oh, je ne te le fais pas dire ». Ma vue se brouille. Une larme s'écrase par terre en dispersant une colonne de fourmis affolées. Max déplace un caillou du bout de sa chaussure. Je relève la tête en m'abritant les yeux.

— Et maintenant ? lui demandé-je.

Il sourit et me tend la main.

— Sèche tes larmes ! Il y a un pub, là. Allons-y.

Le Moine qui rit est un repaire de vieux garçons en survêtement usé. Quelques-uns lèvent les yeux, intrigués, en nous voyant entrer bras dessus, bras dessous. Nous prenons place sur des tabourets au bar. Une télé retransmet en sourdine une course de chevaux. Le patron famélique nous lance un coup d'œil appuyé plutôt que de s'embêter à nous adresser la parole. Je passe la commande :

— Deux grandes tequilas coca, s'il vous plaît.

— Et deux whiskys pour les faire passer, ajoute Max.

Le patron nous apporte des verres d'une propreté douteuse et me rend quelques pièces sur mon billet de vingt livres sans prononcer un mot.

Je siffle d'abord le whisky. Une chaleur subite m'envahit l'estomac. Max sirote le sien en plissant les yeux.

— C'est si terrible… de le revoir ?

Je médite la question. « Terrible » est un euphémisme. Cette Sam est un cauchemar. Je considère ma tenue : ma robe censée en jeter me paraît à présent plus grotesque qu'avant-gardiste.

— Max. De quoi j'ai l'air ?

Il finit son whisky, m'examine et réfléchit.

— D'une boule de glace à la noix de coco. À s'en lécher les babines !

— Ce n'est pas ce que j'ambitionnais.

— D'accord… d'une appétissante guimave ?

— Laisse tomber.

— Non, franchement, Viv, tu es superbe.

— Tu as vu la copine de Rob ?

— Ouais, pas mal.

— Une bombe, oui ! Il est fou amoureux, ça saute aux yeux.

J'ai la vue qui se brouille rien qu'à le dire. J'avale un trait de tequila.

— Il n'a pas perdu de temps, commente-t-il.

— Ben tiens ! Face à un canon pareil.

— Attends, elle n'est pas si bien que tu le dis, Viv.

Un sanglot m'échappe. Je vais devoir me moucher. Je renifle et finis mon verre avant de le claquer sur le comptoir.

— Bon sang ! Quelle tache je suis ! Je croyais qu'il me suffirait d'une robe qui en mette plein la vue et d'un peu de maquillage pour qu'il me revienne ! Elle n'est même pas belle, cette robe ! J'ai l'air d'une grosse meringue, à côté de sa copine !

Un type en débardeur lève le nez de son journal. Je me doute bien que ma voix a grimpé dans les aigus et que la clientèle du *Moine qui rit* n'apprécie pas les effusions mais je m'en fiche. Max commande deux tequilas coca supplémentaires. Par la fenêtre, j'aperçois l'église et le photographe qui demande aux invités de prendre la pose. Quelques dames en chapeau rejoignent déjà l'hôtel en vue du vin d'honneur.

— Une grosse meringue ? V'là mieux ! Où as-tu été pêcher ça ?

— Oh, je ne sais pas… Je veux juste qu'il me revienne !

Je me vautre lamentablement sur le comptoir. Max entoure mes épaules d'un bras et me chuchote au creux de l'oreille, comme un entraîneur à son poulain avant qu'il monte sur le ring :

— Dans ce cas, et même si je me demande pourquoi, sache qu'il est là et qu'il t'attend. Cette fille n'est pas de taille à lutter contre toi. Tu es pétillante et sexy alors qu'elle… c'est un cliché ambulant. Elle sonne faux. Je ne dis pas qu'elle n'est pas jolie mais toi… tu as le charme de l'authentique.

Je ne trouve pas le courage de décoller le nez du comptoir. Max me donne un coup de coude.

— Allez, Viv. Elle ne t'arrive pas à la cheville.

— Tu crois ?

— Mais oui. Je te paye un dernier verre et ils vont voir ce qu'ils vont voir.

Quand vient l'heure de partir, nous avons fait la connaissance des turfistes au grand complet en les ralliant à notre cause. Ils s'accordent tous à me trouver très, très séduisante et l'un d'eux, je crois qu'il s'appelait Norman, a même dit qu'il n'imaginait pas plus jolie que moi. Gonflés à bloc par ces suaves paroles, nous fonçons au vin d'honneur.

Chapitre 6

Comment bien se tenir à un mariage ?

Pas de bagarre.
Pas de chapardage de petites cuillers.
Pas de discours à l'improviste.
Pas plus d'une personne à la fois dans les toilettes.
Pas de chahut pendant les discours.
Pas d'envoi de texto pendant les discours.
Pas de hip-hop et pas de chorégraphie de stripteaseuse
sur la piste de danse.
Pas de cuite.
Pas de chanson sans autorisation.
Pas de photos ratées de la mariée sur Facebook.
Pas d'animaux.
Pas d'enfants[1].
[1] Sauf s'il y a une aire de jeux gonflables.
Pas d'adultes dans l'air de jeux gonflables.

— Prête ? me demande Max, une main sur la poignée.

— Et comment ! glapis-je.

Il m'ouvre la porte de l'hôtel. Manque de chance : nous nous sommes trompés d'entrée. Une employée, serviable, nous indique le chemin. Nous nous mêlons à la foule sans que nul nous remarque.

Max cueille deux coupes de champagne sur un plateau. Il en vide une et la remplace aussitôt par une autre, pleine celle-là. Je suis son exemple. Je me sens tellement mieux, tout d'un coup ! Je passe en revue les convives mais pas de Rob à l'horizon. L'hôtel est du genre chic traditionnel : du lambris partout et des tentures en brocart. Des portraits de V.I.P. sans sourcils du XVIIIe qui nous toisent du haut de leurs cadres tapissent les murs du salon du vin d'honneur. Au centre se dresse un escalier style « Autant en emporte le vent ».

Surgit au sommet des marches un musicien en kilt qui entonne un air traditionnel à la cornemuse avant de se mêler à l'assemblée.

Derrière lui apparaissent Jane et Hugo et – Dieu tout puissant ! – Hugo porte un kilt en tartan vert bouteille qui lui arrive au ras de ses genoux adipeux. De grosses chaussettes blanches maintenues par des rubans couvrent ses mollets en amphore. Jane a troqué son voile contre un diadème qui brille de mille feux. Le sourire aux lèvres, ils descendent l'escalier sous les applaudissements enthousiastes des convives.

— Il est Écossais ? Je ne savais pas ! me crie Max.

Les vedettes du jour se frayent un chemin entre les invités, suivis par le photographe qui les mitraille, avant de s'éclipser par une double porte sur le côté. La tête me tourne : je m'appuie contre un cache-radiateur fantaisie. Mes talons sont trop hauts – de vraies « chaussures à s'asseoir » comme dirait Lucy. Le joueur de cornemuse reparaît. Cette fois, il conclut son numéro par un couinement hors du ton et nous annonce :

— Mesdames et messieurs, je vous invite à passer à la salle à manger !

Max glisse son bras sous le mien et en avant !

— Ça tombe bien ! Je meurs de faim.

Max m'entraîne sur la moquette à motifs de roses. Les murs me semblent vaciller. Un frère de Hugo – un bon vivant qui a pour une fois réussi à boutonner un costume – accueille les convives ; nous nous présentons. Il nous indique notre table. Max le gratifie d'une vigoureuse poignée de mains.

— Vous pouvez être fier ! ajoute-t-il.

Un demi-cercle de tables rondes entoure celle des mariés. Nous sommes placés à la périphérie ; ce qui me vexe. Je considère Jane comme une amie proche mais, du fait que je l'ai connue par l'intermédiaire de Rob – il joue au rugby avec Hugo – elle doit se sentir plus liée à lui qu'à moi. La décoration de la salle tout en blanc et argent est éblouissante. Deux cygnes sculptés en glace étincellent à chaque entrée. Au plafond se massent des ballons nacrés auxquels pendent des rubans argentés. Des demi-bouteilles de champagne et des sachets de confettis sont disposés sur les nappes blanches semées de paillettes d'argent auprès de roses blanches fripées dans un vase en cristal. Des cadeaux emballés dans du papier scintillant attendent les convives à côté de serviettes au pliage alambiqué. Je n'en reviens pas ! Comble du raffinement : au dos de chaque chaise pend à du bolduc une carte où figurent nos noms sous un bouton de rose. Je reconnais ceux de Rob et Sam à la table en face de la mienne. Je les aurai donc en plein dans ma ligne de mire. La bulle de mon euphorie crève d'un coup en me laissant un goût amer à la bouche. Je me laisse tomber sur ma chaise alors que mon estomac se noue. Max se présente à la ronde. Une certaine Dawn aux yeux de veau tombe sous son charme : elle s'esclaffe au moindre mot qu'il prononce. Son mari, lui, tripote sa serviette, l'air pincé. Je tire sur le pantalon de Max, qui s'assied enfin en concluant son hilarante anecdote :

— Alors je leur ai dit : « Ce sera Tipperary ou plutôt mourir ! »

La tablée au grand complet attrape le fou rire à l'exception du mari pincé. Max se tourne vers moi, les yeux brillants.

— Oui… ?

— Arrête un peu !

— Quoi ?

— De vouloir à tout prix animer l'ambiance. Pourquoi faut-il que tu forces ton accent irlandais quand tu racontes une blague ?

— Je ne sais pas… parce que c'est plus drôle.

— Oh non ; détrompe-toi. On dirait que tu as un manque à combler.

— J'ai un manque à combler ! J'ai soif ! J'ai un gosier à combler ! déclare-t-il à la tablée ; ce qui arrache un sourire jovial à Dawn.

Il lance sur moi une poignée de serpentins argentés qui se prennent dans les mèches devant mes yeux. Je remarque que tout le monde à la table de Rob est jeune et beau ou à peu près. Il se penche vers Sam en lui caressant la main et murmure au creux de sa ravissante petite oreille. Un sourire modeste aux lèvres, elle baisse les yeux avant de répondre un truc du genre « moi aussi ». Max claque des doigts sous mon nez.

— Reviens parmi nous ! Et ne tourne pas la tête : ça te donne un regard de méchante fée devant le berceau d'une princesse. Tiens : tu reprendras bien un peu de champagne.

Il en verse dans mon verre de vin rouge. Un silence s'établit alors que je contemple les bulles qui éclatent à la surface. D'un geste empreint de tendresse, Max ôte un ou deux serpentins de mes cheveux.

— Mademoiselle, vous êtes ravissante. Ne nous sommes-nous pas déjà rencontrés ? lance-t-il en me souriant de toutes ses dents.

— Non.

— Sûre ?

— Je crois que je m'en serais souvenue, lâché-je en bâillant.

— Ah, je sais ! Vous n'êtes pas sortie diplômée de la fac de Liverpool en 1997 ?

— Possible.

— Comme moi ! On n'a pas déjà… ?

Il esquisse un mouvement suggestif du bassin.

— Non ! affirmé-je d'un ton cassant.

— Et ça vous dirait ?

— Quoi ?

Nouveau mouvement du bassin. Je le détaille un instant.

— Ça paraît tentant, présenté comme ça, mais je suis très prise en ce moment.

Les entrées – de la mousse de saumon – arrivent alors en masse. Une ado boulotte dont les couettes détonnent dans un tel décor nous claque nos assiettes sous le nez. Le concombre ornemental en dégringole. J'ai à la fois grand appétit et des nausées. Je jette un coup d'œil à Rob. Nos regards se croisent ! Mon cœur bondit lorsqu'il me sourit. Il se penche vers une fille à sa gauche dont ça ne m'étonnerait pas qu'elle soit suédoise. À côté de lui, Sam garde un maintien réservé, les mains dans son giron. La reine des bonnes manières. Et du bon goût. Rob se plaignait souvent de mon attitude en société : il me trouvait trop chahuteuse et braillarde. Sam sourit poliment à la serveuse et attend que les mariés commencent à manger pour s'emparer de sa fourchette. Ça, c'est du savoir-vivre ou je ne m'y connais pas. Je ne suis pas de taille à lutter. Pendant toute mon enfance, je suis passée des mains d'une grande personne à une autre, tel un relais dans une course. Comment apprendre à bien se tenir dans ces conditions ? Je descends mon champagne. Un rot m'échappe. Max me comprime le genou en décrivant à Yeux-de-veau la splendeur des falaises de Moher. C'est tout juste si elle n'en mouille pas sa culotte. À ma gauche, un dénommé Richard dont le boulot a un rapport avec la chaîne de télé Granada tourne vers moi son visage en lame de couteau en tentant d'alimenter la conversation.

— Vous avez des enfants, Viv ?

Des particules de saumon luisent dans sa moustache. Il sent le pingouin.

— Non, pour la bonne raison que mon fiancé est parti avec une autre.

Il recule brusquement comme si je lui avais mordu le nez.

— Oui, il m'a quittée avant que j'aie le temps de… vous savez…

Richard a l'air perdu.

— Oh. Eh bien, ma femme et moi en avons trois, informe-t-il le bouquet de fleurs. Josh, l'aîné, a quatorze ans ; il est passionné de musique.

Je regarde autour de moi en souriant bêtement. Jane paraît détendue. Elle resplendit. Hugo affiche une mine d'ahuri au comble du bonheur. Ses joues rougies par le feu du rasoir et ses doigts boudinés m'incitent à le prendre en pitié sans que je m'explique pourquoi. Rob porte à la bouche de Sam son morceau de concombre. J'ai l'impression qu'il vient de me percer le cœur avec son couteau à beurre. Il me semble voguer sur une mer houleuse dès que je bouge la tête. Je souris à Richard, toujours en train de bavarder —

avec un ami imaginaire, vraisemblablement.

— La petite dernière, Ruby, a quatre ans…

— C'est à moi que vous parlez ? Non mais parce que je m'en fiche ! lui annoncé-je, rayonnante.

— Pardon ?

— Vos gamins ne m'intéressent pas.

Je me demande, en le voyant se décomposer, si je n'ai pas dit une bêtise. Un étourdissement me vient. Je beurre un petit pain. Richard me tourne le dos.

Je mâchouille une bouchée de mie lorsque des assiettes de rôti de bœuf succèdent aux entrées. J'examine la nourriture sous mon nez : une tranche de viande pareille à la languette d'un soulier en cuir, des feuilles de chou jaunes et molles et du Yorkshire pudding à la dérive dans une flaque de sauce glaireuse. J'interpelle la serveuse.

— Je suis végétarienne.

— Oh ? s'exclame-t-elle, déconcertée. Votre nom ne figure pourtant pas sur la liste. Vous aviez demandé un repas végétarien ?

— Non mais j'en veux un quand même.

Je lui rends la platée de bœuf et retourne à mon pain, l'estomac dans les talons. Voilà plus d'une semaine que je n'ai pas mangé de pain. Ni grand-chose d'autre, d'ailleurs. Je fais main basse sur celui de Richard.

Max me tape sur les nerfs avec son petit numéro d'Irlandais pur jus. J'y mets bon ordre :

— Ça fait seize ans qu'il vit en Angleterre, vous savez !

Max me passe un bras autour des épaules avant de me serrer contre lui.

— Oui mais on n'oublie jamais ses racines !

Dawn s'esclaffe et Max me dévisage.

— Ça va ?

Il considère le dos de Richard.

— À ce que je vois, tu t'es fait des amis.

— Ressers-nous du champagne.

— Sûre ?

Il me montre sa main.

— J'ai combien de doigts ?

— Onze. À boire, j'ai dit.

Le repas touche à sa fin et les convives nettoient leurs assiettes lorsqu'on m'apporte enfin la mienne : un demi-poivron rouge farci de riz nappé d'un filet de sauce aux champignons. Richard le toise d'un œil écœuré. Je le tâte du bout de mon couteau en me demandant si je n'opterais pas plutôt pour le rôti, en fin de compte. De la table d'honneur provient le tintement d'un verre : le joueur de cornemuse « réclame le silence au nom du père de la mariée ». Celui-ci se lève. C'est étonnant, ce qu'il ressemble à Hugo ; plus que son propre père, d'ailleurs. Je lorgne la mère de Hugo. Se pourrait-il qu'elle ait eu une liaison avec le père de Jane ? Dans ce cas, il vaudrait mieux qu'elle l'avoue tout de suite pour empêcher Jane d'épouser son demi-frère. J'en toucherai un mot à Jane, tout à l'heure. Un jour, elle me remerciera.

Le père de Jane s'attendrit sur sa fille chérie. Je remplis mon verre. Des diapositives nous montrent Jane petite fille sur un vélo. Son sourire dévoile une dent de devant manquante. Son père nous explique que c'est lui qui lui a appris à rouler à bicyclette dès sa prime enfance. Voilà Jane adolescente avec un appareil dentaire, les paupières soulignées d'un trait bleu. Son père nous raconte qu'il la conduisait partout à l'époque. Je me demande si mon père à moi m'aurait aimée. Je me demande s'il est au courant de ma naissance. Je songe à mon Papi qui me laissait tenir le volant sur ses genoux pendant qu'il passait les vitesses. J'aimerais tant le revoir rien qu'une fois. Me voilà d'humeur à verser ma petite larme ! Je jette un coup d'œil à Rob : Sam se blottit contre lui. Un bras nonchalamment passé autour de sa taille, il lui tapote la hanche. Je ferme les yeux et reprends encore un peu de champagne. Le père de Jane nous explique à quel point il aime sa fille et comme elle le rend fier et met en garde Hugo : elle ne reconnaît jamais ses torts. Il propose un toast à l'amour, le vrai. Tout le monde se lève. Rob et Sam trinquent, les yeux dans les yeux. Puis les convives se rasseyent et me voilà seule encore debout en train de vaciller comme un arbre sous la tempête. Un silence s'abat. Des mâchoires se décrochent. Un grand fracas retentit dans ma tête. Rob me lance un regard pas rassuré.

— J'aimerais ajouter quelque chose !

Le son de ma propre voix me surprend. Je me tourne vers Jane, qui m'a l'air inquiète.

— À propos de l'amour, du vrai… On ne s'en rend pas toujours compte !

Max m'agrippe la main mais je ne me laisse pas faire.

— On ne se rend pas toujours compte qu'on a trouvé le grand amour, ou alors seulement quand il est trop tard et… qu'il s'en est allé.

Je lance à Rob un regard que j'espère lourd de sens et lui déclare :

— Il n'est pas trop tard, pour nous.

Sam affiche la mine de celle à qui un clodo vient de montrer ses parties honteuses.

— Tu me manques, Rob.

Un horrible silence s'ensuit. Max se lève à son tour en brandissant son verre.

— Nous aimerions proposer un toast. À l'amour, le vrai ! Il n'est jamais trop tard !

Soulagés, les convives se redressent d'un bond en se raccrochant à leurs verres alors que mon regard se vrille à celui de Rob. Des exclamations fusent autour de nous.

— À l'amour, le vrai ! Il n'est jamais trop tard !

Rob me considère avec une infinie tristesse avant de secouer la tête. Je me laisse tomber sur ma chaise.

Les langues se déchaînent et le calme ne revient pas avant des lustres. Hugo s'obstine à faire tinter son verre mais personne ne prête attention à lui. Des tablées entières se retournent pour me dévisager. Je reste immobile, à fixer un point droit devant moi. Mon cuir chevelu me démange et mes oreilles me cuisent. Max passe un bras autour de mes épaules.

— Ça va ?

Je renifle en m'essuyant les yeux du revers de la main.

— Non.

J'observe Sam qui hoche la tête à l'intention de son voisin de table. Elle surprend mon regard et me lance un sourire perfide. Je me lève brusquement. L'assemblée retient son souffle. Silence ! Sam se carre sur sa chaise, me guettant au tournant d'un air réjoui. On entendrait une mouche voler : tout le monde attend que je prenne la parole.

— Je… dois aller au petit coin.

Des gloussements m'accompagnent en chemin. Je tente de garder la tête haute parmi les exclamations du genre : « Non mais quelle robe ! » ou « Ridicule ! ». Je pousse la porte de la salle avant de traverser le couloir en geignant, d'un pas mal assuré. Les toilettes – en marbre – comportent un miroir à l'éclairage impitoyable sur toute la longueur du mur. Je me vois arriver : une espèce de ballerine pas très nette, une poupée oubliée sous la pluie. Je scrute mon reflet : un regard charbonneux, une bouche tellement rouge qu'on ne voit plus qu'elle. Je porte une main à mes cheveux : je lisse les pointes et tente de donner du volume aux racines aplaties par le casque. Je plante les coudes sur la tablette au-dessus du lavabo et me prends la tête entre les mains. Je n'en peux plus ! Je tends l'oreille au son de ma propre voix :

— Oh là, là ! Oh là, lààà !

Tellement réconfortant que je passe sans transition à :

— Oh non ! Oh nooon !

La porte s'ouvre : je me redresse en hâte en faisant mine de me pomponner. C'est elle ! J'examine son reflet en me barbouillant de rouge à lèvres.

— C'est toi qui viens de crier ? me demande-t-elle d'un air de feinte commisération.

— Non.

— Ah ? J'ai pourtant cru entendre : « Oh non. »

— Eh bien ce n'était pas moi ! mens-je d'un ton guilleret.

Elle ne passe pas au petit coin mais reste plantée à côté de moi à s'enduire les lèvres de *gloss*. Quelle différence entre nous ! Elle a un teint de miel qu'aucun artifice ne relève alors que je suis pâle à faire peur et maquillée comme une voiture volée. En plus, ma tête paraît énorme à côté de la sienne. J'essaye de ne pas la regarder. Elle se lave les mains.

— Pas facile, hein ? On ne peut pas se nettoyer sans savon ! Pour autant, il ne faudrait pas qu'il s'en incruste dans la monture, lance-t-elle en contemplant sa main au bronzage impeccable.

Il y a là quelque chose qui brille. Je me tourne pour mieux voir. Elle étend les doigts. Je remarque alors une bague de fiançailles qui étincelle de mille feux : un solitaire monté sur un anneau platine. Mon regard oscille de la pierre à son visage.

— Il me semble, commence-t-elle en souriant, qu'il est vraiment trop tard, pour Rob et toi.

Mon estomac se soulève au point de me remonter dans la gorge.

— Vous êtes fiancés ? gémis-je.

Elle écarquille ses beaux yeux en hochant la tête.

— Rob va t'épouser ?

La nouvelle me tombe dessus comme un seau d'eau glacée. Sous le choc, j'en reste bouche bée, mon bâton de rouge encore à la main.

— J'ai bien peur que oui.

Elle se campe devant le miroir et ôte l'élastique qui retenait ses cheveux châtains soyeux en inclinant la tête sur le côté comme dans une pub pour du shampooing.

— Je devine ce que tu penses : tout le monde trouve que c'est rapide mais il a tant insisté que je vais finalement me caser. À Bali, le mois prochain.

Elle vaporise un peu de parfum derrière ses oreilles et me fait face.

— Je crois qu'il est temps pour toi de tirer un trait dessus et de passer à la suite. Après tout, c'est ce qu'il a fait, lui…

Elle gagne la porte, se retourne et m'adresse un petit signe.

— Ciao !

Je me retrouve à fixer bêtement son dos.

Mon sang se glace. Je ne peux pas admettre que Rob s'apprête à convoler. Il n'y a pas trois mois encore, nous étions fiancés. Il compte épouser Sam au bout de trois mois alors qu'il n'a pas pu se résoudre à me passer la bague au doigt en cinq ans ? Qu'est-ce qu'il a contre moi ? Ça ne lui a pas suffi de me briser le cœur, il faut encore qu'il le piétine et chie dessus. Mince alors ! Je fais les cent pas sur la moquette beige en y laissant des marques de talons et en cherchant à comprendre. Pas croyable ! Il n'oserait quand même pas… Et pourtant : la bague ! Je ne peux pas rester les bras croisés… Pas question qu'elle me pique mon futur mari. Mes nausées m'obligent à m'asseoir mais rien n'y fait : la tête continue à me tourner. J'entends quelqu'un m'appeler. Curieusement, je vois tout flou. Enfin, je reconnais Max devant moi.

— Ah ! C'est donc ici que se donne rendez-vous la fine fleur ?

Il se laisse glisser contre le miroir et pose ses fesses à côté des miennes.

— Comment ça va ? me demande-t-il avec le sourire.

— Qu'est-ce que tu fabriques dans les toilettes des dames ?

— Je vais à la pêche, tiens !

— Oh !

Un sourire idiot se forme sur mes lèvres jusqu'à ce que je me rappelle l'autre garce.

— Ils sont fiancés. Tu verrais la taille de sa bague !

Il baisse les yeux sur la moquette et me tapote la cuisse.

— Et si je nous appelais un taxi ?

— Fiancés ! répété-je en secouant la tête.

Les murs se mettent à chavirer.

— Ah, il s'est rué dans ses bras pour t'oublier.

Max me prend la main et la presse.

— Ça ne durera pas. Tu as vu ses fesses ?

— Max ! Elle taille du 36.

— Pour le haut seulement.

Il me décoche un franc sourire dans l'espoir de me dérider et c'est plus fort que moi : nous voilà en train de nous bidonner dans les toilettes. Les murs tourbillonnent à tout va. Je me lève tant bien que mal et lui tends la main.

— On va boire un coup ? me propose-t-il en souriant toujours et je me fais soudain la réflexion qu'il ne manque pas de charme dans son genre.

Je compte me faufiler en catimini au bar mais une horde de femmes hystériques nous submerge dès la sortie des toilettes. Jane brandit son bouquet du haut des marches. Au gentil babillage et aux petits rires discrets du déjeuner ont succédé d'épouvantables glapissements et piailleries. Jane agite son bouquet. Quelques hommes errent aux alentours, pas rassurés. Le photographe joue des coudes entre celles qui brandissent leurs propres appareils.

— Prêtes ? s'écrie Jane.

La meute gronde.

— Oui !

Commence alors la bagarre pour la meilleure place. Je m'apprête à fendre la cohue en me raccrochant à Max quand je repère Sam. À l'arrière, ses bras menus en l'air comme si elle disputait un match de volley sur la plage. Rob semble bien s'amuser, adossé au mur, à deux pas d'elle. Quelque chose en moi se brise. Quelque chose d'usé jusqu'à la corde, qui cède enfin. Je me libère de Max en courant. Si je rattrape ce bouquet, Rob aura la preuve que c'est moi qu'il doit épouser. Il ne faut pas qu'elle mette la main dessus. Pas question – du moins pas tant qu'il me restera un souffle de vie. Si elle le récupère, tout est perdu. Jane lance enfin ses fleurs en poussant un cri de furie. Elles tournoient au-dessus des mises en plis et des mains tendues aux ongles vernis en gagnant en vitesse et décrivent un bel arc de cercle avant de tomber entre les mains de Sam. Je bondis sur elle mais elle n'a pas remarqué mon manège. Elle effleure à peine les tiges que déjà, ma main se referme dessus et je me vautre sur sa robe. Un cri lui échappe alors que nous nous étalons par terre. Une vive douleur m'irradie le nez au contact de son coude pointu. Pendant une minute, nous nous disputons les fleurs puis je me redresse en agitant le bouquet bien haut et en sautillant sur place.

— Je l'ai eu ! Je l'ai eu !

Je me permets un petit tour d'honneur devant Rob. Quand je le vois sourire, j'en ai des papillons dans le ventre. Je brandis le bouquet comme si c'était moi la mariée et m'approche de lui.

— Je l'ai ramassé en pensant à toi, tu sais, lui avoué-je en lui décochant mon sourire le plus ensorceleur.

— Eh bien, Viv ! Belle performance ! commente-t-il en riant ; il me tend un mouchoir. Tiens ! Tu gouttes sur ton trophée.

Je baisse les yeux. De vilaines taches rouges éclaboussent les délicates roses blanches. Je porte une main à mon visage : je pisse le sang. Je rejette la tête en arrière en me pinçant l'arête du nez.

— Oh mon Dieu, je saigne !

Je me retourne : les hystériques de tout à l'heure me regardent, consternées, sans mot dire.

— Hé, ho ! Je saigne du nez. Quelqu'un ne pourrait pas m'apporter de la glace ?

Je me tourne vers Rob mais il câline Sam en riant et en lui caressant les cheveux.

— Hé, toi ! Tu m'as défoncé le nez !

Elle me jette un coup d'œil par-dessus son épaule avant que Rob l'entraîne à l'écart en la protégeant de son bras. Max surgit dans le vide qui s'est créé autour de moi. Il me tend une serviette.

— Ma foi, tout s'est passé aussi bien qu'on pouvait l'espérer, conclut-il posément en me conduisant à la porte.

Chapitre 7

Rupture – la BO

1. La phase « gros chagrin »
Goodbye My Lover (James Blunt)[1]
Nothing Compares to You (Sinead O'Connor)
I Can't Make You Love Me (Bonnie Raitt)
Ex Factor (Lauryn Hill)
All out of Love (Air Supply)
[1] Attention : paroles d'une infinie tristesse.

2. La phase « colère »
See Ya (Atomic Kitten)
I Never Loved You Anyway (The Corrs)
Survivor (Destiny's Child)
I Will Survive (Gloria Gaynor)[2]
Go Your Own Way (Fleetwood Mac)
[2] De préférence arrosé de *mucho vino tinto* et accompagné de quelques pas de danse.

3. Sur la voie de la guérison
Sail On (The Commodores)
I Can See Clearly Now (Jonny Nash)
1000 Times Goodbye (MegaDeath)[3]
Believe (Cher)
Goody Goody (Ben Goldman)
[3] À éviter en cas de désir de vengeance.

La lumière tente dans un premier temps de s'immiscer sous mes paupières. Un bruit terrible me vrille alors les tympans. Ma langue a démesurément enflé. J'ai encore plus chaud que dans la gueule de l'enfer. À peine je remue qu'une douleur atroce me cloue sur place. Mon cerveau déshydraté cherche une explication. Je viens de réchapper d'un accident de train. On m'a tabassée avant de me laisser pour morte dans un désert. Je perçois une présence à côté de moi, la chaleur d'un être vivant. Alors même que je tourne la tête, un étau me comprime le crâne. En plissant les yeux, je distingue la silhouette de Dave, auprès de moi sous la couette. Mes souvenirs s'assemblent peu à peu, comme les pièces d'un puzzle. Des flashbacks en technicolor viennent alors me hanter.

Je glisse une main sous la couette : je porte encore ma culotte et un maillot de l'équipe d'Arsenal. Je me redresse sur un coude. Mes tempes battent au point d'éclater. Je lance un coup d'œil à Dave : un vrai sphinx ! Les pattes de devant tendues devant lui, il cligne des paupières en ronronnant à qui mieux mieux. Les rideaux vert bouteille de Max donnent à sa chambre une teinte nauséeuse. Je n'ai jamais eu aussi soif de ma vie. À côté du lit m'attendent une bassine, des mouchoirs, un grand verre d'orangeade et une tablette de paracétamol. Je bois d'un trait la moitié de l'orangeade et, à l'aide du reste, engloutis deux cachets, sortis de leur emballage d'une main tremblante. Je me rallonge et ferme les yeux. Dave enfonce ses griffes dans la couette. Je l'écarte, mais il se méprend sur mes intentions et se pelotonne sur mon ventre, en m'agitant sa queue en plumeau sous le nez.

— Fous le camp, Dave !

Je le repousse au bas du lit. Il s'y raccroche comme il peut en agitant les pattes, avant d'échouer sur la moquette grise. Les poils de chat me font éternuer à n'en plus pouvoir : des caillots de sang apparaissent au creux de ma paume. Mon crâne m'élance. Mes dents aussi ! Oh là, là ! Je ne suis vraiment pas dans mon assiette. Je me rallonge en m'efforçant d'ignorer la douleur et de ne penser à rien, mais mon cerveau l'a bel et bien enregistré : c'est sans issue. La robe à mille livres pend chiffonnée au dossier d'un vieux fauteuil, l'ourlet roussi, le haut éclaboussé de sang, et des salissures noires plein la jupe. Par terre, traîne le bouquet de Jane piétiné, ensanglanté. La tenue de mariée de Madame Dracula. La réalité se rappelle à moi aussi violemment qu'une série de gifles en pleine face. La nouvelle copine de Rob absolument canon… Paf ! Mon discours improvisé… Paf ! Le bouquet… Paf et re-paf ! Et là-dessus : une ultime claque, qui change en boule de billard électrique mon cerveau. Il va se marier !! Mon cœur cesse de battre.

Mon cas est sans espoir. Je ne m'en relèverai jamais. Je m'étends précautionneusement, en examinant une toile d'araignée au lustre. Je tente de me rappeler une preuve de ma bonne éducation, un moment où je n'ai pas mis tout le monde mal à l'aise… peine perdue ! Je distingue alors un bruit de chasse d'eau. Max frappe à la porte et entre en jean et t-shirt usé. Je tourne la tête vers lui, telle une moribonde en sursis. Il me sourit et s'assied au bord du lit.

— B'jour !

— Au secours ! murmuré-je.

— Ça ne va pas ?

— Même une bête, on ne la laisserait pas souffrir à ce point.

Il écarte mes cheveux de mon front. Le contact de sa paume me rafraîchit.

— Tu veux manger un truc ?

— Beurk, non.

Mes yeux se remplissent de larmes. Je me détourne.

— Des biscottes ou autre chose ?

Je lui fais signe que non.

— La robe est fichue.

— Bah ! tu pourras la ressortir au moment de Halloween.

— En plus, il va se marier.

Une larme roule sur ma joue.

— Ouais, bah !

Max s'allonge auprès de moi et cale ma tête au creux de son épaule. De longues minutes s'écoulent. Un parfum de lessive me chatouille les narines. Le vent qui s'engouffre par le cadre mal ajusté de la fenêtre agite le rideau. Un chien aboie dehors.

— Tu m'as déshabillée ? demandé-je à brûle-pourpoint.

— Ouais… tu étais dans les vapes.

— Tu m'as ôté mon soutien-gorge.

— Oui, Viv.

— Mais tu m'as laissé ma culotte.

— En fait, je te l'ai remise après t'avoir culbutée.

— Ah. Sympa.

— Qu'est-ce que tu crois ? Je t'ai mise au lit, rétorque-t-il en riant.

— Merci.

— Oh, de rien.

— J'insiste, Max : merci… de t'être occupé de moi, hier, pour commencer.

— Je t'en prie.

— Je me suis donnée en spectacle ! gémis-je.

— Tu exagères… proteste-t-il avant de réfléchir une minute. D'accord, ce n'est pas faux, mais quel spectacle ! Dommage de rater ça !

Je tends l'oreille aux battements du cœur bien accroché de Max. Je croirais pour un peu entendre cogner à une porte. Le lustre tourne dans un sens puis dans un autre. Je panique en prenant tout à coup conscience de ma vulnérabilité. D'habitude, je sais comment réagir, je vais de l'avant. Là, en revanche, je me sens paumée, vidée, à la merci d'un tiers. De Max, en l'occurrence.

Je me tourne vers lui : les yeux fermés, la bouche entrouverte, il ronfle en sourdine.

— Max !

Il se réveille en tressaillant.

— Quoi ?

— Ne me quitte pas.

— Oh non, pas de danger ! À la vie, à la mort !

Il me tapote la tête avec un peu trop d'entrain.

— Je voulais dire : pas maintenant. J'ai le moral dans les chaussettes… et je me sens patraque.

Il se dresse sur un coude et m'examine en fronçant les sourcils.

— Sache une chose : l'homme qui se moque de toi ne te mérite pas.

Je vais pour l'interrompre quand il dresse son index et le presse contre mes lèvres.

— Tant pis si tu as été la risée générale – on peut difficilement le nier – rien qu'une seule de tes fesses a plus de charme que bien des filles. Répète-le après moi.

— Répéter quoi ?

— Un homme qui se moque de moi ne me mérite pas et rien qu'une seule de mes fesses a plus de charme que bien des filles.

— Pas question !

Et pourtant, je finis par céder.

— Tu es mal en point, parce que nous avons bu comme des trous. Ne cherche pas plus loin ! Ce que je te propose, c'est de dîner ce soir à l'*Eagle*, en sifflant le petit verre qui te remettra d'aplomb.

Mon estomac me remonte dans la gorge, et l'orangeade avec. Max se rallonge en posant ma tête sur son torse.

— Quand même, ça reste dur à avaler ! Il ne suffit pas de dire qu'il ne me mérite pas. Même si, intellectuellement, je suis d'accord, mon cœur, lui, saigne. Tu vois une solution ?

— Le suicide.

Je lui tourne le dos et me pelotonne sur moi-même comme une petite fille. Il passe un bras autour de ma taille en me chuchotant au creux de l'oreille :

— Si j'en crois ma grande expérience en matière de cœur brisé…

— Qui t'a brisé le cœur ?

— Oh ! Je ne les compte plus. La serveuse du café, à la sortie de la station de métro Ladbrooke Grove, par exemple.

— Eh bien ?

— Je l'ai vue avec un type : son copain.

— Tu ne la connais même pas ! répliqué-je d'un ton de mépris.

— N'empêche : la claque ! Enfin, mon conseil, dans ces cas-là, c'est de panser ses plaies par la musique, la poésie et l'art.

— Ah. Change de disque !

— Je recommande en particulier les chansons country. Elles suintent tellement la mélancolie que ta situation finit par te paraître enviable, à côté. Genre : « Le jour où tu me quittes, va-t'en à reculons, que j'aie l'impression de te voir approcher. »

— Ne me raconte pas que quelqu'un a écrit une chanson là-dessus !

— Et pourtant si. « Je t'aime tant que je souffre moins de te quitter. » Un tube ! « Pourquoi c'est si dur de t'aimer-er-er-er ? » déclame-t-il.

— Tu ne viens pas de dire que tu ne voyais pas d'autre solution que le suicide ?

— Disons que ça soulage de savoir que d'autres ont souffert avant toi. Que tu n'es pas la seule.

— Tu n'as jamais songé à te reconvertir dans la conception de cartes de vœux ?

— Méchante ! Gare à toi si tu ne veux pas que je te fasse une prise de judo !

Je souris malgré moi. Puis je me rappelle Rob. Chaque fois qu'il me revient à l'esprit, je passe au crible de ma raison ce qui ne laisse pourtant pas l'ombre d'un doute, dans l'espoir de me convaincre que j'ai rêvé. Je ne peux tout simplement pas l'admettre. Il est à moi ! Mon Rob ! Ses slips, c'est moi qui les ai tous choisis. Et ses taies d'oreiller : pareil. Il doit y avoir une erreur. Mon pouls se calme. Je revois alors la bague à l'annulaire de Sam ; bien réelle, celle-là et pas près de disparaître. Il va se marier. C'est sûr. Mon cœur se serre. Max enroule l'une de mes mèches autour de son index. Je change de position en me calant la nuque sur son ventre, comme sur un oreiller.

— Il va se marier à Bali, figure-toi.

— Quel trou du cul.

— Il ne supporte même pas la chaleur. En Sicile, il ne m'a pas accompagnée à une seule sortie en bateau, parce qu'il fallait qu'il se repose entre midi et deux.

— Pfft ! Chochotte !

— Il a la phobie du cancer de la peau, alors même qu'il se tartine de crème solaire. Il faut dire aussi qu'il a la peau fragile…

Max m'examine attentivement.

— Tu me laisses faire ton portrait ?

Il y a des années que je connais Max et qu'il demande à me peindre. Jusqu'ici, j'ai refusé, dans l'idée que ça gâcherait nos relations en instaurant une gêne entre nous mais là, alors que ma tête se soulève au rythme de sa respiration, j'ai bien envie de me laisser aller, de me fondre dans son univers. D'autant que je n'ai rien à perdre.

— D'accord : vas-y.

Il se lève aussitôt.

— Tu es sérieuse ?

— Oui.

— Génial ! Maintenant, là, tout de suite ?

— Si tu veux.

Il s'en va comme s'il y avait le feu chez lui. Puis il revient.

— Ça va, tu es sûre ? Tu ne veux rien ?

— Du thé ? Un seau de thé sucré.

Au bout d'un moment, je me lève à mon tour en évitant de poser les yeux sur le désastre de la robe ou, pire encore, un miroir, et traverse le couloir qui mène à son atelier. Un fauteuil en velours gris y fait face à la fenêtre. Du fond de la cuisine, j'entends tinter une cuiller dans une tasse. Une toile vierge attend son heure sur un chevalet. Des tubes de peinture à l'acrylique sont alignés auprès d'un bocal de pinceaux. Une odeur de térébenthine s'élève d'un tas de chiffons. Il fait bon, ici. Des particules de poussière dansent dans les rayons du soleil matinal. Dans un coin traîne du bric-à-brac, des trucs bons à jeter. Un vélo est posé contre le mur, à côté des œuvres les plus récentes de Max. Je m'approche pour examiner de plus près un nu saisissant aux cheveux noirs sur un divan céladon. Elle plie une jambe en étendant nonchalamment l'autre, qu'on dirait en ivoire. Ses bras élancés forment un losange derrière sa tête. La pointe de ses seins menus est du même rose que sa bouche en cœur. Son regard vert alangui se perd dans le lointain. Elle paraît à la fois insolente et d'une sensualité à couper le souffle. Je me concentre sur son regard : ce que j'y lis me paraît d'une intensité telle que je me sens gênée. Max entre et se campe derrière moi. Son souffle me frôle la nuque. Je m'écarte. Il me tend un bol de thé, dont je bois une gorgée. Nous considérons tous deux la toile.

— Qui c'est ?

— Lula.

— Tu ne m'as jamais parlé de Lula. De Mary Jane, ça oui. De Stephanie aussi. Sans compter l'horrible Betty.

— Betty la puante ?

— Oui, Betty la puante. Mais Lula, non.

Il sourit et hausse les épaules.

— Ce n'est qu'un modèle : elle s'est contentée de prendre la pose.

— Elle est superbe. Tu es sûr de vouloir me représenter avec la gueule de bois ? Dans ton maillot de l'équipe d'Arsenal ?

— Tu es superbe. Puis tu n'as qu'à l'enlever, si tu préfères.

— Non merci.

— Assieds-toi, alors, m'ordonne-t-il en me désignant le fauteuil gris.

La chaleur du velours se communique à mes jambes nues. Max étudie mes traits.

— Tu es bien installée ?

Je le rassure d'un hochement de tête.

Il s'empare d'un crayon en prenant un air concentré qui lui assombrit les iris. Il me détaille comme une chose inerte, comme s'il me voyait pour la première fois, là sur le fauteuil. Pendant que ses yeux vont et viennent de mon anatomie à la toile, un rayon de soleil tombe sur l'extrémité de ses cils noirs et ses pattes.

— Tu sais que tu as des reflets roux dans les cheveux ?

Il ne me répond pas.

— Sans doute tes racines celtes qui ressortent ?

— Mouais.

Impossible de le déconcentrer. La chaude lumière du jour, l'odeur de la peinture et le crissement de la mine sur la toile m'hypnotisent. Je serre le bol entre mes mains en observant Max à l'œuvre. J'ai l'impression de le connaître depuis toujours. À un moment, il a été mis à la porte de notre résidence d'étudiants parce qu'il brassait de la bière dans sa penderie. Nous avons fait connaissance quand il a créé le « club des amateurs de poésie », qui n'a pas compté d'autre membre que moi pendant ses six premières semaines d'existence. Max et moi nous réunissions alors pour réciter des poèmes en buvant du cidre bon marché. À l'époque, je connaissais par cœur l'« Ode à l'automne » de Keats mais, aujourd'hui, je ne me rappelle plus qu'un couplet idiot, que me chantait Max, et que je lui récite d'ailleurs :

— « Il y avait une fille à Herne Hill, qui s'astiquait à la dynamite. On a retrouvé sa quéquette en Caroline et ses nénés au Brésil. »

— Ah ! Le club de poésie. Tant d'érudition ! se remémore-t-il, le sourire aux lèvres.

Au semestre suivant, une nouvelle élève enthousiaste nous a rejoints. Mignonne. À lunettes. Avec des points noirs sur les ailes du nez. Ça n'a pas dissuadé Max de la séduire ni de me confier qu'elle hurlait comme une louve au lit.

— Tu te rappelles la fille qui s'est inscrite au club ? Comment elle s'appelait ?

— 'chais plus.

— Allez ! Tu te l'es tapée, pourtant ! Celle qui poussait des cris de loup ?

— Ah oui. Jane, se remémore-t-il en plissant le front.

— Janet.

Sans mot dire, il fait gicler de la peinture sur la toile, d'un air absorbé. C'est fou, en un sens, que nous soyons toujours restés purement amis, Max et moi. C'est vrai, quoi : je l'adore ! C'est mon meilleur pote et je ne suis pas aveugle à son charme. Il est grand, pas désagréable à regarder. Seulement, je le connais trop bien. Sans compter qu'il est négligé. Il ne tient aucun compte des dates de péremption et il a déjà eu des puces… à son insu ! Sa conception de la gastronomie se résume à de la moutarde haut de gamme pour relever un plat préparé. Il considère la mode comme un attentat aux droits de l'homme. Surtout, il m'en a trop dit à propos de ses copines et de ce qu'ils ont fricoté ensemble – ou dans le dos, l'un de l'autre. Je sais par exemple qu'une de ses ex lui envoie des photos d'elle en tenue d'Ève, qu'il garde précieusement. Pour couronner le tout, il n'a pas un sou en poche. Je le regarde étaler de la peinture sur la toile. Il pose son couteau, allume une cigarette et se tourne vers moi.

— Ça t'ennuie, si je fume ?

— On va dire que non, tant que tu es conscient de multiplier par deux ton risque d'attraper un cancer et d'entraîner ma mort à chaque bouffée.

— C'est le but recherché. Je ne tiens pas à vivre éternellement, réplique-t-il en me décochant un clin d'œil, un sourire aux lèvres.

La fumée dessine un point d'interrogation à la commissure de ses lèvres, dont la teinte vermeille attire mon regard. Malgré moi, je m'imagine l'embrasser et remue sur mon siège.

— Tu en as encore pour longtemps ? Je commence à attraper des picotements dans la nuque.

Il range ses pinceaux dans un bocal avant d'écraser son mégot sur le couvercle.

— Non… Je crois que j'ai saisi l'essentiel.

Il s'étire en arquant le dos. Son t-shirt se soulève en dévoilant une ligne de poils noirs qui disparaît à l'intérieur de son jean.

— Je peux voir ?

— Non, je n'ai pas terminé.

Il ôte la toile du chevalet et l'emporte en me laissant plantée là.

— Viens ! Je te file de quoi t'habiller et en route pour le pub !

Chapitre 8

Suivre les bons conseils

De : Lucy Bond
À : Vivienne Summers
Objet : Lucy à la rescousse

Coucou !

Tu te rappelles que tu songeais à me confier la rubrique « SOS détresse » sur ton site ? Voilà un échantillon de mes talents :

Chère Lucy,

Je viens de découvrir que mon copain envoyait des SMS olé olé à quelqu'un de son travail. Je l'ai mis au pied du mur : il a prétendu que c'était « pour rire ». Il se trouve que le destinataire des messages a quarante ans et se prénomme Nigel. Je lui ai passé un coup de fil : il m'a paru plein d'humour et charmant.

Je devais épouser mon copain l'an prochain mais là, je me pose des questions. Que faire ?

M.

Chère M,

Opter pour un ménage à trois ?

Lucy

Une nouvelle semaine commence : pluvieuse sous un ciel bas et lourd. Je couve quelque chose. J'ai la gorge qui gratte, les yeux qui piquent et les sinus encombrés. Drapée dans ma robe de chambre en velours bleu, je consulte ma messagerie électronique. Aucun signe de Rob. Je réponds vite fait à Lucy : *Bravo pour le conseil à M. Un ménage à trois : la solution à tous nos malheurs ! Viv.*

Comme l'heure approche de partir au bureau, je me traîne jusqu'à la salle de bains et fais couler la douche. Je m'examine le blanc de l'œil dans le miroir. Pas de doute : je suis anémique. Voilà qui m'inquiète : en principe, je devrais déjà être morte. Je me place sous le jet d'eau : on dirait qu'une multitude d'aiguilles me piquent le dos. Je me verse du shampoing aux fruits sur le cuir chevelu : il paraît que c'est l'orgasme garanti. Bof. À vrai dire, je me sens surtout patraque. Je sors de la douche, m'enveloppe dans un drap de bain rose et m'effondre sur le siège des toilettes en me pressant les tempes. Pourquoi est-ce que je me sens si mal ? Max et moi nous sommes partagé une bouteille de rouge au pub mais, sitôt rentrée, à dix heures, je me suis mise au lit, dégrisée. J'enroule une serviette autour de ma tête et mets de l'eau à bouillir sur la cuisinière. Je réfléchis à ma tenue, quand un nouvel e-mail m'arrive. *Je suis la reine des conseils aux âmes en peine, avoue !*

Je me prépare du thé et hop ! À la penderie. Le simple effort d'enfiler un pantalon m'épuise. Huit heures et quart : je vais arriver en retard au travail. Je m'allonge sur mon lit, mon portable à la main, et prends la décision ô combien rassérénante de rester chez moi.

Max m'a envoyé un texto à minuit : *Tu es trop craquante, toi !* Voilà pourquoi je le compte au nombre de mes meilleurs amis : il sait toujours ce que j'ai besoin d'entendre. Mon sourire s'efface toutefois, au moment d'appeler au boulot. À mon grand étonnement, c'est Christie qui décroche.

— Ici le département achat de la branche cadeaux Barnes and Worth. Christie à l'appareil. Que puis-je pour vous ?

— Salut ! C'est Viv. Tu es bien matinale !

— Merci d'avoir remarqué. J'ai décidé de tourner la page.

J'en déduis qu'elle ne se pointera plus à dix heures pour avaler son petit-déjeuner face à son ordi.

— Je crois qu'il est temps de me concentrer sur ma carrière.

Un petit rire lui échappe : bien sûr, c'est une blague.

— Eh bien ! Tant mieux pour toi. Écoute, je…

— Honnêtement, après le savon que tu m'as passé, j'ai d'abord pensé : et merde ! Laisse tomber. Puis j'ai réfléchi, ce week-end, et je me suis dit : Christie, ressaisis-toi, ne baisse pas les bras.

— Ah, d'accord. Super ! Écoute, Christie, je ne viendrai pas aujourd'hui. Ça t'ennuierait de passer le mot ? J'ai un rhume carabiné. Je travaillerai de chez moi. Au besoin, je reste joignable sur mon portable.

— Oh, c'est bon.

— Bon ?!

— Le coup de la voix d'outre-tombe… Tu me connais, Viv. Pas la peine de feindre !

— Sauf que je suis vraiment malade.

— Bien sûr, oui.

— Je souffre d'anémie et d'un début d'angine.

Un gloussement lui échappe.

— Puisque tu le dis ! Je transmets le message, en tout cas.

— Parfait. Tu trouveras un tas de paperasse, à côté de mon bureau. Ça t'ennuierait de t'en occuper, d'ici ce soir ?

— Non, non.

— Et n'oublie pas de te renseigner sur les normes de sûreté des parapluies, des rideaux en perles et de l'ensemble manucure.

— Tout ça ?

— Tu es arrivée de bonne heure, non ?

— D'accord.

— Je ne vois rien d'autre pour l'instant. Au besoin, je te rappellerai.

— Entendu. Soigne-toi bien, Viv.

— À plus.

Je raccroche en coupant ainsi le sifflet à mon assistante qui se croit tout permis. Je pose la tête sur l'oreiller et m'empare de mon masque de nuit. Si seulement je parvenais à dormir quelques heures, tout irait mieux. Alors même que je m'efforce de ralentir ma respiration, la torture commence. La lumière m'agresse les yeux et la circulation, les tympans. Je me lève, finis de m'habiller et saute à bord du premier train à destination du Kent.

*
**

Longer les rues de banlieue verdoyantes du quartier de Mémé me donne l'impression de remonter dans le temps. Me revoilà dans la peau d'une gamine, à l'approche de chez elle ! Sa maison décrépite mais accueillante, au bout d'une impasse, prend ses aises sur le terrain alentour, à la manière d'un type bedonnant à la tête d'une tablée. Je croise un homme occupé à pousser une petite sur un vélo. Ils me lancent un coup d'œil. Je me rappelle Papi, en train de maintenir ma bicyclette en équilibre par la selle, dans la même rue, il y a trente ans. Le gravier de l'allée crisse sous ma semelle. J'actionne la sonnette, colle le nez au panneau de verre dépoli de la porte et sonne à nouveau. Il ne manquerait plus que ça, qu'elle ne soit pas là ! Je n'ai pourtant pas pensé à lui passer un coup de fil. Ma robe en coton me colle à la peau, tant l'air est humide. Et si Mémé s'affairait au jardin ? J'enjambe des pommes, qu'une bourrasque a fait tomber des branches, afin de jeter un coup d'œil par-dessus le portillon mais : aucun signe d'elle. Je sonne une fois de plus, convaincue qu'elle a dû s'absenter. Ah ! Du mouvement à l'intérieur ! Sa silhouette se profile derrière la vitre. Je l'entends se battre contre le verrou en criant :

— Une minute ! J'arrive !

Enfin, elle m'ouvre.

— Oh, Viv ! Bonjour !

Elle m'attire contre elle. Ses os saillants me rentrent au creux de l'épaule. Elle presse mes joues entre ses mains, qui sentent bon la crème hydratante.

— Quelle surprise ! Nous t'attendions plutôt hier.

C'est marrant qu'elle dise « nous ». Papi est décédé, il y a deux ans. Le matin de sa mort, elle a babillé une bonne demi-heure, en lui apportant sa tasse de thé, avant de s'apercevoir qu'il venait de rendre son dernier soupir.

— Je sais. Pardon !

Souriante, elle guette une explication mais il n'y en a pas, hormis que je suis une vilaine fille. J'essuie mes paumes moites sur ma robe. Un ange passe, alors que j'entre dans le couloir moquetté encombré de photos, de tableaux, de souvenirs et de fantômes.

— Enfin, te voilà ! Ça fait plaisir.

Elle me sonde du regard, pose les mains sur mes épaules et m'attire contre elle.

— Viens ! Entre ! s'écrie-t-elle en me relâchant enfin. J'aime tant t'avoir à la maison.

Je la suis à la cuisine, en remarquant qu'elle se raccroche à la rampe à chaque marche. Ses tendons saillants me font penser à des baleines de parapluie cassées.

— Je parie que tu ne dirais pas non à un café !

Autrefois, sa manie de s'exclamer en permanence comme si elle travaillait du chapeau me gênait. C'était tout à fait son genre de s'arrêter brusquement en chemin, le temps de s'extasier sur une toile d'araignée, ou de m'interrompre en pleine révision pour me proposer un bout de gâteau. Je me rappelle ma honte qu'une vieille dame vienne me chercher à la sortie de l'école. Je voulais une maman comme celle de mes camarades ; en bottes à hauts talons, maquillée. J'ai eu beau lui demander de m'attendre dans la voiture, Mémé a persisté à se présenter en tablier dans la cour de récré, jour après jour, tant pis si je la reniais.

Une odeur de pâtisserie de Noël imprègne la cuisine en toute saison. Des fleurs séchées pendues au plafond masquent à demi une rangée de carreaux à motifs de pommes rouges. Je m'installe sur le banc, auprès de la table massive en chêne, et laisse mon regard errer du côté du jardin. Le soleil, qui tente une percée entre les nuages, tombe en plein sur les pots de géranium de la terrasse. Mémé sifflote en versant du café moulu dans la machine ; une antiquité hérissée de tuyaux, qui se met en route en sifflant dans un fracas du tonnerre, avant de produire de savoureux cappuccinos. Mémé s'assied en face de moi en lissant les pans de sa robe en lin bleue. Elle sirote son café, dont la mousse dessine une moustache sur sa lèvre.

— Le jardin a été magnifique, ce printemps-ci, Viv. Les rosiers ont donné des fleurs à n'en plus finir.

Je pose ma tasse.

— Ils donnent tous les ans des roses superbes.

— Cette année plus encore que les autres. Et quel parfum !

Son visage s'éclaire. J'observe la pelouse : pelée par endroits et jonchée de feuilles mortes.

— Tu ne te sens pas trop seule ?

— Rassure-moi, puce : tu ne comptes pas me placer en maison de retraite ?

— Bien sûr que non ! Je me demandais seulement… Tu t'attendais à ce que ta vie prenne le tour qu'elle a pris ?

Elle sourit en penchant la tête.

— Je préfère ne pas penser à l'avenir.

— Tu ne regrettes rien ?

— Pas vraiment, non. Je me sens en paix avec moi-même. J'ai été heureuse. Je me suis débrouillée de mon mieux.

Elle gratte une salissure sur la table.

— Pourquoi tant de questions ? Tu as des regrets, toi ? ajoute-t-elle en me sondant du regard.

— Oui, avoué-je dans un soupir.

— Oh ! Attends ! Il me reste des biscuits au gingembre.

Elle se lève. Je remarque une certaine raideur dans ses mouvements ; ce qui me contrarie.

— Tu m'as dit, au téléphone, poursuit-elle depuis le cellier, que Rob avait trouvé quelqu'un ?

— Oui, il… il va se marier.

Je cale mon menton au creux de ma paume pour l'empêcher de trembler. Mémé se rassied, une assiette de biscuits à la main. Elle m'observe un moment, avant de reprendre, en redoublant de tact :

— Comment tu te sens ?

— Au plus mal. Dévastée.

— Tu veux toujours l'épouser ?

— C'est ce qui était prévu, il n'y a même pas trois mois.

Mémé soupire et se tourne vers le jardin.

— Hé ! Tu as vu le passereau ?

Je dresse aussitôt la tête. Elle pose sa tasse et me saisit la main.

— Oh, ma chérie ! Je suppose que, pour toi, c'est la fin du monde mais, tu verras, ça ne durera pas.

Je plonge mes yeux, qui se remplissent de larmes, dans le bleu limpide de ses iris. Elle me presse la main et la tapote gentiment.

— Avec le temps, tu te rendras compte que ce n'était qu'un connard.

J'en reste le souffle coupé.

— Mémé !

— Quoi ? Les connards, ce n'est malheureusement pas ce qui manque !

— Tu n'as pas le droit de l'insulter.

Elle semble ravie de ma réaction.

— Je l'aimais, insisté-je. Je l'aime toujours.

— Tu ne vois donc pas que tu es ravissante, pétillante, pleine d'humour et chaleureuse ? Tu pourrais te trouver quelqu'un de mieux en un clin d'œil.

— Sauf que c'est lui que je veux.

— Je comprends.

Elle racle la mousse à l'intérieur de sa tasse à l'aide de son index, qu'elle lèche ensuite.

— Je te connais, tu finiras par l'avoir. Et après ?

— Je l'épouserai et nous fonderons une famille, me hâté-je de répondre.

— C'est ce que tu t'imagines ?

Son regard se teinte de mélancolie et se perd dans le lointain.

— Mémé, les temps ont changé. J'ai trente-deux ans, c'est le seul homme qui ait demandé ma main. Les prétendants ne se bousculent pas à ma porte.

— De mon temps, on ne quittait ses parents que pour se marier et, aussitôt après le mariage, venaient les enfants.

Elle se tourne vers une photo, dans un cadre, sur l'appui de fenêtre : Papi et elle, jeunes mariés, en bord de mer. On la voit retenir ses cheveux, face aux assauts du vent, tandis que Papi semble avoir remporté le premier prix à la loterie.

— Un plus grand nombre de choix s'offre aux femmes, aujourd'hui.

— Des choix… Tu parles ! La situation n'est pas aussi reluisante qu'on le laisse entendre.

— Personnellement, je te dirais d'écouter ton cœur… tant pis s'il te mène à la catastrophe. Autre chose… ajoute-elle en souriant, alors qu'elle se lève pour rincer nos tasses. Les prétendants se bousculent à ta porte, Vivienne : seulement, tu ne t'en rends pas compte.

Le moral au plus bas, je me réfugie au salon. Le fauteuil de Papi fait face à la fenêtre. Une couche de poussière s'est accumulée sur les souvenirs de famille, au-dessus du buffet. Je m'empare d'une photo de Papi, tout sourire sous un chapeau de paille, avant d'en nettoyer le cadre à ma robe. « Lawrence, 2006 » a écrit Mémé au bas. Elle date donc de l'année qui a précédé sa mort. Je me reconnais sur d'autres tirages, à sept ans – l'âge auquel j'ai été déposée en pyjama chez mes grands-parents, sans que personne ne vienne ensuite me récupérer. Il y a une photo que j'ai tellement regardée que cela me fait de la peine de la revoir : elle représente ma mère, enfant. Petite, je la gardais à mon chevet, persuadée que, plus j'aimerais ma maman, plus il y aurait de chances qu'elle reparaisse. Aujourd'hui, je ne ressens plus rien, lorsque je la repose auprès d'autres de nous deux, ensemble – dont une où, pour une fois, elle sourit. La sonnette retentit.

— Sans doute Reg ! me crie Mémé. Je l'ai invité à déjeuner.

Pourquoi cela me contrarie-t-il ? Je remets les photos à leur place – un rectangle en négatif parmi la poussière sur le buffet – et retourne à la cuisine. Reggie fait son entrée, un bouquet de pois de senteur à la main. Sa silhouette massive occupe tout l'espace, tel un meuble hors de proportion. Il s'adresse à nous en prenant exprès un accent britannique. Son arrivée a changé l'atmosphère : Mémé se met à babiller en s'affairant en cuisine.

— J'ai de l'excellent jambon, Reg.

— Tant mieux ! Bonjour, Viv ? Tout va comme tu veux ? me salue-t-il en tournant vers moi son visage parcheminé de fumeur impénitent.

— Oui, merci.

Mémé me décoche un regard à la dérobée. Je m'assieds à table. Reg observe le jardin.

— Quelle magnifique journée, hein !

— Hum.

— Qu'est-ce que tu as prévu de beau ?

— Pas grand-chose.

Mémé entreprend de dresser le couvert.

— Ma petite puce est venue à l'improviste.

Ils s'échangent un regard de connivence avant de se tourner vers moi en souriant. Je comprends alors qu'ici, c'est moi, l'intruse.

— Il est temps que j'y aille, Mémé. Je passais juste dire bonjour.

— Alors que tu as dû te taper le trajet depuis Londres ! relève Reg, que ma remarque amuse.

Mémé me comprime l'épaule, comme pour m'empêcher de me lever.

— Ne t'en va pas déjà, Viv. Tu viens à peine d'arriver.

— J'ai beaucoup à faire. Je te verrai dimanche !

Je la serre contre moi en fermant les yeux pour ne pas croiser le regard de Reg.

— Max viendra peut-être aussi.

Mémé me raccompagne à la porte, la mine soucieuse.

— Je n'ai pas envie que tu t'en ailles ! proteste-t-elle en se blottissant contre moi, à la manière d'un petit oiseau.

Voilà maintenant que c'est elle, la gamine qui a besoin qu'on s'occupe d'elle !

— Je m'en doute bien mais, puisque Reg est là... je te verrai dimanche.

— Je ne m'attendais pas à ce que tu passes. J'aurais décommandé Reg, si j'avais su ! affirme-t-elle d'un air abattu.

— Ne t'en fais pas, conclus-je ; pas mécontente, en un sens, de la laisser s'inquiéter pour moi. On se voit bientôt, de toute façon ?

— Je t'aime ! lance-t-elle alors que je m'éloigne déjà.

J'ai hâte de disparaître de son petit monde. Lorsque je me retourne au coin de la rue, je la vois agiter la main sur le seuil.

*
**

Je ressens comme un poids sur la conscience, pendant le trajet du retour, même si je ne parviens pas à mettre le doigt sur ce qui me chiffonne. Je me cale au fond de mon siège, sur le train à destination de Londres, en m'interrogeant sur la raison de mon attitude vis-à-vis de Mémé. Je m'en veux de l'avoir mise mal à l'aise. Sans doute que je n'ai pas supporté de me sentir de trop, une fois de plus. C'est peut-être idiot, mais je m'attendais à ce qu'elle se range de mon côté, en renvoyant Reg dans ses pénates. Enfin ! Elle n'a pas forcément compris que j'avais besoin de soutien. Comment indique-t-on qu'on a le cœur brisé ? Comment réclamer une main secourable ? Qui est d'ailleurs censé la tendre ? Je dois avouer que ma famille et mes amis ne tiennent pas Rob en haute estime et, parce qu'ils ne l'apprécient pas outre mesure, ils minimisent mon chagrin, comme si moi non plus je ne devais pas tenir à lui tant que ça ! Faut-il que je porte au cou un écriteau : « Attention ! Cœur brisé : risque de larmes. » Je ne dirais pourtant pas qu'ils ignorent ma souffrance, mais plutôt qu'ils ne peuvent rien pour moi. Il va falloir que je m'en sorte par mes propres moyens. On ne se sent jamais aussi seul que quand on a le cœur brisé !

Voilà d'ailleurs pourquoi mon idée de site Internet m'enthousiasme autant. Je suis sûre que d'autres que moi souffrent les mêmes tourments. Le site décrira ce que nous ressentons, les uns, les autres. Je sors mon carnet pour y noter : « forum de discussion : comment recoller les morceaux d'un cœur brisé ? » Mon moral tombe alors en chute libre. Participer à un forum de discussion revient à entériner la rupture, non ? à reconnaître qu'on s'est fait larguer, que c'est bel et bien fini. Or ce n'est pas mon cas. Bon. Je sais que Rob compte se marier, mais il ne m'a encore rien dit, nous n'en avons pas discuté ensemble.

Il suffirait d'une explication entre quat'z'yeux pour qu'il prenne conscience de son erreur. Peut-être est-il temps de ravaler ma fierté et de le contacter ? Je colle mon front à la vitre en déchiffrant les graffitis le long de la voie, alors que le train ralentit dans un crissement des freins. Un jeune blondinet obèse monte à bord. Bien que le compartiment soit à moitié vide, il s'installe pile à côté de moi. Il empeste tant le tabac froid que je me réfugie dans l'encoignure de la fenêtre, mon sac sur les genoux. Un martèlement sourd provient de ses écouteurs. Il ouvre un sachet de pilons de poulet frits, qu'il grignote en laissant tomber les os à nos pieds. Par la fenêtre défile la grande banlieue sinistre de Londres. L'odeur de la friture me soulève le cœur. Je le fixe ostensiblement. Il se lèche les babines, froisse son sachet taché de graisse et le jette par terre. Puis il me lance un coup d'œil et hoche la tête. Je lui fais signe d'ôter ses écouteurs et lui indique ses saletés sur le plancher.

— Qui va ramasser ça ?

Il considère un instant le tas d'ordures et me réplique :

— Toi, tiens ! Et t'en profiteras pour me sucer, tant que t'y es.

— Ça me dégoûte !

— Tu m'étonnes, renchérit-il en balançant la tête de plus belle.

— Et les autres passagers ?

— M'en fous qu'ils bouffent du poulet si ça leur chante.

— Bon. Laisse-moi passer !

Il déplace ses jambes sur le côté. Une rougeur m'envahit le cou, alors que je m'extirpe de la banquette. Furieuse, je décide de prévenir un responsable : j'avise un signal d'appel face au blondinet. J'appuie dessus en le foudroyant du regard. Un grésillement me répond.

— Ici le contrôleur, annonce une voix.

— Bonjour, il y a un jeune homme dans la voiture 4 qui a jeté par terre des restes de poulet.

— Entendu, madame. Je demanderai au service de nettoyage de s'en occuper, en gare de Londres.

— Attendez ! Vous ne voulez pas lui parler ? Il est là ! m'impatienté-je.

— Le service de nettoyage va passer.

— Et celui qui a sali la voiture ?

— Je ne peux rien faire de plus.

Un nouveau grésillement se fait entendre. Le responsable a disparu.

Je fusille du regard le blondinet en m'installant en face de lui, afin de le dénoncer au contrôleur, dans l'éventualité où celui-ci se présenterait. Mon vis-à-vis marmonne quelque chose que je ne saisis pas.

— Pardon ?

— Je disais : détends-toi. Sans déconner !

Je m'aperçois que les autres passagers me dévisagent mais, quand je lève la tête, ils détournent le regard. Je me suis exposée aux insultes du blondinet dans leur intérêt, afin de garder le train propre, et voilà qu'ils me traitent comme une cinglée ! Je fulmine d'indignation pendant tout le reste du trajet, tandis que le petit jeune marmonne une litanie, comme s'il me jetait un sort.

*
**

Je rentre enfin chez moi et referme en hâte la porte, contre laquelle je me plaque, comme si une meute de loups me traquait. Je n'aurais pas dû sortir ! Je suis en déphasage avec le reste du monde.

Dans les moments comme celui-ci, j'aimerais avoir un animal de compagnie. Un joli petit chaton au collier muni d'une clochette, qui bondirait à ma rencontre en entendant ma clé dans la serrure. Je lui achèterais de la pâtée gastronomique, comme dans les publicités. Je me pelotonnerais auprès de lui devant la télé. Changer sa litière, en revanche, je ne pourrais pas. Manipuler des crottes pleines de granulés… Beurk !

À part ça, ma décision est prise : il est temps de contacter Rob. Voilà au moins une bonne chose : je vais me secouer les puces et lui adresser un e-mail ! Je pose mon sac et allume l'ordinateur. Un bip m'invite à consulter ma boîte aux lettres. Christie m'a écrit. J'ai aussi reçu de la pub et… un message de Rob ! Je déglutis et m'approche de l'écran, le cœur battant.

> *Salut, Viv,*
>
> *J'espère que tu t'es remise, depuis samedi. Ta présence au mariage n'est pas passée inaperçue !*
>
> *Je suis content que tu aies rencontré Sam. J'ai cru comprendre qu'elle t'a prévenue qu'on allait se caser, elle et moi. Je regrette que tu l'aies appris à l'improviste. Je voulais te le dire moi-même ; je pensais t'inviter à dîner ou quelque chose dans ce goût-là. Il y a eu pas mal de changements dans ma vie, ces derniers temps.*
>
> *Bon. Tu me souhaites beaucoup de bonheur ?*
>
> *Rob*

J'ai l'impression qu'il vient de me flanquer un coup de pied dans la gorge, à travers l'écran. Je me rue sur le clavier :

> *Salut, Rob,*
>
> *Félicitations ! Ta nouvelle fiancée m'a l'air très intéressante. Ce serait chouette de dîner ensemble ; ça me donnerait l'occasion de te transmettre de vive voix mes vœux de bonheur.*
>
> *Viv*

Je devrais prendre le temps de la réflexion avant de lui répondre. Le pointeur de la souris glisse sur l'icône « Envoyer ». Et paf ! un clic et c'est parti. Bon. Au moins, j'ai repris contact avec lui. J'en tremble : c'est le seul homme au monde que je désire, or il a fallu qu'il m'avertisse de son mariage par e-mail. Il compte « se caser » une bonne fois pour toutes, comme il l'a formulé si négligemment. À croire que les cinq années de préparatifs de notre mariage n'ont été qu'une mise en train ! Il me répond dans la minute.

Où et quand, le dîner ?

Il a donc encore envie de me voir. Bon signe, ça ! S'il a réagi aussi vite, c'est qu'il attendait que je me manifeste. Mon esprit s'emballe aussitôt : où faut-il que je lui donne rendez-vous ? Pas dans un restaurant : trop guindé. Pas dans un endroit où nous avions nos habitudes : ça réveillerait trop de vieux souvenirs. Mieux vaut opter pour une brasserie au cadre chaleureux, propice à la détente.

Le Cheval peureux, ça t'irait ? Dans King Street. J'en ai entendu beaucoup de bien. Vendredi à 19h30, par exemple ?

Et hop ! Message envoyé.

J'attends cinq minutes, mais rien de neuf à l'écran. Je consulte les messages de Christie – sans rapport avec le boulot. Elle me raconte que je lui ai manqué, qu'elle a déjeuné dans notre sandwicherie favorite, mais qu'elle n'a pas commandé le spécial petit-déjeuner au bacon, parce qu'il apporte plus de calories que la ration quotidienne d'un gorille. Elle espère par ailleurs que je serai de retour demain pour le lancement des soldes.

Je m'apprête à lui répondre quand un bip me signale un nouveau message… Eh non : toujours pas de réponse de Rob. Je viens de recevoir un lien vers les photos du mariage de samedi. J'inspire un bon coup avant de cliquer dessus.

Voilà Jane et Hugo en train de poser devant l'église. Ce n'est pas la peur du ridicule qui les étouffe : Hugo a sauté en l'air en écartant les bras face à l'objectif tandis que Jane courait face au vent. Un cliché cucul les montre s'échangeant un baiser au-dessus d'un puits à souhaits en surimpression. Un poignard me perce le cœur lorsque je reconnais Rob auprès de Sam devant l'église. Il est beau à en tomber raide. Le soleil joue dans ses cheveux. On dirait un top model : une jambe en avant, le ventre rentré, le menton dressé. Je foudroie Sam du regard en marmonnant : « Sale garce ! » Je vais l'imprimer et la montrer à Christie. Un peu plus loin, me voilà, moi : un piteux sourire aux lèvres, j'étrangle Max au creux de mon coude, une coupe vide à la main. Le photographe m'a surprise un peu plus tard à table, l'œil charbonneux, la bouche ouverte, occupée à faire un sort à mon pain. Sur une autre photo encore, on dirait que je jette un mauvais sort aux mariés. Tiens ! Max et moi collés l'un à l'autre à l'église en souriant comme des idiots. Ah ! Me voilà auprès de Rob et Sam, le bouquet à la main. Oh là, là ! J'ai l'air d'une armoire à glace à côté de Sam. Mon rouge à lèvres a bavé alors que mon nez a doublé de volume. Rob regarde ailleurs, tandis que Sam, impassible, sur son trente et un, adresse un sourire de défi à l'objectif. Pas une mèche ne dépasse de sa coiffure. Elle semble résolue à me chasser d'un geste impatient de sa petite main maigrichonne. Une légende indique « Rob et Sam avec une amie ». Je ne me rappelle pas que quelqu'un m'ait prise en photo à ce moment-là. Qui a osé ? Je me cache derrière mes mains avant de jeter un nouveau coup d'œil à l'écran en écartant les doigts. Rien à faire : c'est bel et bien la catastrophe.

Bip ! Un nouveau message !

OK. À vendredi !

Chapitre 9

Amis et plans cul

Comment savoir si vous lui plaisez ?
1. Il boit vos paroles.
2. Il prête attention à votre tenue.
3. Il se passe la langue sur les lèvres à une fréquence accrue en votre présence.
4. Il soutient votre regard plus de deux secondes.
5. Il rit au moindre trait d'esprit de votre part.
6. Il cherche à savoir s'il y a déjà un homme dans votre vie.
7. Il fait l'impossible pour vous croiser « par hasard ».
8. Il cherche à paraître plus important/plus fort/plus mûr/plus drôle/ plus riche qu'en réalité.
9. Il vous inonde de textos.
10. Il saisit toutes les occasions de vous toucher.

Si vous avez coché plus de trois cases, c'est prometteur.

Il fait une chaleur accablante au bureau : on y étouffe comme sous une couverture de trop. La photo de Rob et moi au-dessus de mon ordinateur frémit chaque fois que le ventilateur se tourne vers elle. Voilà plusieurs années que j'ai appris l'art de visualiser la réalisation de mes désirs : je m'en forme en pensée une image la plus vivante possible en y ajoutant de la couleur. Ça marche ! Et dans des tas de situations : qu'on souhaite se voir adresser la parole, réussir un entretien d'embauche ou dénicher une place de parking. Cette photo de nous en gros plan au sommet de Primrose Hill va me ramener Rob. C'est lui-même qui l'a prise à bout de bras, alors que nous venions d'attraper un fou rire. Le soleil y forme un halo autour de ses boucles blondes et ses yeux bleus étincellent. À la vue de son sourire Colgate, mon cœur s'emballe. Je dépose un baiser sur mon index avant de le presser contre sa joue.

À côté de moi, Christie examine la photo de Sam à l'aide d'une loupe. Je n'en reviens pas de la besogne qu'elle a abattue hier. Elle a liquidé la paperasse à remplir, rédigé les rapports que je lui avais demandés et même commencé à réfléchir aux cadeaux de Noël. Elle a résumé sur une grande feuille les tendances de la saison en y collant des clichés des défilés automne-hiver – le style bohème façon luxe revient à la mode, et aussi les imprimés peaux d'animaux, sans parler des motifs écossais.

Voilà la nouvelle Christie : la même qu'avant, mais en plus pro. Ce qui m'inquiète, c'est qu'elle porte à présent des lunettes à verres non correcteurs. À l'entendre, elles lui donnent l'air intelligent. Je n'ai pas voulu la détromper. Je lui annonce que je vais me préparer du thé.

— Le thé contient de la caféine qui déshydrate l'organisme. Pas la peine de m'en amener, Viv.

Je lui propose du café.

— C'est encore pire !

Elle aimerait une infusion au lait de soja. Je regrette de lui avoir demandé ce qu'elle voulait. Je passe à la cuisine, lui apporte sa tasse à la drôle d'odeur et m'assieds auprès d'elle en sirotant mon Nescafé. Elle pose sa loupe et m'adresse un regard peiné.

— Elle est magnifique, hein ?

J'acquiesce.

— Je lui ai cherché un défaut, je t'assure mais… elle est sensass.

Je hoche la tête de plus belle. Navrée, Christie se penche sur la photo de Sam.

— Elle a de la classe, en plus. Je me demande où elle a déniché sa robe. Et regarde ses formes ! Je tuerais pour avoir une silhouette comme la sienne. Pas toi ?

Je lui arrache la photo des mains. Elle relève la tête, étonnée.

— Le physique, ce n'est pas tout, se rattrape-t-elle. Comme tu dis : c'est une garce. Si ça se trouve, c'est seulement la prise de vue qui l'avantage.

Fuyant son regard, je me réfugie à mon bureau contigu au sien, et m'affale sur ma chaise. Je roule en boule la photo de Sam et la lance à la poubelle. Hélas, je manque ma cible : elle atterrit aux pieds de Paul, de la comptabilité. Il la ramasse et la déplie. Un sifflement éloquent lui échappe.

— Il en a, de la chance. Personnellement, je ne lui dirais pas non !

Il me rend la photo en faisant mine de la lancer comme un frisbee. Je la froisse et la jette dans la corbeille, un sourire mauvais aux lèvres. Les mains en l'air, Paul s'éloigne à reculons. Il remarque alors les mollets de Christie et se fige.

— Tu as mis des bas résille ? On dirait des filets de pêche ! Tu espères qu'un type va mordre à ton hameçon ?

Elle repousse sa chaise pour étendre les jambes.

— Ce sont des bas, Paul.

Il porte un poing à sa bouche et s'éloigne, son autre main sur ses parties intimes. Christie glousse en le suivant du regard.

— Tu devrais le dénoncer pour harcèlement sexuel.

— Sauf que je m'en fiche, m'assure-t-elle en riant.

— Tu ne devrais pas ! rétorqué-je d'un ton cassant.

Elle retourne à son ordinateur en soupirant. Je contemple la ville chauffée à blanc. Le toit en coupole du musée de Madame Tussaud se devine sous la brume de chaleur en surplomb d'une rangée de toits miroitants. Un bus rouge pareil à un jouet franchit le pont de Londres. La Tamise charrie des paillettes de lumière. De l'autre côté de la fenêtre, la vie de millions de citadins suit son cours. Ils respirent, ils s'aiment, ils mangent, ils font l'amour, ils meurent. Ils prennent des bus, des bateaux, des taxis et des métros, se téléphonent, se ruent sur les soldes ou font la queue pour un café. Le reste du monde va de l'avant, tandis que je lambine au bureau en ayant l'impression d'avoir une arête coincée en travers de ma gorge.

J'envoie un texto à Lucy. *Ça te dirait qu'on déjeune ensemble ?*

Elle me répond : *On peut se voir de 13h à 13h30 ou sinon après 15h.* Je fixe l'écran de mon portable. Il semblerait que je sois la seule à ne pas suivre le rythme. Les autres se frayent résolument un chemin dans la vie alors que je m'embourbe peu à peu. Va pour treize heures ! Je consulte ma messagerie, le moral au plus bas. J'ai du pain sur la planche. Il faudrait que je décide avec Christie quels produits mettre en avant parmi la gamme hiver, mais il me vient sans arrêt de nouvelles idées pour mon site. Je note : « Mettre à la disposition des cœurs brisés tout un éventail de services. »

Sur le moment, l'importance que j'attache à mon site éclipse le reste. Je décide de filer en douce au département informatique afin de consulter Michael le Barré à propos de la mise en page. Je sais que je lui plais depuis la fête de Noël sur le thème des Caraïbes : nous avons remporté le concours de limbo ex æquo, bien que je le dépasse d'une demi-tête. J'annonce à Christie qu'une réunion m'attend et m'engouffre dans l'ascenseur, qui me dépose face à un écriteau :

Département informatique
Avant d'aller plus loin : assurez-vous d'avoir éteint et
rallumé votre ordinateur.

Je débloque la porte à l'aide de mon passe. La climatisation me souffle un courant d'air glacial à la figure. Devant moi : trois rangs de bureaux. Les occupants du premier recueillent les demandes d'assistance en promettant de s'en occuper mardi prochain. Ceux du deuxième – le secteur « maintenance » – connectent les câbles comme il faut, quand ils n'escamotent pas les unités centrales, sans un mot d'explication. Au troisième – le rang des programmateurs – on parle un langage que seuls comprennent de rares élus. En m'approchant du fond, je repère Michael, au reflet de son écran sur ses lunettes. Il s'est laissé pousser au menton une espèce de queue de rat tressée où il a enfilé une perle. C'est le seul indice qu'il appartient au côté obscur de la force. Sinon, il paraît normal dans son costume gris à peine lustré et ses chaussures plus confortables qu'élégantes.

— Salut, Michael.

Il m'adresse un bref coup d'œil et lève la main comme pour me dissuader de poursuivre. Ses doigts osseux virevoltent sur le clavier. Un long ongle jaune termine ses auriculaires. Je ne sais pourquoi, il me vient à l'esprit une image de rongeurs frétillant dans la sciure. Me voilà en tout cas réduite à poireauter comme une cruche. Au bureau voisin, un échalas vêtu de violet au cheveu rare noué en catogan se renseigne :

— Quand le système « veidtsjf » est « nalkdjak », il faut « wothguer » ou « buyvtscr » ?

Il fait aussi froid ici que dans un caveau et on y voit à peu près aussi clair qu'à l'intérieur d'une citerne. Ça sent le patchouli, le pet refroidi et la vieille gaine électrique. Je ne vois personne détacher les yeux de son écran plus de quelques secondes. Soudain, Michael se rappelle mon existence.

— Excuse-moi, Viv. Je ne pouvais pas m'interrompre tout de suite. Qu'est-ce que tu veux ?

Michael ne tient pas en place. Assis, il ne peut pas s'empêcher de remuer les pieds ou de tambouriner sur la table. Debout, il se balance d'une jambe sur l'autre, quand il ne bondit pas sur place. Je lui expose mon idée de site et lui montre mes notes. Il les parcourt en tapotant un crayon contre ses dents.

— Hum, ça pourrait se faire.

— Je me demandais si tu accepterais de te charger de la mise en page ?

— Pourquoi pas ?

— Ça veut dire oui ?

— Tout dépend.

— De quoi ?

— De ce que j'obtiendrai en échange.

— Oh. Qu'est-ce que tu voudrais ?

Ses petits yeux de fouine se fixent sur moi.

— Hum… Je vais devoir te construire ton site en partant de zéro : je ne pourrai pas me contenter de reprendre un modèle.

— Je vois.

Il se penche sur mes notes. Le tressaillement qui agite sa jambe se communique à son bureau.

— Il va falloir établir tout un tas de liens… ça prendra du temps.

Il passe son bic sur ses ongles comme pour les limer avant de lui imprimer un rythme de claquettes. Je sens mon énergie me quitter, comme l'eau qui s'écoule par la bonde d'un évier. J'en reste les bras ballants.

— Tu es d'accord pour m'aider ou pas ?

— J'aimerais que tu m'accordes une faveur, en échange.

Il s'incline contre le dossier de sa chaise et m'adresse un sourire énigmatique.

— Quoi ? Dis-moi ! le prié-je en partant d'un petit rire haut perché.

— Tu m'invites à dîner. Au restaurant de mon choix.

Je ne sais pas exactement ce que vaut la mise en ligne d'un site Internet, mais je dirais au bas mot un millier de livres – donc plus que ce qu'un dîner avec Michael me coûtera sur le plan tant financier que personnel. J'accepte, bien que j'aie l'impression d'avaler une couleuvre.

— Quand comptes-tu me montrer le résultat ?

— La semaine prochaine. Une fois remplie ma part du contrat, je réclamerai mon dû.

Et c'est bien ce qui m'inquiète.

— Super ! Merci beaucoup.

Content de lui, Michael passe sur ses lèvres un bout de sa langue, qui me fait songer à une anguille. Un mouvement de recul m'échappe.

— À plus, Vivienne ! me salue-t-il en agitant les doigts.

Je tourne les talons. Avant de m'en aller, je lui décoche un dernier coup d'œil : il m'adresse un signe de la main, assorti d'un sourire pas rassurant. Je file à l'ascenseur, dont je presse le bouton aussi furieusement que si ma vie en dépendait. Un frisson d'horreur me parcourt l'échine, comme si je venais de soulever une pierre sous laquelle grouillent des milliers de créatures des bas-fonds, couleur de blanc d'œuf.

J'en frissonne encore, de retour sous les néons de mon bureau. Christie, en train de glousser au téléphone, me tend un post-it : « Viv ! Pète-sec a demandé à te voir. » Elle a dessiné un œil à longs cils à l'intérieur du O. Qu'est-ce que ma chef me veut ? D'habitude, elle ne passe pas à l'improviste. Je fais signe à Christie de raccrocher : elle se décide à écourter sa conversation.

— Oh, écoute… il faut que j'y aille. Ma chef me surveille. Non, pas celle à la bouche de travers.

Elle me lance un coup d'œil.

— L'autre, oui ! Bon… Je te laisse ? Ciao ! À bientôt ! Je t'embrasse. Allez ! À plus. Non, toi tu raccroches en premier.

Je coupe moi-même la communication.

— Qui c'était ?

— Stuart. Tu sais ? De Printech.

Je me demande comment elle se débrouille pour que son brillant à lèvres de star du porno ne coule pas de la journée.

— Ce qui compte, en matière de connaissances, assène-t-elle en se tapotant le nez, ce sont les relations, pas les diplômes.

— Ah bon ? En tout cas, tu as l'air de bien le connaître, Stuart de chez Printech.

Son regard se perd dans le vague de ses souvenirs.

— Hum…

Hé, Christie ! Qu'est-ce qu'elle a dit au juste, Pète-sec ?

— « Où est Viv ? » « En réunion », j'ai répondu. « Avec qui ? » J'ai dit : « Je ne sais pas. » Alors elle m'a demandé de consulter ton agenda : aucune réunion n'y était prévue. Elle m'a priée de te dire qu'elle avait à te parler.

— Et merde !

Je consulte ma messagerie : rien de la part de Pète-sec. Ni de Rob, d'ailleurs. Je raconterai à ma chef que j'ai eu un problème avec mon ordinateur et que j'ai dû me rendre au département informatique. Ce n'est pas faux… en un sens. Sur le qui-vive, j'appelle sa ligne directe. Elle m'a à l'œil, ces temps-ci : elle me guette au tournant, depuis l'avertissement à Christie. Je tombe sur son répondeur et lui laisse un message vite fait.

Le reste de la matinée se passe à contacter des fournisseurs, commander des échantillons et calculer des coûts. Christie et moi sélectionnons des miroirs de poche dans un étui en cuir rouge, des écharpes à l'imprimé léopard ou peau de zèbre et des colliers en perles artisanales. Sans oublier les inévitables bougies de Noël parfumées à motifs scandinaves, les pochettes rayées façon tigre et les ensembles fondue au chocolat avec guimauves. Je me rends compte, au moment où Christie part déjeuner, que je n'ai pas pensé à Rob depuis deux bonnes heures.

Il fait si chaud que la doublure de ma robe me colle à la peau, lorsque je me penche au-dessus des photos à trier. Lundi, nous soumettrons nos choix aux acheteurs – non seulement Pète-sec mais aussi sa collègue La Verrue, aussi impénétrable qu'un blindé. Il faudra que j'interdise à Christie de prendre la parole : pour peu qu'elles reniflent du sang frais, elles vont nous massacrer.

Chez *Nouilles express*, près de Bond Street, je retrouve Lucy en chemisier blanc et jupe moulante grise – une tenue sexy de cadre supérieur. Nous prenons place à une longue table, à côté de jeunes loups ambitieux aux pantalons serrés. Lucy se décide pour un bol de bouillon pâlichon, où flottent des créatures marines, comme dans un aquarium macabre. Je commande pour ma part une mixture baptisée « poulet mouillé » : une soupe de vermicelles au poulet, en réalité. Lucy s'est armée de baguettes, la tête inclinée sur son potage qu'elle aspire à grand bruit. Je chipote en me demandant comment lui annoncer que je dîne avec Rob vendredi. Je voudrais aussi lui montrer la photo que j'ai récupérée dans la poubelle, afin qu'elle me donne son avis sur Sam. Je dois crier pour qu'elle m'entende.

— Qui c'était, sous ta couette, l'autre jour ?

Elle fronce les sourcils en avalant ses nouilles.

— Sous ma couette ?

— Oui, tu ne pouvais pas me parler à cause de lui.

Après un instant de confusion, la mémoire lui revient.

— Ah ! Reuben ! me renseigne-t-elle d'un ton rêveur.

Tu ne m'avais pas encore parlé de lui. Il est comment ?

— Petit. Colombien. Et infatigable au lit.

Malgré moi, j'admire Lucy : elle exige des types qu'elle amène chez elle qu'ils lui donnent au moins un orgasme. Sinon, elle les flanque à la porte.

— Tu comptes le revoir ?

— Bien sûr. C'est mon plan cul du moment, m'explique-t-elle en souriant béatement avant de se lever.

Sa silhouette de rêve ne passe pas inaperçue : les gars en costume cravate se plongent dans un mutisme admiratif à son passage. Elle me tend une serviette et se rassied.

— Un plan cul ?

— Oui, tu sais bien : ça n'engage à rien. On se donne rendez-vous et… on tire un coup.

— Tu ne vois donc ce Reuben que pour…

— Tirer un coup, oui.

— Vous ne sortez pas dîner ? Vous vous contentez de…

— Tirer un coup.

— Mais vous vous parlez, quand même ?

— Non, non. On tire un coup, c'est tout.

— Ça va, j'ai compris ! Arrête de le répéter : on nous regarde.

— Bon ! reprend-elle avant de siffler un verre de vin blanc. Excuse-moi, je suis pressée. Il faut que j'y retourne.

Je repousse mon assiette. Elle demande l'addition.

— Et toi ? Tu t'es remise du futur mariage de Rob ?

— Non, pas tant qu'il me restera un souffle de vie. À propos : je le vois vendredi, Rob.

— Ah. Attends un peu… tu ne serais pas du genre à aimer te faire du mal ?

— Oh là ! Qui sait ? lui réponds-je en prenant un air choqué.

Lucy secoue la tête, dépitée. Arrive l'addition, qu'elle règle avec la carte de son entreprise. Une fois dans la rue, peu animée à cette heure-ci, Lucy me serre contre elle. Ses cheveux sentent le beurre de cacao. Elle me chuchote, au creux de l'oreille :

— J'ai de l'affection pour toi et je ne veux pas que tu souffres, c'est tout.

— Je sais.

Nous voilà en train de nous serrer la main comme un couple sur le point de se dire adieu dans un aéroport. Je lui montre la photo de Sam.

— Tu veux voir ma rivale ?

Lucy plisse le front en l'examinant.

— Qu'est-ce que tu en dis ?

— Ravissante. Mais en quoi ça te concerne ? Tu trimballes partout une photo de ton ex et de sa nouvelle copine ? Laisse courir, Viv ! me conseille-t-elle en me couvant d'un regard apitoyé. Tu vas te rendre malade.

Elle me serre de nouveau contre elle et me fait la bise.

— Il faudrait qu'on sorte en boîte, un de ces quatre. Ça nous ferait du bien.

Là-dessus, elle traverse la rue au pas de course en agitant la main et disparaît dans son immeuble de bureaux en verre, telle une princesse dans son château.

Chapitre 10

Règles à suivre pour épater son ex

1. Tout mettre en œuvre pour paraître au mieux de sa forme.
2. Ne jamais – sous aucun prétexte – dévoiler ses sentiments. Rester amicale et le convaincre qu'on est passée à la suite.
3. Parler de sorties, d'une nouvelle marotte ou d'un projet au travail. Mieux vaut paraître occupée pour redevenir désirable.
4. Ne pas appeler son ex sans arrêt. Ne rien réclamer.
5. Mettre soi-même un terme à la rencontre ou à la conversation, de manière à le laisser sur sa faim.
6. Ne pas essayer de l'embrasser, ni même de le toucher.
7. Ne pas se vanter d'un nouveau copain plus riche/plus beau/plus drôle/plus viril/plus généreusement membré, même s'il existe bel et bien.
8. Ne pas faire de folie chez le coiffeur.
9. Ne pas pleurer, ne pas le menacer, ne rien lui lancer à la tête.
10. Au moment de prendre congé, ne pas lui coller aux basques ni le retarder.

J'attends vendredi comme si ma vie en dépendait. Hélas ! la fin de la semaine me paraît de plus en plus lointaine. Pourquoi ai-je proposé vendredi ? Pourquoi pas mardi ? Ça m'aurait évité la torture de l'attente. Une petite voix me souffle la réponse : si je me remets avec Rob, nous aurons tout le week-end pour faire l'amour, savourer un petit-déjeuner au lit, feuilleter le journal et nous promener dans la lande. Voilà d'ailleurs pourquoi j'ai rempli le frigo de saumon, de fromage à tartiner, de fraises et de croissants. En prime, j'ai acheté du café de luxe, fait le ménage et changé les draps.

Je ne saurais être plus prête quand arrive enfin le jour J. Je choisis avec soin ma tenue : une robe couleur sable et des escarpins noirs. Il me vient à l'esprit que je cherche à copier Sam mais je repousse cette idée. Non… s'il veut de la classe, je vais lui en donner. Je discipline mes cheveux à l'aide d'une myriade de pinces, vaporise du fixatif sur les mèches qui rebiquent et garde la main légère sur le maquillage. J'enfourne les indispensables dans un sac noir en bandoulière : des collants de rechange, ma trousse de maquillage, du déodorisant, du fixatif, un vaporisateur pour rafraîchir l'haleine, ma brosse à dents et une culotte propre, au cas où je passerais la nuit chez lui.

Pas un souffle de vent n'agite l'air chaud. Un croissant de lune diaphane luit dans le bleu pâle du ciel. Je n'ai jamais été aussi sereine. Je prends place à bord du bus dans une posture on ne peut plus digne. Je souris avec indulgence à un cycliste qui brandit le poing sous le nez du conducteur et finis le trajet à pied sous un soleil éclatant. Je vois avancer mon reflet sur la façade en verre d'un immeuble de bureaux. Voilà une femme qui sait ce qu'elle veut et s'apprête à l'obtenir ! Je mériterais presque qu'un slogan publicitaire annonce ma venue. Pendant que l'ascenseur monte en déposant des employés à chaque étage, je réfléchis à la journée qui m'attend. De la paperasse à remplir, des messages à envoyer, la réunion de lundi à préparer. Je rejoins mon bureau d'un pas calme et mesuré, quand Christie fond sur moi en gesticulant dans tous les sens.

— Elles l'ont avancée ! Ça tombe aujourd'hui !

Je lui adresse un sourire débonnaire. Non, elle ne troublera pas la paix de mon esprit. Imperturbable, je m'installe à mon poste.

— Bonjour, Christie. Assieds-toi ! Qu'est-ce qui se passe ?

Je tourne précautionneusement la tête – l'une de mes pinces s'apprête à foutre le camp. Christie a revêtu un genre de robe chauve-souris en mousseline de toutes les couleurs, à la taille soulignée par ce qui ressemble fort à l'embrasse d'un rideau.

— Waouh ! Sacrée tenue !

— La réunion avec les acheteurs aura lieu tout à l'heure. Elle a été avancée !

Je fixe un instant ses traits paniqués en sentant le vernis de mon assurance se craqueler.

— Pardon ?

— Elle est prévue cet après-midi ! glapit Christie.

— Oh merde ! Oh non ! m'étranglé-je. Rien n'est prêt !

— Je sais, admet Christie en sautillant sur place.

Mon assistante et moi nous répandons en lamentations, dignes de pleureuses à un enterrement, en trépignant comme s'il y avait le feu au plancher, avant de nous ruer sur le courrier, dans l'espoir d'y trouver des échantillons.

— Les écharpes ! s'écrie Christie en froissant au creux de son poing un pan de laine à rayures zébrées.

Elles ont l'air tricotées main, alors que je les imaginais plutôt en crêpe mais bon… ça leur donne un petit côté rétro sympathique.

— Pose-les sur mon bureau.

J'arrache le ruban adhésif d'un colis expédié de Chine, composé d'autant de couches d'emballage à la drôle d'odeur que les cadeaux qu'on se passe en cercle aux goûters d'anniversaire. À l'intérieur : un miroir de poche que je n'imaginais pas aussi petit. J'y jette un coup d'œil.

— Un miroir grossissant ! Ce n'est pas ce qu'on avait demandé !

Je me précipite sur mon ordinateur afin de vérifier les prix et d'imprimer les formulaires de demande d'échantillons.

— Bon. Il faudra faire avec.

En me retournant, je vois Christie sur le point de fondre en larmes parmi les paquets éventrés.

— Nous n'avons rien à proposer à part les écharpes et le miroir ! gémit-elle.

— Merde ! Merde ! Bon… Va voir dans le placard à échantillons. Ramène tout ce que tu trouveras. On se débrouillera.

Elle s'éloigne en agitant ses manches comme les ailes d'un oiseau de paradis. Je retourne à mon tableur afin d'évaluer les marges de profit en fonction des quantités écoulées. Nous pourrons en principe nous en tirer en nous appuyant sur le récapitulatif des tendances et les projections des chiffres de vente : il suffira de donner le change en montrant d'autres échantillons, que nous prétendrons commandés exprès pour l'occasion. Au pire, nous improviserons. Je vais demander à Christie de choisir les produits de secours, pendant que je peaufine mon rapport. J'entre des chiffres dans le logiciel, qui effectue lui-même les additions, et lève les yeux sur la photo de Rob. Tout n'est pas encore perdu !

*
**

Et pourtant : nous courons droit à notre perte. Christie tremble devant La Verrue en se ratatinant à vue d'œil sous son regard inflexible. Je ne sais si je dois ou non intervenir : si je laisse Christie en dehors du coup, elle passera pour une propre à rien mais, dans le cas contraire, c'est moi qui aurai l'air d'une idiote. Je tente de lire dans les pensées de La Verrue en m'interrogeant sur sa vie privée. Difficile de trouver moins attirante ! On dirait qu'elle le fait exprès. Elle devrait porter un badge : « Non aux pinces à épiler ! Fière de mes poireaux ! » Les trois qui se détachent de sa joue dans le même alignement que les étoiles du baudrier d'Orion ne sont pourtant rien à côté de la verrue poilue en forme de pièce de monnaie nichée entre les replis de son triple menton. Chaque fois que mon regard se pose dessus, j'en reste sous le choc. Elle scrute de ses yeux bleus chassieux l'échantillon sous son nez avant de le déballer. Christie me lance un coup d'œil paniqué. Je m'efforce de garder mon calme. Pète-sec, à la bouche peinturlurée en cul-de-poule, ne bronche pas : trop occupée à prendre des notes sur son carnet. La Verrue déplie de ses gros doigts gourds un *string* rose, dont elle détache un morceau qu'elle se met pensivement sous la dent.

— Il ne faut pas s'attendre à ce qu'ils aient beaucoup de goût, admet Christie, un piteux sourire aux lèvres.

La Verrue prend le temps de mâcher avant d'avaler.

— Incroyable ! commente-t-elle en cherchant sur l'emballage une liste d'ingrédients. Qu'y a-t-il dedans ?

— Euh… du papier de riz et des exhausteurs de goût, répond Christie en faisant mine de consulter ses notes.

Pète-sec bondit sur l'occasion de nous enfoncer : elle s'empare d'un autre échantillon et assène à Christie en la fusillant du regard :

— J'aimerais, Christine, que tu m'expliques en quoi des sous-vêtements comestibles cadrent avec l'image de marque de Barnes and Worth ?

— Eh bien…

— Tu connais notre clientèle ? insiste-t-elle en adressant un sourire de conspiratrice à La Verrue. Tu as vu quel genre de personnes fréquente le rayon cadeaux du magasin ?

Christie baisse les yeux en se dandinant sur ses hauts talons. Je rassemble mon courage, dans l'intention de justifier son choix, sauf que je ne vois vraiment pas pourquoi elle a jeté son dévolu sur un foutu slip qui se mange, parmi tous les échantillons du placard. Je suis certaine qu'il y avait là un réveil de voyage et une bouillotte en croissant de lune. Pourquoi le slip ? J'en tire la leçon que je ne peux lui accorder aucune confiance. Une sueur froide me ruisselle le long du dos. Oh et puis tant pis ! Je ne voulais qu'une chose : paraître à mon avantage devant Rob ce soir. Nous recevrons les échantillons voulus lundi. J'aurais été prête lundi ! Alors qu'aujourd'hui m'attendait en principe une journée tranquille en prélude à mon rendez-vous de tout à l'heure. Voilà que je stresse comme pas permis alors que Christie est en train de tout foirer, pour ne pas changer ! Je repousse ma chaise, quand elle reprend soudain du poil de la bête, en coupant la parole à Pète-sec.

— C'est du second degré ! Et pourquoi pas un peu de nouveauté à Noël ? De quoi pimenter les fêtes !

La Verrue examine Christie avec un regain d'intérêt avant d'éclater d'un étonnant petit rire de collégienne. Son hilarité redouble à la vue de la mine consternée de Pète-sec.

— Elle a raison ! Ils me plaisent bien, ces slips ! Ils existent aussi pour homme ?

Elle m'adresse un clin d'œil en pointant un bout de langue au coin de ses lèvres. Je lui souris alors que je me la figure avec horreur en train de dévorer le slip d'un homme.

— J'aimerais les soumettre à un panel de consommatrices. J'en veux aux couleurs de Noël pour hommes et femmes. Il faudra trouver un slogan… culotté et un emballage décalé. Et aussi s'assurer qu'aucun allergène ne figure sur la liste des ingrédients.

Christie en reste comme deux ronds de flan. Je promets à la Verrue de m'en occuper.

— Je les veux en magasin pour Noël. Entendu, Viv ? Et, bien sûr, il me faut une estimation des coûts. Bon travail, jeune demoiselle ! conclut-elle à l'intention de Christie, qui devient rouge comme une betterave.

— Profitons-en pour lancer une opération de commercialisation, ajoute la Verrue à l'intention de Pète-sec. J'imagine d'ici le dossier de presse : Barnes and Worth s'encanaille à Noël.

Pète-sec opine du chef avant de prendre une flopée de notes. J'intercepte son regard, au moment où elle referme son carnet. Elle se hâte de détourner la tête.

Nous passons le reste de l'après-midi à examiner un produit après l'autre. Les écharpes obtiennent le feu vert de mes chefs mais pas les colliers, recalés à l'été prochain. Pète-sec et la Verrue étudient les chiffres en détail en me bombardant de questions à propos de nos fournisseurs. Bien sûr, elles voudraient qu'ils baissent leurs prix. Elles évaluent ensuite les économies possibles, à condition d'acheter en plus grandes quantités ou de faire appel à des concurrents moins regardants sur les conditions de travail. À six heures, elles commandent des pizzas. À sept, elles discutent ferme des coûts d'emballage de l'ensemble fondue au chocolat. J'ai l'impression qu'elles me grignotent le cerveau en sélectionnant les morceaux les plus juteux à l'aide des questions piège dont elles m'accablent. Il faut que je m'en aille. Sous quel prétexte prendre le large ? J'imagine Rob en train de choisir une table à la brasserie. Combien de temps m'attendra-t-il ? Mes chefs me demandent si les Chinois fabriquent du tissu écossais. Je leur promets de me renseigner et leur propose de nous réunir à nouveau dès que j'en saurai plus. Elles ignorent ma suggestion et continuent l'attaque. Je note leurs exigences, alors que les aiguilles de ma montre n'arrêtent pas de tourner. Mon cœur se serre. Il nous reste encore plusieurs produits à passer en revue, or il faut compter une demi-heure par échantillon. Je fixe la porte en songeant à m'enfuir en courant quand La Verrue s'étire en levant les bras au ciel. L'emmanchure de sa robe-sac laisse entrevoir quelques poils au creux de son aisselle, à côté d'un pan de dentelle noire.

— Bon ! Il se fait tard, c'est vendredi. Allons au pub ! Je vous offre une bouteille de vin.

Grisée par le succès du slip comestible, Christie frappe dans ses mains.

— Super ! s'écrie-t-elle en me lançant un regard enthousiaste.

— Je ne peux malheureusement pas venir : j'ai déjà prévu autre chose, préviens-je en rassemblant mes notes.

— Dommage ! rugit La Verrue.

Pète-sec me raccompagne à la porte en murmurant :

— Un jour comme aujourd'hui, Viv, à ta place, j'aurais jugé opportun de faire preuve d'un minimum d'esprit d'équipe. Amuse-toi bien, conclut-elle en me décochant un sourire déçu.

— Bon week-end ! lui souhaité-je alors que la porte se referme sur moi.

Je m'occuperai de son cas plus tard. Pour l'instant, je cours à l'ascenseur en me recoiffant de mon mieux.

*
**

Au *Cheval peureux*, on a le respect de la tradition. Au beau milieu d'une rangée de bars à cocktails et de restaus minimalistes au mobilier en bois brut, une chaude lumière orangée y nimbe des abat-jour, derrière des fenêtres à croisillons. Mes pinces m'ont lâchée pendant ma course d'un bout à l'autre de la ville. J'enlève les dernières – qui ne tiennent plus que par une mèche – et noue mes cheveux en une queue-de-cheval ébouriffée, que j'espère d'un chic fou. Je m'arrête un instant devant l'entrée. J'aperçois une ribambelle de filles en bustier et en talons debout au bar et des hommes plus tout jeunes sur des tabourets. Quelques couples occupent des banquettes… Ah ! Mon cœur cesse de battre. Le voilà ! Occupé à lire le journal dans un renfoncement. Son meilleur profil se découpe à la lumière tamisée qui nimbe ses boucles. Son costume gris pâle rehaussé par une cravate bleu layette met en valeur son teint doré. Je ne serai jamais à la hauteur ! Je lisse ma robe et coince une mèche rebelle derrière mon oreille, avant d'inspirer à fond en me chantant mentalement du Christina Aguilera.

« Tu es superbe » fredonné-je au moment de pousser la porte. Le bruit des conversations ponctuées de rires m'assourdit aussitôt. Une odeur de bois et de moquette imbibée de bière me chatouille les narines en me donnant une folle envie d'un verre. Je ne compte cependant pas commander mon pinot rituel mais une boisson qui me rappelle le bon vieux temps, à base de whisky. Malheureusement, j'ai l'impression d'avoir avalé un balancier qui me fracasse le cœur et l'estomac en alternance. Me voilà devant lui. Il n'a pas levé le nez de son journal. Il est encore temps de fuir. Une envie subite me vient de tirer la grimace. *Oh non ! Par pitié !* Je lui décoche mon sourire le plus ravageur.

— Salut, Rob !

Il pose les yeux sur moi en plissant son front que pas une ride ne creuse.

— Ah, enfin ! Il y a un quart d'heure, non, dix-sept minutes, rectifie-t-il en consultant sa montre Cartier, que je t'attends.

— Désolée ! Merci d'avoir patienté !

Je prends place en face de lui et pose ma main sur la sienne, chaude et pas du tout moite. Il la retire en joignant le bout de ses index. Je hume alors un parfum que je ne reconnais pas. Je parie que c'est elle qui l'a choisi. Elle marque son territoire. Telle une chatte en chaleur.

— Tu sens bon, c'est nouveau ?

— Arriver en retard m'a toujours semblé le comble de l'impolitesse.

— C'est vrai. Tu as raison. Je m'excuse. Je n'ai pas pu faire autrement.

— Personnellement, j'y vois du mépris pour les autres. J'ai perdu dix-sept minutes à t'attendre.

Un silence s'installe. Je m'étais imaginé à peu près tout sauf une remontrance. Je brûle d'envie de le toucher, plus convaincue que jamais qu'il doit me revenir. Je me tourne à plusieurs reprises vers son ravissant visage en réfléchissant à une entrée en matière pour y renoncer aussitôt. Remarquant tout à coup qu'il n'a rien commandé, je bondis sur l'occasion. Je me penche vers lui et surprends son coup d'œil à mon décolleté.

— Rob, je suis vraiment navrée. Je comprends que tu m'en veuilles. Tu permets que je t'offre à boire pour me faire pardonner ? lancé-je en le regardant droit dans les yeux.

Il éclate de rire, plus séduisant que jamais.

— Puisque tu me le proposes… je prendrai une vodka tonic, sans citron, avec beaucoup de glace.

D'un pas triomphal, je m'éloigne vers le bar, où je dois jouer des coudes pour atteindre le comptoir. Je sais comment gérer la situation : tout ira bien. Rob a toujours eu besoin que je l'apaise, que je fasse ressortir ce qu'il y a de meilleur en lui. Ma présence agit sur lui comme un baume apaisant. Je le détends.

J'apporte à notre table sa vodka plus ma commande : un whisky au vin de gingembre, où flotte une cerise. Rob porte son verre à ses lèvres alors que je sirote mon cocktail – plus fort que dans mes souvenirs.

— Qu'est-ce que tu as choisi ?

— Un whisky Mac : ça réchauffe. Disons que je me suis laissé gagner par l'ambiance de Noël.

— On est en juillet.

— Et alors ?

Je vrille mon regard au sien. Il y brille une étincelle, à n'en pas douter. Rob me sourit.

— Tu es une drôle de fille !

— Il n'y en a pas deux comme moi, avoue ?

Il soutient mon regard puis son visage se ferme. Il siffle sa vodka en balayant des yeux la salle. Il s'éloigne. Il résiste.

— Tu veux manger quelque chose ? On sert de l'excellente cuisine ici. Je meurs de faim, pas toi ?

Il remue sur son siège.

— Viv…

— Je vais chercher des menus !

Je me rue au bar. Le miroir derrière les bouteilles me renvoie l'image d'un sympathique vendredi soir. Un type grassouillet fait du plat à l'une des filles en bustier. En vain. Rob consulte sa montre. J'avise une petite dame aux joues roses, à la queue-de-cheval ébouriffée. Oh ! Mais c'est moi ! Je me redresse et lève le menton afin de me montrer sous mon meilleur jour.

« Ne regarde pas ! » me dis-je mentalement. « C'est encore un miroir déformant, comme ceux qu'on trouve dans les cabines d'essayage. » J'observe Rob : il jette un coup d'œil à son téléphone. Je m'empare des menus. *Ne le laisse pas filer ! Concentre-toi.* Je retourne à notre table, très maîtresse de moi. Il range son portable.

— Viv, je sais que nous avions prévu de dîner ensemble mais je ne vais pas pouvoir rester. On m'attend.

Son regard jusque-là bienveillant se durcit : je n'ai aucune emprise sur lui. Il voulait me retrouver pour… quoi au juste ? un adieu expéditif ? une tape dans le dos assortie d'une poignée de mains « sans rancune » ? Il a un rendez-vous plus tard ! Je n'en reviens pas ! Décidément, il ne change pas : quel sans-cœur ! L'envie me vient de lui dire que je dois retrouver ce soir un oligarque membré comme un cheval mais, d'une, ce n'est pas vrai et, de deux, je ne supporterai pas qu'il s'en aille. S'il me quitte, mon cœur se brisera en mille morceaux. Au diable ma fierté ! Je lui touche le bras, alors qu'il finit son verre.

— S'il te plaît, Rob, ne t'en va pas, le supplié-je.

— Viv !

Il me tapote la main.

— Tu ne vas quand même pas me laisser manger seule ?

Je croise son regard. Bon sang ! Je pensais me retrouver auprès de lui face à l'autel, le jour de mon mariage. Je me disais que mes enfants hériteraient de ses cils. Il ne laisse paraître aucune émotion.

— Je t'en prie ! En souvenir du bon vieux temps.

Il se penche sur le menu.

Un serveur exténué en jean, grandeur XXL nous apporte deux tourtes plus un plat de frites, des couverts roulés dans une serviette et une salière maculée de sauce. Au moins, je suis toujours en compagnie de Rob ! Il a enlevé sa veste et sa cravate, en est à sa troisième vodka et semble passer un bon moment.

— J'adore ta façon de te nourrir, Viv.

— Ah bon ?

— Oui, comme un homme. Tu connais beaucoup de filles qui mangent des tourtes aux frites arrosées de bière ?

Je lui souris en me demandant où il veut en venir.

— Toi, ça ne te fait pas peur. Et ça me plaît bien. J'apprécie que tu ne comptes pas systématiquement les calories en picorant de la salade.

Je me rappelle mon régime à base de vinaigre et de jus de citron ; mes habitudes alimentaires déréglées.

— Ah ! Ce n'est pas mon genre : j'ai horreur des filles qui chipotent.

J'espère qu'il a senti Sam visée. La vue du triangle de peau semé de poils dans l'encolure de sa chemise me serre le cœur. J'en garde un souvenir si vif !

Sa présence me soulage autant que si je me réveillais d'un cauchemar. Il est là, tout va bien. Nous discutons de notre travail et de la famille en évitant le sujet qui se dresse telle une barrière entre nous, jusqu'à ce qu'il repose ses couverts et décline une autre vodka. Il prétend qu'il doit retrouver Sam et « des amis ». Je ressens comme un coup de poignard entre les côtes. Il ne me reste rien pour le retenir.

— Félicitations pour tes fiançailles ! lâché-je ; ce qui lui arrache un sourire.

— Tu ne le penses pas vraiment.

J'aligne méticuleusement nos napperons de table.

— Non mais je tiens à te voir heureux.

Je me force à sourire.

— Merci.

— Tu es vraiment heureux ?

Il m'observe d'un air d'évaluer quel degré de souffrance je suis capable d'endurer.

— Je crois que oui.

Ai-je raison d'entrevoir dans sa réponse une ouverture, aussi infime soit-elle ? une lueur d'espoir ?

— Plus que quand nous projetions de nous marier, toi et moi ?

— Viv, s'il te plaît. Je ne tiens pas à revenir là-dessus. C'est de l'histoire ancienne. Je suis avec Sam, maintenant.

— Bien sûr. Enfin ! Pour l'instant, tu es quand même là, auprès de moi. Je suppose qu'il y a une raison à cela ?

Je lui saisis la main.

— Je ne compte sans doute pas pour rien ?

— Je me suis dit que je te devais au moins un adieu, que tu méritais que je te l'annonce moi-même…

Oh là, là ! C'est rude ! Comme un coup de poing sur le nez. Cela dit, ce n'est pas en geignant qu'on reconquiert un homme.

— Je n'ai pas envie de te dire adieu, Rob, lui avoué-je d'une voix que je voudrais ferme.

— Il faut que j'y aille, m'annonce-t-il en se levant.

— Je voudrais tant renouer avec toi. Je…

— C'est fini entre nous, Viv.

Il me frôle la joue du dos de la main.

— Navré, ma douce, mais c'est toi qui es partie. Tu te souviens ?

Il hisse sa veste à la doublure moirée sur son épaule, musclée juste ce qu'il faut, et s'en va. Sans se retourner.

Chapitre 11

Effondrement – Première partie

1. Pleurer toutes les larmes de son corps.
2. Braire comme un âne.
3. Jeter rageusement tout ce qui tombe sous la main.
4. Ne pas rappeler sous peine de le regretter.
5. Ne même pas y songer.

Le taxi freine au bout de la rue. Je cherche des billets dans mon sac, sous ma culotte de rechange entortillée autour de ma brosse à dents, pendant que le chauffeur prend son mal en patience.

— Ce n'est pas la fin du monde, ma petite dame. Ça ira mieux demain.

Des larmes roulent sur mes joues, alors que je lui tends vingt livres.

— Non ! ça ne va pas s'arranger : en ce qui me concerne, c'est bel et bien la fin du monde.

— Prenez soin de vous ! conclut-il en me rendant la monnaie.

Je hoche la tête d'un air absent et me traîne jusqu'à la porte de mon immeuble en gémissant comme un animal blessé. De la morve et des larmes me dégoulinent sur le menton, alors que je bataille contre la serrure. Sitôt rentrée, je me pelotonne sur le canapé en serrant mes genoux contre ma poitrine. La voix de la raison me rappelle que j'ai quitté Rob il y a des mois et que, jusque-là, je ne m'en portais pas plus mal. Parce que j'étais certaine qu'il me reviendrait. Alors que là, il m'a quittée pour de bon. Il n'a même pas tenté de me reconquérir. C'est bel et bien fini. Un tas d'images me passent par la tête. Je revois Rob en train de s'éloigner. Un gémissement m'échappe. Puis je me rappelle Sam ! Comment rivaliser avec une fille aussi parfaite ? Je souffre tellement que je ne sais plus quoi faire. Il me faut à boire.

Je déniche dans le frigo un fond de coca éventé, plus une bouteille de vodka. Ne prenant pas la peine de me préparer un cocktail, je bois une gorgée de chaque avant de faire les cent pas comme un tigre en cage. Quelle idiote de croire que la décision m'appartenait, alors qu'il n'a jamais voulu s'engager auprès de moi ! Non content de briser mes espoirs de mariage et de détruire tout ce que nous avions bâti ensemble en fricotant avec une femme plus jeune que moi, il m'a au final volé mes plus belles années de fertilité.

— Je suis bonne à jeter ! gémis-je en me rabattant sur la vodka. Il en préfère une autre !

Comment en suis-je arrivée là ? Qu'est-ce que j'ai fait pour mériter mon sort ? Je pousse un cri que les murs me renvoient. Mon regard erre par la fenêtre tandis que la vodka me brûle l'estomac. Des rectangles de lumière trouent la pénombre des immeubles. Je vois d'ici les bons petits plats en train de mijoter, les couples qui se câlinent devant la télé.

La nuit noire au-dehors s'engouffre dans mon cœur comme par une fermeture éclair cassée. Je m'accroupis au pied du canapé, les genoux sous le menton. J'ai peur de me retrouver seule. Je ne sais pas comment gérer la panique que m'inspire une telle perspective.

— Ce n'est pas juste ! m'écrié-je. Je n'en peux plus !

Je me balance d'avant en arrière en criant son nom, en l'interpellant comme s'il dormait dans la pièce d'à côté, comme s'il pouvait m'entendre à l'autre bout de la ville.

J'écluse ma vodka, baignée par la lueur verdâtre de mon portable. Je murmure son prénom. Je le retrouve dans mon répertoire. Si je pouvais au moins m'expliquer, entendre sa voix, sans doute qu'il reviendrait ! Il ne me laisserait pas souffrir, il se rendrait compte de mon état. Je tombe sur son répondeur :

— Ici Robin Waters. Je ne suis pas disponible pour le moment. Merci de laisser un message après le bip ou de presser « Dièse » pour contacter ma secrétaire. Au revoir.

Son adorable voix… J'aimerais tant l'entendre prononcer mon nom. Je raccroche et compose une fois de plus son numéro.

— Ici Robin Waters…

Et ainsi de suite. Encore et encore…

Chapitre 12

Effondrement – Deuxième partie

1. Se camper nue face à un miroir, inspirer à fond et répéter, d'une voix posée : « Je suis une princesse et je mérite qu'on m'aime. La prochaine fois, je serai plus forte et je me débrouillerai mieux. »
2. Recommencer.
3. S'occuper d'une plante ou d'un animal ; peu importe, du moment qu'il ou elle réclame des soins.
4. Pratiquer un nouveau sport.
5. Refaire la déco de son appartement.

J'écarte les paupières. Tiens ! le dessous du canapé. J'aperçois la boucle d'oreille en or que je croyais perdue, une assiette, pas mal de moutons et une chaussette roulée en boule. J'ai la tête comme broyée par un casse-noix et le ciboulot desséché. Un mal de crâne lancinant irradie derrière mes pupilles. Le soleil qui entre par la fenêtre me cuit le visage alors que le tapis en laine me gratte la joue. Je bascule sur le dos. Des particules de poussière dansent sous la lumière qui tombe du plafond. À ma droite gît une bouteille de vodka d'une pureté aussi cristalline que de l'eau de source. Je la redresse d'une pichenette. Oh là, là ! J'en ai descendu une sacrée quantité !

Je tente de me rappeler ma soirée. Il me semble qu'une fois de retour chez moi, j'ai bu jusqu'à ne plus y voir clair. J'ai connu des moments plus glorieux dans ma vie mais, au moins, ma dignité n'a pas souffert, ce qui me console un peu. Bon. Je cesse de bouger pour me concentrer sur ce que je ressens : les effets antagonistes de l'alcool et du chagrin. Il y a un truc qui me rentre dans l'épaule. Je pivote sur le côté en m'arrangeant pour que la tête ne me tourne pas trop et… tiens ! Mon téléphone ! Je me hisse sur un coude en scrutant l'écran. J'ai appelé Rob… dix fois de suite ! Je laisse tomber mon portable sur ma poitrine. Une douleur atroce me vrille le crâne en s'immisçant sous mes paupières. Quelle tache ! Quelle nulle ! Pourquoi, mais pourquoi faut-il que je me rabatte sur mon téléphone quand j'ai trop bu ? Ça ne me mène qu'à la catastrophe. Comme le soir où j'ai voulu contacter mon fiancé de la maternelle, Mike le Rouquin qui a entre-temps retourné sa veste.

Mon portable vibre en émettant une petite musique guillerette. Je presse des touches au hasard. *Par pitié, que ça cesse ! Qu'il se taise !*

— Allô ? dis-je d'une voix éraillée de sorcière.

— Salut, c'est Rob.

Dans ma tête s'affiche une pancarte : « Il veut renouer. » Pas de panique !

— Oh ! Qu'est-ce que je peux faire pour toi ?

— Je te serais reconnaissant de ne pas m'appeler sans arrêt pour raccrocher aussitôt.

— Ah ? Excuse-moi. J'ai dû m'asseoir sur mon portable alors que le clavier n'était pas verrouillé.

— Hum… Tout va bien ?

— Oh oui, super.

— Je craignais que tu n'aies mal pris notre discussion d'hier soir.

— Non, non. Ça va. J'allais justement courir.

— Courir ?

— Oui. Une demi-heure chaque jour. J'adore ça.

— Je ne t'imagine pas courir, Viv.

— Bah ! Je commence tout juste à m'y mettre. Il faut garder la forme !

— Bon. Je ne vais pas te retenir, alors. Tu ne m'appelleras plus, hein ? Je compte sur toi ? Ça n'a pas plu à Sam : nous étions justement à table.

Mon cœur se déchire comme un vieux chiffon.

— Non, promis.

Un sanglot me remonte dans la gorge en manquant de peu m'étrangler.

— Bon. Pendant que j'y suis… Quand tu es partie, tu as laissé des affaires chez moi… Je me demandais ce que tu voulais que j'en fasse ?

— Des affaires ?

— Quelques albums photo, des plantes et le fauteuil rouge.

— Attends ! Je l'ai acheté pour toi, ce fauteuil. Tu l'adorais.

— Oui mais, euh… il ne plaît pas à Sam. Elle a décidé de changer la déco. Elle aimerait devenir architecte d'intérieur, si tu veux tout savoir.

— Ah bon ?

Je l'imagine tomber du haut d'une échelle de tapissier. Une larme roule le long de ma joue avant de s'écraser sur le sol.

— Penses-y en tout cas et dis-moi ce que tu veux que je fasse. D'accord ?

— Ça marche.

Ça marche ?!

— Allez, ciao !

Je pivote sur le dos et laisse couler mes larmes. Je ne sanglote pas, je ne geins pas non plus : de l'eau me sort des yeux et voilà tout. Je me demande combien de temps il est possible de pleurer. Je me demande s'il y a un précédent dans le livre des records.

Chapitre 13

Nouveau sujet de discussion : Finirai-je un jour par m'en remettre ?

Charlotte aux fraises : J'ai rompu avec mon petit ami il y a deux mois, or j'aurais cru que je me sentirais mieux maintenant. Des conseils pour ne plus penser à lui ?

Blonde platine : Demande-toi si tu l'aimais vraiment, lui, ou plutôt l'idée d'avoir un homme dans ta vie. Son odeur, sa démarche te manquent ou ça te fait simplement suer de te retrouver seule ?

Mon ex c'est Gollum : Pour l'oublier, il faut lui trouver un remplaçant.

Dentelle : Il y a tant d'hommes de par le monde et la vie est courte. Sors ! Trouve-toi une occupation. Rejoins une association. Change de look. Convaincs-toi que tu es passée outre et tu verras : ce sera bientôt le cas.

Mon ex c'est Gollum : Demande-toi si tu y penseras encore l'an prochain ?

Sorcier vaudou : Je peux te concocter un puissant philtre d'amour qui t'aidera à reconquérir l'homme de ta vie. Je propose aussi un assortiment complet de poupées de cire… mais il faut me fournir un cheveu arraché à sa tête.

Puisque je n'exulte pas dans les bras de mon fiancé, faute d'un retour de flamme, je sors ce soir avec Lucy. Je ne tarde pas à me rendre compte qu'il n'y a rien de plus déprimant pour un cœur brisé qu'une discothèque à Londres un samedi. D'où sort tout ce monde ? À croire que les autochtones ont pris le chemin de l'exil face à une horde d'envahisseurs en tenue de soirée. Les boîtes sont bondées de touristes, de provinciaux qui rentreront chez eux demain et d'abrutis qui ne cherchent qu'à tirer un coup. Lucy m'a entraînée dans une « discotek ». L'orthographe de l'enseigne se veut un clin d'œil tendance. Je lui ai glissé que nous pourrions aussi bien aller au pub du coin mais elle a glapi : « Pas question ! Il te faut de l'action ! » Lucy m'a « prise sous son aile ». Me voilà chaussée de hauts talons qui lui appartiennent, un thé glacé Long Island à la main, aussi pleine d'entrain qu'une bûche.

— Bon ! Tu vois quelqu'un qui te plaît, Viv ?

Lucy ondule des hanches en cadence. Je promène un regard désabusé autour de moi. Des grappes d'hommes s'agglutinent sur la piste de danse, où des filles se trémoussent à la manière de strip-teaseuses. De temps à autre, un chasseur solitaire se détache de la meute pour s'approcher ostensiblement d'une demoiselle qui l'ignore ou, à l'inverse, l'encourage. Il ne manque plus qu'une voix *off* pour commenter la scène, façon documentaire animalier.

Lucy se dandine dans sa robe moulante à paillettes en fredonnant les paroles d'une chanson où il est question de briser des cœurs en mille morceaux.

— Alors ? Tu as repéré quelqu'un ?

— Oui, toi, lui réponds-je en me déhanchant sous son nez.

— Non, sérieusement ! Si tu devais finir au lit avec quelqu'un ici sous peine de mort, qui choisirais-tu ?

— Toi.

— Je pensais à un homme.

— Je me doute bien. Je n'ai pas l'impression que ça m'aide d'être venue ici.

— Parce que tu ne fais aucun effort.

Elle me fourre dans les mains un shooter de tequila. Je le siffle en trois fois alors qu'elle descend le sien d'une traite avant de rugir de plaisir et de claquer son verre sur le comptoir.

— Décide-toi ou je raconte au barman que tu veux te le taper.

Je jette un coup d'œil au Polonais tout sourire derrière le comptoir et me dépêche de passer en revue les tables, où je finis par repérer un type à lunettes à l'air gentil.

— D'accord : lui, là.

— En chemise noire ? Pas mal ! commente-t-elle en souriant à un mannequin à la ceinture cloutée.

— Non, le type assis. À lunettes. Qui a l'air gentil.

— Attends ! Tu plaisantes ?

Elle étudie mon expression.

— Ah non. Tu es sérieuse.

— Je suis sûre que je passerais un chouette moment à discuter avec lui.

— Sauf que ce n'est pas de discuter que tu as envie, Vivienne !

— Ah non ?

Elle me prend le bras et m'attire vers elle.

— Ma pauvre ! À quand remonte la dernière nuit où tu as hurlé de plaisir en arrachant les rideaux ?

À l'entendre, cela lui arrive tous les jours, comme d'acheter du lait.

— Je ne me rappelle pas…

— C'est ce que je craignais. On va y remédier pas plus tard que tout à l'heure, ma chouette. Tu ne diras pas non à un autre petit verre ?

Nous en sommes à notre troisième tournée d'un truc au goût de sirop contre la toux quand… ça y est ! Je ressens une sorte de démangeaison dans le bas-ventre qui se propage au reste de mon corps et… je me trouve irrésistible, ce soir ! Lucy et moi avançons sur la piste de danse en nous frottant dos contre dos. Je suis certaine que les autres filles regrettent de ne pas avoir opté pour un col polo comme le mien. Un type s'approche de Lucy et me voilà qui me trémousse à présent seule. La musique est tellement entraînante que je ne peux pas ne pas la suivre. Des chaussures noires se campent face aux miennes. Un homme danse devant moi, et lui aussi a le rythme dans la peau ! En levant les yeux j'aperçois dans l'ordre : un pantalon noir, une chemise déboutonnée à rayures et une énorme pomme d'Adam. J'attrape le type par le cou et lui crie « Incroyable » à l'oreille. Il hoche la tête en me prenant par la taille. « Sacrée pomme d'Adam ! » m'exclamé-je alors qu'il plaque son bassin contre le mien. Il a un gros nez, aussi. Ça me plaît ! Ses mains se risquent en direction de mes fesses. Je recule d'un pas et pointe l'index sur lui en lui reprochant : « Tu es culotté, toi ! » Il

se colle contre moi et son haleine me frôle le cou. Une odeur de
lotion après rasage me chatouille les narines. Je lève les mains en
l'air et ondule des hanches. Plus bandante que moi, il n'y a pas ! Il
me suit comme mon ombre. Impossible de le semer parmi la foule.
Les basses résonnent. Les projecteurs balaient la salle. Il me tient
par les hanches. Ça me fait tout drôle. Ses lèvres me frôlent la joue.
Je détourne la tête, mais il se jette sur ma bouche. Sa langue de la
consistance d'un mollusque se cogne à mes dents. Je recule, mais il
se fixe à mon cou comme une ventouse.

— Hé ! Non ! m'emporté-je.

Il recommence, en jetant cette fois son dévolu sur mon oreille,
qu'il aspire de toutes ses forces.

— Merci bien, mais non ! insisté-je sans cesser de danser, résolue
à me débarrasser de lui.

Il sourit et se penche vers moi. Sa bouche humide envahit mon
champ de vision, mais je m'esquive à temps. Lucy se déhanche face
au mannequin, ou plutôt tout contre lui, les yeux fermés. « Faites
l'amour en écoutant la zique » chantonne-t-elle.

— Je vais au petit coin, lui hurlé-je à l'oreille.

*
**

Je m'efforce de maintenir la porte close pendant que je fais pipi
en gardant les fesses à bonne distance de la lunette éclaboussée. Pas
facile en talons hauts ! Lucy me crie, de la cabine voisine :

— J'emmène le mien chez moi ! Il est chaud comme la braise.
Et toi ?

Je sors des toilettes alors que Lucy continue à pisser tout ce
qu'elle sait. Ce n'est pas pour rien qu'elle a été surnommée « la
jument » à l'université.

— Surtout pas ! J'ai l'impression qu'il sort de *La Guerre des étoiles* !

— Et alors ?

— On dirait un extraterrestre doté d'un aspirateur à la place de la bouche.

Lucy reparaît enfin en rajustant sa robe.

— On y va, alors ? me demande-t-elle, un sourire espiègle aux lèvres.

Elle a trouvé chaussure à son pied : la soirée est terminée.

— Non ! J'ai encore envie de danser.

Lucy paraît déçue.

— Tu as toi-même dit que j'avais besoin de sortir. Il n'est qu'une heure du matin.

Je lui lance un regard noir en poussant la porte des toilettes… et me voilà face au suceur de joues ! Il se penche vers moi, la bouche en avant, tous tentacules dehors. Je referme la porte de justesse ! Je me plaque dessus en me sentant dans la peau de l'héroïne d'*Alien*.

— Pas question que je l'affronte !

Lucy proteste et tente une sortie mais il lui barre la route : il m'attend au tournant.

— Écoute, Ducon, tu n'intéresses pas ma copine.

Il lui adresse un sourire idiot.

— Tu te pousses ? Elle ne veut pas de toi.

Lucy se tourne vers moi.

— À mon avis, il ne comprend pas l'anglais.

Je risque un coup d'œil par l'entrebâillement. Mon agresseur venu d'ailleurs se réjouit en me voyant. Sa bouche humide en frémit. Je lui claque la porte au nez.

— Enfin, Viv ! On ne peut pas rester ici éternellement.

— Non… Il a dû s'en aller, de toute façon.

Sûre de mon fait, je rouvre la porte mais, manque de bol : il en profite pour s'avancer vers nous. Il n'y a pas trente-six solutions. Il faut que je lui lance une réplique dans le plus pur style S.F. Digne d'un monstre qui aspire la face de ses victimes. Je brandis une main, de manière à l'arrêter dans son élan.

— Je regrette mais la force n'est pas avec toi ! lui déclaré-je solennellement.

Il hésite. La main tendue, je répète mon injonction en fuyant son regard, jusqu'à ce qu'il prenne la fuite, tel un chat échaudé.

*
**

À la fin de la soirée, je me demande si je ne devrais pas consulter un psy. Je suis peut-être bien déprimée. Un *slow* passe, alors que je broie du noir seule dans mon coin. Lucy et son mannequin se pelotent sur la piste de danse. Il lui caresse les fesses, tandis qu'elle lui masse la nuque. Les lumières se rallument. Je me sens soudain vulnérable et ridicule dans ma robe à col polo. J'ai l'impression d'être la mère de Lucy, venue la chercher en Fiat Panda.

Au vestiaire : impossible de retrouver mon manteau. J'échoue sur la banquette arrière d'un taxi qui fonce dans la nuit. Coincée contre la portière, j'ai droit aux bruits de ventouse de Lucy et son mannequin en train de se lécher le cou. Ils ont insisté pour me ramener chez moi. De temps à autre, le mannequin se décolle de Lucy pour me poser une question de pure politesse, du genre « Il y a longtemps que tu habites Londres ? » tout en glissant une main sous la jupe de mon amie. J'incline le front contre la vitre embuée en regardant défiler les échoppes à kebabs et les stations de taxis. Une fille en robe noire à bretelles s'accroche à un lampadaire, le temps de vomir entre ses pieds. J'imagine la soirée de Rob et Sam : un dîner dans un restau chic et cher, une conversation pétillante arrosée de champagne… avant de regagner leur petit nid douillet. Super ! J'ai réussi à me rendre malade de jalousie !

Chapitre 14

Famille et amis

1. Connaissez-vous des personnes susceptibles de vous soutenir en cas de coup dur ?
a) Oui : mon cercle d'amis nombreux et ma famille, qui m'aime.
b) Non. Mes collègues ne m'écoutent même plus.
c) Oui mais plutôt mourir que de leur raconter mes bêtises.

2. Diriez-vous qu'un problème partagé est à moitié résolu ?
a) Oui : mieux vaut ne pas porter seul le fardeau de ses soucis.
b) Non : je ne vois personne à qui confier ce qui me tracasse.
c) Il n'y a pas de soucis qu'une bonne beuverie ne puisse résoudre.

3. Y a-t-il parmi votre entourage quelqu'un qui puisse vous aider à développer votre potentiel et à mesurer votre vraie valeur ?
a) Oui : mes meilleurs amis.
b) Oui : mon ex.
c) Je n'ai pas de potentiel et ne vaux rien.

Vous avez obtenu :

Un maximum de a)
Bravo ! Vos choix de vie vous ont jusqu'ici réussi. Passer de bons moments auprès de votre famille et de vos amis vous aidera à reprendre le dessus.

Un maximum de b)
Et si vous alliez vers les autres ? Ne restez pas dans votre coin à broyer du noir. Amusez-vous !

Un maximum de c)
Consultez un spécialiste.

Le dimanche matin, c'est le moment privilégié des amoureux. La radio ne passe pas une émission qui ne leur soit consacrée. Pourquoi les auditeurs appellent-ils le standard dans l'intention de clamer à la face du monde qu'ils sont amoureux ? Qui cherchent-ils à convaincre ? Ils me font pitié, tiens !

Pendant ce temps-là, je m'entraîne à trouver la paix du corps et de l'âme. En suivant les instructions du chapitre 4 de *Trouvez votre voie – Libérez-vous* à propos des voix intérieures à faire taire et de la sérénité. Sur la quatrième de couverture, l'auteur arbore le genre de coupe propre et nette qui inspire confiance, en souriant d'un air de dire « je sais de quoi je parle ». Je me rends compte, du fond de mon lit, qu'il n'est pas simple d'atteindre la paix, ne serait-ce que du corps. Je m'en approche enfin quand Lucy me passe un coup de fil.

— Comment tu te sens ? me demande-t-elle.

— Au fond du trou.

— Plus qu'hier ?

J'y réfléchis. Jusqu'ici je n'envisageais pas de gradation à la profondeur de mon trou.

— Un peu moins, j'imagine. Comment ça s'est passé avec ton mannequin ?

— La catastrophe : un zizi riquiqui.

— Oh.

— On a quand même passé une bonne soirée, toutes les deux ! Tu t'es fait draguer !

— Hum… ouais. Quelle horreur ! Comment expliques-tu que j'attire les formes de vie sous-développées ?

— Il t'avait reniflée. Ne cherche pas plus loin. Ça te dirait, un déjeuner de célibataires, tout à l'heure ? Au *Pichet et sa coupe* ? On en sort toujours bourré. Je te garantis que tu ne rentreras pas seule chez toi.

— Formidable ! Je ne pourrai malheureusement pas venir.

— Pourquoi ?

— Je n'en ai pas envie.

— Qu'est-ce que tu comptes faire ? Broyer du noir en pensant à Rob ?

— Non.

— Examiner à la loupe des photos de sa copine ? Te confectionner un chemisier en barbelés ? Rester au lit à bouquiner des manuels de développement personnel ?

Je jette un coup d'œil à *Trouvez votre voie – Libérez-vous*.

— Peut-être bien.

— Viv ! Ce n'est pas une vie, que tu mènes !

— En fait, je comptais rendre visite à Mémé.

Je vais lui passer un coup de fil. Tout ira bien.

— Super ! Dans le genre « fun »…

— J'ai invité Max à m'accompagner.

Lui aussi, je compte l'appeler.

— Tu me fais trop envie, là…

Je ne sais pas pourquoi Lucy s'est mis en tête qu'elle m'aiderait en me secouant les puces. Il me vient à l'esprit qu'elle manque peut-être de cœur.

— Tu ne dois pas retrouver ton plan cul aujourd'hui ?

— Non : c'est tout l'intérêt d'un plan cul. Ne se sentir obligée de rien.

— Ah

— Tu es sûre que ça va ? Tu n'as pas l'air dans ton assiette.

— Si, si. Je te rappelle plus tard.

— À plus alors.

Elle raccroche.

Un bruit blanc m'envahit l'oreille. Je me demande ce qui va m'arriver maintenant et combien de temps ça va m'occuper. Comme rien ne se passe, je finis par me traîner à la cuisine. J'ouvre le frigo bourré à craquer. Je sors le saumon fumé. Les mots « premier choix » et « sauvage » me sautent aux yeux sur l'emballage recyclable. Le week-end s'annonçait pourtant prometteur, vendredi. Je considère le ciel radieux en tenant le paquet de saumon incliné sous mon nez, à la manière d'un livre de prières. Par la fenêtre de la cuisine, je jette un coup d'œil à la cour, où s'accumulent les cartons à pizzas et les cannettes vides. Une capote gît mollement sur le tas d'ordures. Mon regard retourne au saumon, sur lequel je misais tant. Autant m'en débarrasser. Il atterrit parmi les vestiges du samedi soir : une pépite parmi un tas de saletés. Je m'empare du fromage à tartiner et des croissants pour leur réserver le même sort. Les fraises, je les lance en l'air l'une après l'autre. Quelques-unes heurtent le cadre de la fenêtre et roulent par terre. Je considère le champagne, que j'attrape par le col avant de lui arracher sa collerette. Je le débouche en évitant de produire un « pop » retentissant : Rob m'a expliqué que ça ne se faisait pas. Dire qu'avant qu'il s'occupe de mon éducation, je faisais sauter le bouchon et, qu'en plus, je hurlais de plaisir. Je siffle une flûte, debout contre le plan de travail, et laisse tomber mon verre sur le sol carrelé, où il se brise en une myriade d'éclats coupants. Je referme le frigo du bout du pied et vais m'habiller.

*
**

Max arrive en avance. Ça ne lui ressemble pas. Il s'est peigné, en plus. Et, quand je lui fais la bise, je m'aperçois qu'il s'est rasé et aspergé d'un drôle de parfum aux agrumes. Il a même enfilé un jean propre et une chemise que je ne lui connaissais pas. À damier bleu. Je le reluque.

— Non mais regarde-toi !

— Quoi ? Qu'est-ce qui ne va pas ?

Il lance des coups d'œil affolés autour de lui comme si je venais de crier « V'là les flics ! ».

— Rien, lui souris-je. Tu présentes bien.

— Tu connais les mémés… Elles raffolent des chemises à carreaux.

Sa dent cassée lui donne un sourire de pirate.

— Ah bon ? Tu dois le savoir mieux que moi.

— Ne me charrie pas, Viv ! Tu t'es déguisée en quoi, toi ?

— Moi ? En fille en retard d'une lessive, qui a dû dénicher des habits propres au fond de son placard.

Je sais que mon jean délavé d'il y a trois ans me grossit les fesses et que mon chemisier fleuri sans manches paraît moins rétro que pitoyable.

— Je te sers à boire ?

— Du whisky ?

— Il ne m'en reste plus. Et puis c'est dimanche !

— Ce que tu as, alors.

— Du champagne ? Rosé ?

— Parfait ! Tu as cherché à me joindre, vendredi, poursuit-il en me suivant à la cuisine. J'ai voulu te rappeler…

Je piétine les morceaux de flûte cassée par terre avec mes bottes du Far West. Max n'émet aucun commentaire.

— Ça va ?

— Ouais.

— Je te pose la question parce que tu ne semblais pas dans ton assiette.

— Rob veut se débarrasser du fauteuil rouge.

Max hoche la tête, d'un air qui indique qu'il ne sait absolument pas de quoi je parle.

— C'est moi qui le lui ai offert… En nous baladant par une magnifique journée d'automne, nous sommes passés devant un marchand de bric-à-brac, où j'ai repéré l'accoudoir du fauteuil sous un tas de vieilleries. Rouge tomate. À croquer !

Je jette un coup d'œil à Max. Il fixe le plancher.

— Presque orange, en fait. J'ai demandé à le voir : un fauteuil à oreilles idéal pour bouquiner. Je suis revenue l'acheter en cachette, l'ai fait rembourrer puis nettoyer et l'ai offert à Rob pour son anniversaire. Il en raffolait… mais sa copine ne le trouve pas à son goût alors… il m'a demandé ce que je voulais en faire.

— Dis-lui qu'il se le foute au cul.

— Mot pour mot : il m'a demandé ce que je veux en faire ! Hallucinant ! En fait, ce n'est pas qu'il refuse de se marier mais qu'il refuse de m'épouser, moi.

Je regarde Max en m'efforçant de ravaler mes larmes et me tourne vers le salon en reniflant, en y imaginant le fauteuil.

— Je ne peux pas le placer ici : il me ferait l'effet d'un fantôme, à me rappeler le passé… D'un autre côté, je ne veux pas le jeter.

Un trémolo m'agite la voix. Je me demande pourquoi cette histoire de fauteuil revêt soudain une telle importance à mes yeux.

— Bon. Je vais le récupérer et le garder chez moi en attendant que tu admettes que tu adores ce fauteuil mais que Rob n'est qu'un trou du cul. À ce moment-là, je te l'amènerai et tu auras droit à une soirée fauteuil.

— Oh là ! Je me demande comment ce sera.

— La soirée fauteuil ? Eh bien : toi et moi plus le fauteuil et assez peu de vêtements…

— Non ! Comment ce sera de considérer Rob comme un trou du cul ?

Max passe un bras autour de mes épaules.

— Viv, je te promets qu'un jour, tu seras tellement comblée d'affection que tu n'y penseras plus.

Je pose la tête sur son épaule.

— Tu me le promets ?

— Oui.

*
**

Une explosion de vert a gagné la rue de Mémé : les arbres ont revêtu leur parure estivale. Le macadam miroite sous le soleil. Dès qu'elle nous aperçoit, Mémé s'avance sur le pas de sa porte dans une robe bain de soleil bleue qui lui arrive aux chevilles, en nous ouvrant grand ses bras maigrelets.

— Max ! Max Kelly ! le salue-t-elle d'un ton à déclamer du Shakespeare.

Il la rejoint en sautillant d'un pied sur l'autre.

— Bonjour, Ève.

Elle paraît aussi menue qu'une enfant, dans les bras vigoureux de Max.

— Ça fait plaisir de te voir.

— Tu as une mine fabuleuse, Max. Tu ne trouves pas, Viv ?

Il se tourne vers moi en souriant aux anges.

— Si, si, marmonné-je.

— Comment ça va, Ève ?

— Je n'ai pas à me plaindre. Venez !

Elle nous entraîne à la cuisine où flotte une chaude odeur de rôti de bœuf. Elle m'embrasse et s'occupe de nous servir à boire. La présence de Max l'incite à glousser sans arrêt comme une simplette ; ce qui me gêne.

— Conduis ce beau jeune homme au jardin, Vivienne. Je vous rejoins avec les verres.

Nous passons par la porte-fenêtre pour rejoindre la terrasse ensoleillée, dont les pavés fissurés couverts de mousse me font penser à une carte routière aux plis marqués. Un parasol en toile déchiré abrite quatre chaises autour d'une table rouillée. Max offre son visage au soleil et sort ses lunettes noires.

— Il va faire beau, aujourd'hui.

— Tu as beaucoup de succès, à ce que je constate.

— Bah ! Ève et moi sommes de vieilles connaissances !

Tant pis si c'est puéril de ma part : leur complicité m'agace. Je me sens laissée pour compte.

— Elle devrait s'occuper du jardin, marmonné-je en gravissant les trois marches creusées par l'usure qui conduisent à la pelouse en pente.

Max me rejoint auprès du jasmin odorant qui a poussé n'importe comment. Je me campe face à la statue d'un ange, au centre du gazon. Je sonde son regard extatique et me revois à sept ans, en train de lui chuchoter des secrets ou d'accrocher des guirlandes de fleurs à ses ailes en pierre. Je croyais à l'époque que, si je lui confiais quelque chose, ma mère m'entendrait. Ce que j'étais naïve ! Des arbres fruitiers ombragent la pelouse clairsemée. Des pommes tombées sous un coup de vent luisent entre les longs brins d'herbe en dégageant un subtil parfum douceâtre. Nos pas nous mènent au bout du jardin, où de vieux rosiers s'emmêlent les branches. Des abeilles butinent leurs fleurs aux pétales fripés.

— Je raffole des roses anglaises, avoué-je à Max en contemplant sa main hâlée, alors qu'il caresse une fleur de pêcher.

— Moi aussi.

Je lève les yeux sur son visage souriant. Il me couve d'un regard chaleureux, pétillant d'humour. Je fais mine de m'intéresser aux roses. Il m'annonce en se dandinant :

— Je vais voir si ta Mémé n'a pas besoin d'un coup de main.

J'enlève mes bottes pour avancer pieds nus sur le gazon imprégné de rosée. Je contourne le potager à l'abandon et reviens à l'ange.

— Qu'est-ce que tu me racontes de beau ? lui demandé-je en effleurant ses doigts abîmés.

Des cris et des rires fusent de la cuisine. Mémé finit par apparaître sous un chapeau blanc à larges bords, suivie de Max, un feutre en paille sur la tête et un plateau à la main, qu'il tient à hauteur d'épaule. Mémé s'abrite les yeux et m'interpelle en prenant une intonation B.C.B.G. :

— Viv ! Regarde ! J'ai préparé des margaritas comme sur la Côte d'Azur !

Derrière elle, Max sourit de toutes ses dents. Son teint bis et ses boucles noires qui dépassent de son chapeau lui donnent l'allure d'un serveur grec filou, résolu à séduire d'innocentes touristes.

— Vous êtes aussi ridicules l'un que l'autre.

Je m'avance sur la terrasse chauffée par le soleil, où nous prenons place sous le parasol, en sirotant nos cocktails. Max allume une cigarette. Mémé fait main basse sur le paquet.

— Tu permets ?

— Je t'en prie.

Max lui tend son briquet.

— Enfin, tu ne fumes pas !

Le visage de Mémé se plisse, tandis qu'elle expulse la fumée en toussotant. Elle tient d'une main mal assurée sa cigarette au bout taché de rouge à lèvres corail.

— J'ai toujours voulu m'y mettre. Seulement, j'attendais mes soixante-dix ans.

Elle a retroussé sa robe de manière à exposer au soleil ses fines jambes marbrées de veines.

— Pourquoi ?

— Fumer tue, au cas où tu ne le saurais pas, m'explique-t-elle en tirant de plus belle sur sa cigarette, dont elle recrache aussitôt la fumée. Bah ! Ça ne me plaît pas autant que je l'imaginais. Je te la rends, Max ?

Il se penche pour lui cueillir des doigts la cigarette, qu'il pose sur une soucoupe.

— Tu ne voudrais pas essayer autre chose ? Le deltaplane ? Les substances prohibées ? lui propose Max.

— Pourquoi pas ! Comme ce nouveau médicament pour l'arthrose, par exemple ? Le deltaplane ne me tente pas. En revanche, la montgolfière, je ne dis pas non. J'aurais aimé me marier à bord d'un ballon.

— Arrête, Mémé ! Tu as le vertige.

— Justement : les montgolfières ne montent pas à haute altitude et il n'y a pas de place pour beaucoup d'invités à bord.

— C'est une idée de génie que tu as là, Ève. J'y penserai, le jour où je me marierai, affirme Max en nous resservant à boire.

— Avec qui, d'abord ?

Il lève les yeux.

— Des tas de femmes me courent après. Ne t'inquiète pas. Je suis exigeant, c'est tout, affirme-t-il en adressant un clin d'œil à Mémé.

— Tant mieux pour toi, Max !

— Exigeant, toi ? C'est nouveau ! me moqué-je en m'inclinant contre le dossier de ma chaise, mon verre à la main.

— Tu ne sais pas tout, Vivienne.

— Ah non ?

Un sourire se forme sur mes lèvres.

— Eh non.

Max repose le pichet de margarita avant d'exposer son visage au soleil. Un frisson me parcourt : mes bras se couvrent de chair de poule. Nous gardons le silence en écoutant pépier les oiseaux, jusqu'à ce que Mémé estime le rôti cuit.

— Même si ce n'est pas ce qu'il y a de plus appétissant, par une telle chaleur.

De retour à la cuisine, nous décidons de manger froid. Pour accompagner le bœuf, Max prépare une salade à base de pommes de terre au four, à la sauce mayonnaise relevée de moutarde. J'expérimente avec les carottes : je les râpe et les arrose de jus d'orange, avant de les saupoudrer de coriandre. Mémé s'adresse à Max la bouche pleine.

— Et ta peinture, dis-moi ? Tu comptes exposer ton travail prochainement ?

— Quelques-unes de mes toiles sont visibles par roulement dans une petite galerie du nord de Londres.

— Elles trouvent preneur ?

— Parfois. J'en tire au moins de quoi payer mon loyer.

À en juger par son appart pouilleux, elles ne doivent pas lui rapporter gros.

— Tu reçois des commandes ?

— Pas encore. J'espère participer à la prochaine biennale, à l'Académie royale. Ça m'aiderait à me faire connaître.

— Je me rappelle que tu m'as montré un jour… un homme nu avec un chat. Une toile saisissante.

— Elle figurait dans ma première expo. Je l'ai vendue, celle-là.

— C'est fabuleux d'avoir un tel talent, Max. Il ne faut surtout pas que tu renonces.

C'est bizarre d'entendre Max parler ainsi de son travail. À croire qu'il a de l'ambition ! Et moi qui lui dis toujours de se trouver un vrai boulot. Il me lance un coup d'œil.

— Viv tient les artistes pour des ratés sans le sou.

— Je n'ai jamais dit ça !

— Vivienne, tu me déçois, me sermonne Mémé, pour le plus grand amusement de Max.

— J'aime beaucoup ce que tu fais, me défends-je. Ton portrait de Lula, par exemple : magnifique.

— Merci… ce n'est pourtant pas le plus réussi. Je ne donne le meilleur de moi-même que quand mon sujet m'inspire, quand je sens qu'il dégage une énergie particulière. Alors là, oui, il m'arrive de faire des merveilles.

Il me sourit. C'est fou ce que ses yeux sont noirs. Je me tourne vers le jardin, les joues en feu. À mon propre étonnement, j'aimerais qu'il parle de mon portrait.

— Quelle chaleur ! soupiré-je en me réfugiant à l'ombre.

— Max… J'aurais voulu que tu fasses un croquis de moi, cet après-midi.

Il examine Mémé. J'ai l'impression qu'on vient de m'accorder un sursis avant de m'électrocuter.

— Bien sûr ! Tu as de quoi dessiner ?

Je débarrasse la table tandis qu'ils s'installent chacun dans leur rôle. L'artiste au pantalon retroussé sur ses mollets poilus, face à son modèle au regard perdu dans le jardin… Max réalise une esquisse en silence. Je lave la vaisselle en gardant un œil sur la terrasse. Mémé enlève son chapeau. Max arrache une page. Ça lui ressemble bien, de dénicher un carnet de croquis et du matériel à dessin au débotté. Ils marquent soudain une pause : je les entends babiller. Il faut toujours qu'ils cherchent à séduire, l'un comme l'autre. Je vide l'évier et m'attaque aux casseroles. Mémé regarde droit dans les yeux Max, qui a redonné vie à la jeune et jolie fille d'autrefois. Un couvercle de sauteuse tombe de l'égouttoir. Ils se retournent en même temps.

— Dis donc ! Tu ne nous amènerais pas à boire ? me crie Max.

— Tu trouveras du vin blanc au frigo, ma chérie ! m'indique Mémé.

Je leur apporte la bouteille et des verres. J'examine le croquis de

Max. Il a su restituer la personnalité de Mémé en quelques traits.

— Pas mal !

— J'espère qu'il m'a représentée à mon avantage.

— Je ne reproduis que ce que je vois.

Il pose son crayon et nous verse du vin.

— Il ne faut pas espérer un miracle, autrement dit ! commente-t-elle.

Nous prenons du fromage à la place du dessert. Mémé nous apporte du brie, qu'elle laisse en pleine chaleur. Elle s'en coupe une généreuse tranche et savoure l'intérieur crémeux avant de grignoter la croûte. Elle paraît épanouie, ces temps-ci. Je ferme les paupières en m'exposant au soleil, alors que Mémé discute voyages avec Max.

— Nous pensions aller à Santander. Reg ne connaît pas encore.

— J'adore la côte cantabrique, affirme Max.

— Reg ? J'ai bien entendu ? relevé-je sans ouvrir les yeux.

— Oui.

— Vous partez en vacances ensemble ?

Je me redresse sur ma chaise.

— Oui.

Je me laisse à nouveau glisser contre le dossier en soupirant et referme les paupières.

— Un problème, Viv ?

J'ouvre un œil, et le referme aussitôt.

— Non, aucun. Hormis que tu n'as pas attendu longtemps après le décès de Grand-père pour te payer du bon temps avec un autre homme.

— Il y a deux ans qu'il a disparu, Viv.

Je garde les paupières closes.

— Deux ans, c'est long quand on se retrouve seule.

— Oh. Mettons que je n'aie rien dit… Personnellement, il me manque encore.

— À moi aussi, mais je suis toujours en vie, moi, et je compte en profiter tant que ça durera.

Elle se lève, ramasse nos assiettes et les emporte en cuisine. J'entends le cliquetis d'un briquet. Max exhale un rond de fumée.

— Eh bien !

— Quoi ?

— On dirait que tu as vexé ta Mémé.

— C'est ridicule ! m'emporté-je en lui lançant un regard noir. Elle flirtait déjà avec Reg du vivant de Grand-père, figure-toi.

Max garde son calme.

Je jette un coup d'œil à la cuisine, mais n'aperçois pas Mémé.

— J'ai l'impression qu'ils ont commencé à se fréquenter peu après l'enterrement.

Je sens la température monter sous mon crâne, pendant que Max finit sa cigarette.

— Elle ne m'a rien dit, insisté-je. Elle ne m'a pas annoncé qu'il y avait quelque chose entre eux. Ils fricotent en douce.

— Je me demande pourquoi.

— Parce qu'elle s'en veut !

— Ou qu'elle craint de te blesser.

— Je n'ai rien à voir là-dedans.

— Là, tu n'as pas tort.

Il vient de me rabattre le caquet en souriant. Je me tourne vers le jardin, piquée au vif. Un début de migraine me martèle les tempes. Qu'est-ce que ça peut me faire que Mémé se plaise en compagnie de Reg ? Je souhaite la voir heureuse. Je me sens trahie, sans m'expliquer pourquoi. Max ne peut pas comprendre. Il a des parents, lui ; un père et une mère toujours en couple, quatre sœurs à moitié folles et des centaines de neveux et nièces qui raffolent de lui et se montrent d'ailleurs si possessifs à son égard qu'il évite d'aller les voir. Ma vie de famille me fait l'effet d'une maison de verre sur laquelle Reg cognerait à l'aide d'un marteau. Je m'interroge sur ce que je ressens. Il me semble que je viens de mettre le doigt sur une explication, quand celle-ci me file entre les doigts comme un lézard, en ne me laissant qu'un embryon de réflexion en guise de queue. Je renonce et retourne à la cuisine me verser de l'eau. Mémé range les assiettes dans le placard du haut. Je remarque que sa main tremble.

— Je peux t'aider ?

— J'ai presque fini.

La vaisselle tinte sur l'étagère. J'attends, mal à l'aise, que Mémé referme la porte du placard, le souffle haché par l'effort. Elle se tourne vers moi, me sourit et m'indique du regard qu'elle comprend avant de me presser la main.

— Il va bientôt falloir qu'on y aille.

— Comme tu veux, puce, me répond-elle en me caressant la joue.

*
**

Les rues enfiévrées de Londres ont piégé la chaleur du jour. Des relents de friture se mêlent aux gaz d'échappement. Max m'accompagne à la station de métro. Je lui affirme que je n'ai pas besoin d'escorte, mais il ne se laisse pas convaincre. Il parle de quitter la ville, de prendre un congé sabbatique, de parcourir le monde en moto.

— Tu ne viendrais pas avec moi ? me propose-t-il.

— Je n'ai pas de moto.

— Je te prendrai comme passagère, andouille.

— Où dormirions-nous ?

— À la belle étoile.

— Hein ? Ensemble ?

Je tire la grimace.

— D'accord : je dormirai seul à la belle étoile. Tu n'auras qu'à te trouver un palace.

Nous tournons au coin de la rue. En levant les yeux, je remarque la fenêtre de ma cuisine ouverte et me dis que ma négligence me vaudrait un savon de la part de Rob.

— Un palace avec un spa, précisé-je devant ma porte.

Je bataille contre le verrou. Quand je me retourne, Max a reculé sur le trottoir.

— Oh. Tu ne montes pas ?

— Non. J'ai des trucs à faire, s'excuse-t-il en souriant.

— Quoi, par exemple ?

— Planifier notre expédition « tournée des spas ».

Il s'éloigne en me laissant plantée sur le pas de ma porte.

— Ne compte pas sur moi ! l'avertis-je, mais il me tourne déjà le dos.

— Ah. Tu dis ça maintenant…

Je le regarde s'en aller de son pas chaloupé de gros ours et c'est comme si le soleil disparaissait en même temps que lui.

Chapitre 15

Aller de l'avant

Surtout : n'idéalisez pas votre ex. Ne perdez pas de vue ses défauts. Dressez une liste de tout ce qui ne vous plaisait pas chez lui. Consultez-la, dès qu'il vous manque.

*   Mon ex-petit ami Shaun prétendait que la vue de mes pieds lui soulevait le cœur. Il ajoutait pour blaguer que j'aurais pu ramasser avec mes orteils ce qui traînait par terre en arrondissant le dos, les bras ballants. Quand je pense à lui et que je regarde mes pieds, c'est bon : je ne le regrette plus.

    Becka, 20 ans, Harrow

*   Mon ancienne copine m'obligeait à dormir dans son lit parmi ses peluches. Je me réveillais en pleine nuit, coincé contre le mur face à dix-huit paires d'yeux de verre. Franchement, je ne la regrette pas, surtout quand je me rappelle son horrible singe.

    Simon, 25 ans, Leeds

*   Quand il me manque, je me répète : « grains de beauté, grains de beauté, grains de beauté ».

    Tanya, 30 ans, Newcastle

*   Le mieux, c'est de sortir avec un autre. Peu importe qui : ce qui compte, c'est de se remettre en selle.

    Katie, 39 ans, Staines

Lundi matin, j'arrive au boulot, le cœur étreint par un pressentiment de fin du monde. Je ne sais pas ce qui cloche. Je trouve mon bureau dans l'état où je l'ai laissé en partant : poste de travail encombré, moquette grise et néons. Pourtant, j'ai l'impression de marcher à la guillotine. Christie n'est pas là. Bravo les résolutions ! Je considère le ciel d'été parfaitement bleu, qu'un avion raye d'une traînée blanche. Quelle belle journée ! Idéale pour un pique-nique en amoureux, du ski nautique sur un lac ou une balade en décapotable le long de la côte. Si seulement je n'étais pas aussi désespérément seule ! Je me tourne vers la photo de Rob, son sourire de rêve. Un sourire qui ne m'est plus destiné. Je la détache du panneau de liège et la range au fond d'un tiroir.

— Au revoir, mon amour !

Bon. Je vais soumettre à un traitement de choc les dernières fibres de mon être qui le réclament encore. En leur appliquant des électrodes ou je ne sais quoi. Je vais renoncer à lui. Le simple fait d'y penser me donne envie de chialer.

J'allume mon ordi, qui se plaint de ne pas avoir été correctement éteint et me renvoie à la figure le tableur sur lequel je suais vendredi. Ah ! Vendredi ! Je gardais encore espoir, à ce moment-là ! Je m'apprêtais à le revoir. C'est fou ce qu'un week-end peut amener de changement. Maintenant, je n'ai plus d'avenir, plus rien hormis mon boulot. Il ne me reste plus qu'à m'y consacrer corps et âme. Je note « slogans pour slips comestibles » sur mon bloc-notes et consulte ma messagerie. Deux fournisseurs m'ont écrit : l'un pour m'annoncer qu'il ne lui reste plus de tissu écossais en réserve et l'autre pour m'avertir que les bougies à motifs scandinaves sont fabriquées par des prisonniers en Norvège. Je me demande si c'est conforme à la politique de Barnes and Worth. Il faut bien occuper les prisonniers, non ? Ce n'est pas comme si on leur prélevait leurs organes. Il faudra tout de même que je me renseigne avant de passer commande. D'abord, je pars me préparer du café. Je mets en marche la bouilloire électrique en me rappelant la mise en garde de Rob contre les foyers de légionellose et cherche dans le frigo une brique de lait marquée « cadeaux ». En vain. Je me rabats sur celle où il est écrit « Compta. N'y pensez même pas ! ». Je rince ma cuiller quand je reconnais le rire de Christie. Je la surprends dans le couloir en pleine discussion « chaussures » avec Pète-sec, qui porte aujourd'hui des socquettes imitation peau de léopard, dans des bottines ouvertes à zébrures.

— Non ! Vas-y, franchement ! La vie est trop courte ! lâche Christie.

Elles se retournent sur moi. Un silence s'abat. Je leur souris.

— Bonjour !

— Bonjour, Vivienne, me répond Pète-sec, qui presse l'épaule de Christie avant de s'éloigner.

J'en reste baba.

— Elle n'en fait pas un peu trop, dans le style « peau de bête » ?

— J'aime bien son style aujourd'hui, affirme Christie.

La panique me gagne. Je me sens comme un buffle à l'écart du troupeau, qui entend soudain rugir entre les hautes herbes.

— Quoi de neuf ? me renseigné-je en retournant à mon poste.

— Rien, prétend mon assistante en rougissant.

— Pète-sec est devenue ta grande amie ?

— Non, non…

Christie pose une liasse de documents sur son bureau.

— Qu'est-ce que c'est ?

— Ruth, je veux dire « Pète-sec », m'a proposé un petit-déjeuner *brainstorming*, ce matin. Tu sais ? pour trouver de nouvelles idées de produits.

— Un petit-déjeuner *brainstorming* ?

— Oui. Elle a d'ailleurs amené des croissants.

— Des… croissants ?

— Aux pépites de chocolat.

Je sonde Christie du regard. Qu'est-ce que Pète-sec mijote dans mon dos ? Pourquoi discute-t-elle avec mon assistante d'initiatives qui me reviennent en principe ? Il se trame quelque chose de louche. La semaine passée, elle voulait virer Christie. Je ne vois qu'une explication : La Verrue s'est entichée de Christie et Pète-sec n'a pas voulu se laisser damer le pion. Elle ne se soucie que de son avancement. Une rougeur enflamme le cou de Christie, qui ouvre la bouche avant de se raviser.

— Vous avez passé une soirée sympa au pub, vendredi ?

— Oui, articule-t-elle d'un air pas rassuré.

— De quoi avez-vous parlé ?

Je lui fais face en pianotant sur mon bureau.

— Le pub était bondé et Marion… La Verrue connaissait presque tout le monde. Nous avons bien ri, Viv. Tu aurais dû venir.

— Hum. Vous avez parlé boulot ?

— Un peu.

— De quoi a-t-il été question ?

Christie arrache des peluches au rembourrage de son siège.

— Des cadeaux de Noël et d'opportunités de carrière pour moi, vu que j'ai de bonnes idées.

— Mais encore ?

— C'est à ce moment-là que Pète-sec m'a parlé de *brainstorming*.

— Elle t'a laissé entrevoir une opportunité de carrière ?

— Non. Nous avons seulement discuté de slips.

Christie n'ose pas affronter mon regard.

— Je vois. Bon. Tout ce que je peux te dire, Christie, c'est de te méfier. Rappelle-toi : Ruth ne s'intéresse qu'à sa poire.

Son visage se décompose. Elle se dégonfle comme une baudruche, or c'est moi qui ai approché l'épingle. Je suis certaine que, quoi qu'il arrive, Christie ne verra rien venir. Ce n'est pas de sa faute : les deux autres la manipulent en se servant d'elle comme d'un pion. Elle baisse les yeux sur ses souliers à brides. Je lui souris, navrée pour elle.

— Elles finiront par te proposer quelque chose, va !

— À vrai dire, elles ont trouvé que tu ne te montrais pas à la hauteur de tes responsabilités, ces derniers temps… que tu avais un peu perdu de vue tes objectifs… que tu laissais tes soucis personnels prendre le pas sur ton travail.

— Hein ?

— Je te répète ce qu'elles ont dit.

— Qu'est-ce que tu as répondu ?

— Que tu traversais une phase difficile.

— Je vois.

Je ravale mes larmes en fixant, au-dessus de Christie, un écriteau concernant la conduite à tenir en cas d'incendie.

— Bon. Accorde-moi un moment et je reviens vers toi à propos des cadeaux de Noël. D'accord ?

Je me concentre sur mon ordi en déglutissant avec peine.

Qu'est-ce qui ne va pas chez moi ? Il ne faut pas que je pleure ! Ça me met en rage qu'elles aient discuté de mon attitude dans mon dos ! Je sais que je ne me suis pas autant impliquée que je l'aurais dû, mais il m'a fallu surmonter une crise en privé. Aurais-je droit à plus d'indulgence si je divorçais ? J'ai perdu l'homme de ma vie. Je ne sais pas de quoi demain sera fait. Pardon si les cadeaux de Noël ne m'intéressent pas plus que ça ! Je me mouche. Un nouveau message s'affiche à l'écran.

Bonjour Vivienne,

Le site est prêt à passer ton inspection... ton heure sera la mienne !

Mike

Il ne manquait plus que ça ! Comment s'est-il débrouillé pour que la simple formulation de son message me fiche la trouille ? Je lui réponds en vitesse.

Salut Mike,

Un grand merci ! J'ai hâte de découvrir le résultat. Je suis en réunion toute la matinée. Tu es libre après déjeuner ?

Viv

Sa réaction ne tarde pas.

On se voit ce soir après le boulot. À six heures.

Il veut que je l'invite à dîner ce soir ? Je m'attendais à ce que le site soit en ligne et opérationnel avant d'honorer ma part du contrat. D'un autre côté : ai-je le choix ? Je lui suis redevable, or un dîner un lundi soir me semble un sacrifice moins douloureux qu'un autre jour. Je lui confirme le rendez-vous en ayant l'impression de conclure un pacte avec le diable. J'imprime ensuite mon tableur. Pas à la hauteur de mes responsabilités ? On va voir ce qu'on va voir ! Je me tourne vers Christie... qui referme d'un clic hâtif la page d'un créateur de mode.

— Prête ? lui demandé-je.

— Prête, acquiesce-t-elle, contrariée.

— Bien. Les slips comestibles, alors ?

Je lui adresse un sourire d'encouragement.

— Je voudrais m'en occuper moi-même. L'équipe achat pense qu'il serait bon de me confier un produit, depuis sa conception jusqu'à sa mise en rayon.

— L'équipe achat ?

— Oui.

— C'est-à-dire ? Pète-sec et La Verrue ?

— Oui.

— Magnifique. Excellente idée. Tu as déjà choisi un fournisseur ?

— Pas encore.

— Tu as réfléchi à des slogans ?

— J'en ai trouvé quelques-uns qui pourraient convenir.

— Ça t'ennuierait de me les communiquer ?

Elle se déride enfin en consultant son bloc-notes.

— J'ai pensé à « Un Noël au poil ». Qui dit slip dit poils, non ?

— Je vois.

— Ou sinon « Mets-toi ça sous la dent ». « Vive les boules de Noël » – pour les slips d'homme, bien sûr.

— Bien sûr.

— J'ai aussi songé à des clins d'œil au menu d'un Noël traditionnel. Du genre « Pour les dindes qui voudraient se faire farcir » ou « Pour les boudins qui rêvent qu'on les truffe ».

— Ou « Pour mettre le feu à la bûche » ?

Elle lève les yeux au plafond en mâchonnant son crayon et fronce les sourcils.

— Excuse-moi mais je ne comprends pas, Viv, avoue-t-elle avant de retourner à son bloc-notes. « De quoi emballer sa paire de marrons » ?

— De… marrons ?

— Mais oui, Viv ! Il faut que le slogan évoque Noël, m'explique-t-elle patiemment comme à une demeurée. Voilà en tout cas mes idées. Je te préviendrai, si j'ai besoin de ton aide.

Je l'examine, dans l'espoir de reconnaître en elle la Christie dont j'ai l'habitude. Peine perdue : Pète-sec l'a remplacée par un androïde.

Nous consacrons le reste de la matinée au peaufinage de notre stratégie. Christie esquive les tâches que j'essaye de lui déléguer, sous le prétexte qu'elle doit se concentrer sur sa « ligne », qu'elle a baptisée « slipduction ». Parce que ça sonne comme « séduction », m'explique-t-elle. Comme elle me tape sur les nerfs, je lui refile les bougies scandinaves et la question des prisonniers. Il me reste dix autres produits sur les bras. Tant mieux, en un sens ! Voilà au moins de quoi m'occuper l'esprit. Je me sens héroïque : je vais travailler jour et nuit. Les autres n'en reviendront pas. Un souvenir de Rob en Sicile pendant nos dernières vacances surgit de ma mémoire, enveloppé d'un parfum d'eau de rose, avant d'éclater comme une bulle au contact de la dure réalité. Parlons-en, de la réalité : plein de boulot et, pas plus tard que ce soir, un rendez-vous avec Michael, qui me fait peur.

*
**

Les portes de l'ascenseur s'écartent. Il est là qui me guette en s'appuyant contre le mur en marbre du hall, d'un air qui se veut plein de mâle assurance, alors que des tressaillements lui agitent la jambe. L'envie me saisit de lui filer sous le nez, tel un cerf aux abois, pour me fondre dans les sous-bois du métro. Et pourtant non : je m'avance vers lui. Bien qu'il m'ait repérée de ses petits yeux fureteurs, il fait mine de ne pas me voir. Il promène autour de lui un regard désinvolte, tandis que ses genoux s'entrechoquent. Quand je me campe enfin devant lui, il me salue en feignant la surprise, m'attrape par le coude et dépose un baiser dans le vide à côté de mon oreille. Son haleine sent le légume. Un relent d'épices flotte autour de son col. Il évite mon regard et m'indique du menton la sortie. Un moment de confusion survient à l'approche de la porte à tambour : nous voilà dans le même compartiment à ronger notre frein avant d'être recrachés dehors.

— Bon. Où m'emmènes-tu, Michael ? lui demandé-je nonchalamment.

— Mike.

— Euh oui, Mike, pardon.

Il inspecte la rue en plissant les yeux, comme s'il étudiait un champ de bataille. Puis il me tourne le dos.

— Boire un verre chez *O'Malley*, pour commencer, m'annonce-t-il d'un ton pas mécontent de lui.

Il s'éloigne aussitôt à petits pas pressés. Je trottine pour le rattraper, en louant le ciel d'avoir opté pour des talons plats : il m'arrive au menton. Je jette un coup d'œil à sa barbe en queue de rat. Lui fixe un point à l'horizon.

— *O'Malley* ? Le nom ne me dit rien.

— Tu t'en souviendrais si tu y avais déjà été, ricane-t-il sans me regarder.

Mes yeux tombent sur ses mocassins en similicuir lustrés par l'usure, à côté de mes sandales. Nous jouons des coudes pour avancer à contre-courant de la foule. À un moment, Mike passe devant moi sans se soucier de me distancer ou pas. Au moins, nous n'avons pas l'air en couple. Une pointe de curiosité s'ajoute à mon appréhension. Je me rappelle que je n'avais rien de mieux à faire ce soir et que l'auteur de *Trouvez votre voie – Libérez-vous* recommande de sortir de sa routine. Je ne dois pas oublier non plus que Mike m'a fait une fleur. Je le rattrape à un croisement.

— Alors, Mike. À quoi ressemble le site ?

— Tu le sauras bientôt.

— J'ai hâte, oui !

Il me décoche un regard de travers, comme si je tentais de lui ravir le gros lot à la loterie. Nous n'échangeons plus un mot jusqu'à ce qu'il s'arrête face à une palissade noire. Une volée de marches en béton mène à une porte en bois. Il les descend quatre à quatre avec l'entrain d'un présentateur de jeu télé. Je distingue le sommet de son crâne à travers ses cheveux clairsemés. Je lance un coup d'œil nostalgique à la lueur dorée du soleil sur le déclin. Il me semble, au moment de lui emboîter le pas, que je m'apprête à plonger sous l'eau. Je retiens mon souffle.

Derrière la porte nous attend un bar en bois sombre aux sièges bordeaux capitonnés. Un relent de bière me saute à la figure, au moment d'entrer. Mes yeux s'accoutument peu à peu à la lumière tamisée : je distingue des formes humaines tassées le long des murs. Un *piercing* çà et là. Une ravissante brune dodue à souhait se tient derrière le comptoir. La pénombre donne à sa peau claire une teinte de lait. Son corset noir souligne par contraste la pâleur de craie de son décolleté.

— Ça va, Mike ? Qu'est-ce que je te sers ? lance-t-elle à notre approche.

Mike m'adresse un coup d'œil triomphant. Il réclame une pinte qu'il emporte à une banquette en me laissant passer moi-même ma commande et régler la note. Je le rejoins, une vodka tonic à la main.

— Je me la suis tapée, me précise-t-il en léchant la mousse sur sa lèvre.

De la tête, il m'indique le bar.

— Elle est très jolie.

— J'aime les grosses.

Le tremblement de ses jambes se communique à la table. Je sirote ma vodka en observant la salle et lui adresse un pâle sourire.

— Je crains que tu ne sois pas assez grosse à mon goût mais, au moins, tu as de bonnes fesses et ça me plaît.

— Euh… merci du compliment.

— Je t'en prie. À l'avant, tu manques de relief, par contre.

— Oh.

Voilà que des picotements irritent ma gorge, pas à la hauteur de ses désirs. Mon t-shirt rayé ne dévoile rien de trop mais il me colle au corps. Je surprends Michael en train de lorgner le bout de mes seins. Ses doigts noueux tambourinent contre la table. Il examine les alentours, les épaules rentrées, en hochant la tête à un rythme qu'il est le seul à percevoir. Puis il éclate d'un rire pareil à un braiment d'âne.

— Tu ne te sens pas à l'aise, ici, avoue ?

— Si, ça va.

— C'est un repaire de dingues, ce bar.

Je considère les clients paisiblement attablés devant leur consommation, en me convainquant qu'il va d'ici peu m'arriver je ne sais quoi, dont je n'ai pas la moindre idée. Peut-être qu'au tintement d'une clochette, nous allons devoir échanger nos pantalons et danser la *Macarena*.

— Mike… à propos du site…

Il pose aussitôt sur la table un bout de papier où il a noté une adresse Internet.

— Tiens. Prêt à passer ton inspection !

— Super.

Je fais mine de m'en emparer, mais il l'escamote en m'effleurant la main de ses doigts baladeurs.

— Pas avant que j'aie eu droit à ma soirée ! me sourit-il. S'il y a une chose que tu dois te rappeler à mon sujet, c'est que je vous connais, vous les femmes.

Il se tapote le nez en secouant la tête.

— Si je te donne ce que tu attends là, maintenant, tu fileras chez toi à la première occasion. Avoue !

Je le dévisage. Dois-je en conclure qu'il a pour habitude d'extorquer des rendez-vous sous la contrainte ? Se doute-t-il que ses conquêtes l'éviteraient comme le germe d'une mycose, s'il ne brandissait pas une carotte devant leur nez ? Il remue sur son siège.

— J'ai ce que tu m'as demandé, affirme-t-il en tapotant sa poche de veste. À toi de me donner ce que je veux. Ce n'est que justice, non ?

— Je ne comptais pas filer chez moi ! protesté-je en riant. Je pensais discuter du site, c'est tout.

Il me lance un regard de renard, face à un enclos de poules.

— Tu voulais que je t'invite à dîner, non ? reprends-je sous le coup d'un besoin subit de tirer la situation au clair.

— Oui. Au chinois. Je compte commander un menu gastronomique.

Il s'en lèche les babines.

— D'accord, cédé-je en terminant mon verre. On y va ?

— Pas avant le numéro de danse du ventre.

*
**

Un bon nombre de vodkas plus tard, me voilà pleine de bonne volonté envers Michael : nous discutons avec animation de pilosité faciale à la *Pagode d'or*. Il s'est laissé pousser des moustaches de chat sous sa lèvre inférieure, de part et d'autre de sa longue barbe emperlée.

— Les femmes en raffolent, prétend-il.

Il oriente vers moi le plateau d'algues frites. J'en attrape une ou deux à l'aide de mes baguettes en plastique, plus un rouleau de printemps.

— Tu charries ! Quel genre de femmes apprécie les poils au menton ?

— Les femmes, les vraies, affirme-t-il en esquissant un sourire à lever le cœur.

J'éclate de rire. Les canards couleur caramel peints sur les fenêtres se mettent à danser sous mes yeux. Mike s'attaque au chop suey en aspirant les nouilles récalcitrantes qui lui glissent sur le menton. Je considère sa langue d'une longueur obscène et me rabats sur les beignets de crevettes. Il se penche vers moi d'un air de conspirateur :

— Ça leur chatouille le clito, glousse-t-il.

Je contemple ses moustaches luisantes en visualisant la chose, quand jaillit tout à coup sa langue.

— Oh là, là ! m'écrié-je la bouche pleine, avant de m'étouffer en avalant de travers une crevette.

Mike se lève d'un bond et me frappe le dos si fort que mes yeux menacent de sortir de leurs orbites. Je suis sur le point de manquer d'air ! Je le supplie d'arrêter en affirmant que je vais m'en remettre. Il renonce enfin et regagne son siège. J'avale une gorgée d'eau.

— Encore un peu et je devais pratiquer la manœuvre de Heimlich. Tu as de la chance que j'aie un brevet de secouriste.

— Qu'est-ce qu'une femme peut demander de plus ? Un brevet de secouriste et…

C'est tout juste si j'arrive à terminer ma phrase.

— … des moustaches qui chatouillent le clito !

J'attrape le fou rire. Impossible de reprendre mon sérieux. Mike aussi se bidonne en postillonnant des bouts de nouille un peu partout. Nous voilà en train de nous tordre comme des baleines. Nous ne nous calmons que pour nous gondoler de plus belle, l'instant d'après. Quelqu'un s'approche de notre table.

— Salut Viv ! Tu t'amuses bien ?

Je lève la tête en m'essuyant les yeux. Rob se dresse devant nous, interloqué. Me voilà aussitôt dégrisée. La situation n'a plus rien de drôle. J'aperçois Sam en robe à paillettes. Sam et son regard de biche innocente.

— Salut, Rob ! lancé-je en m'éclaircissant la voix.

— Je me demandais s'il n'allait pas falloir vous lancer un seau d'eau en pleine face, lâche-t-il en souriant avant de jauger Michael.

— Oh, Rob. Je te présente Michael, un collègue. Michael, voici Rob, un… euh, ami et sa fiancée Sam.

L'impression me vient qu'il s'apprête bel et bien à me lancer un seau d'eau à la figure.

— Tout va bien ? s'enquiert Michael.

Le regard de Rob oscille de lui à moi.

— Ravi de vous avoir rencontrés, conclut-il d'un ton guindé avant de pousser Sam vers la porte, la main au creux de ses reins.

Ses talons aiguilles résonnent comme les sabots d'un pur-sang.

— Tu me préviendras quand tu voudras récupérer tes affaires ? ajoute-t-il.

Sam se retourne vers moi en rejetant sa crinière châtain, curieuse de ma réaction.

— Mais oui. Demain, par exemple ? proposé-je en soutenant le regard de Sam.

— Demain ?

Il la consulte. Elle me sourit au nez.

— Va pour demain, Viv. Je t'attends vers, sept heures et demie, mettons ?

J'acquiesce. Il me considère un moment. Un sourire complice éclaire ses traits. Je les regarde s'en aller : il lui glisse un mot à l'oreille. Elle s'esclaffe alors qu'ils se fondent dans la nuit. Déconfite, je me tourne vers Michael qui attrape des bébés poulpes du bout de ses baguettes. Beurk !

Je frissonne lorsque nous parcourons le quartier chinois. Michael a drapé sa veste sur mes épaules. Les bennes à ordures à l'arrière des restaurants sentent le pet. Mike me raccompagne au métro en insistant pour que je passe chez lui. À l'entendre, il a un aquarium qui mérite le détour.

— Je l'ai placé de telle sorte qu'on en a une vision panoramique à 360°, m'explique-t-il alors que nous apercevons la bouche de métro béante de Leicester Square.

— Michael, merci pour la soirée. J'ai passé un bon moment, conclus-je, sincère. Je t'assure, insisté-je face à son regard dubitatif.

Je lui colle un rapide baiser sur la joue. Il émane de lui une telle énergie que ça ne m'étonne pas qu'il ne tienne pas en place. Il sort de sa poche un morceau de papier où figure une adresse Internet et me le tend.

— Le site est fabuleux. Tu verras ! Tu me diras ce que tu en penses et hop ! c'est parti pour la mise en ligne. Ça marche ?

— C'est vraiment sympa de ta part.

— Tu sais, le type, au restau, qui est venu te plomber le moral, ce n'est pas quelqu'un de bien, lâche-t-il en secouant la tête.

Je lui souris alors que ma vue se brouille.

— Il aurait pu s'en aller tranquillement mais non, il a fallu qu'il remue le couteau dans la plaie.

Je presse, entre mes paumes, sa main à la peau sèche et aux ongles striés comme des coquillages.

— Merci !

Ses yeux noirs vont et viennent d'un passant à l'autre, en se posant un bref instant sur moi, telles des mouches. Je prends alors conscience que, dans les moments difficiles, le secours vient parfois de ceux dont on l'attend le moins. Le mince réconfort qu'ils apportent relève alors d'une question de vie ou de mort.

Chapitre 16

Si vous entendez ce qui suit, l'heure de la rupture a sonné. Partez le plus dignement possible.

1. Ce n'est pas toi, c'est moi.
2. Tu es tellement gentille…
3. J'ai besoin de temps pour trouver ma voie.
4. Je ne me sens pas prêt à nouer une relation sérieuse ou même pas sérieuse… avec toi.
5. Tu es trop (ou pas assez) bien pour moi.
6. Je suis sur le point de m'installer à l'étranger./Je n'en ai plus pour longtemps à vivre.
7. Je ne supporte plus de te voir. Ça me rend malade.
8. Il me semble que je pourrais t'aimer si tu étais mince, rousse, si tu n'avais pas de malformation à l'orteil, etc.
9. Je crois que je suis allergique à ta salive.
10. Je veux me sentir libre de rencontrer quelqu'un qui soit d'accord avec moi.
11. Ce n'est pas ta faute : je n'ai tout simplement plus envie de voir ta grosse tête bouffie.
12. Si je me sentais prêt à aimer quelqu'un, ce ne serait de toute façon pas toi.
13. Si tu acceptais de faire l'amour plus souvent, je n'aurais pas besoin de coucher avec d'autres.
14. Ton odeur me dérange.
15. Je n'arrive pas à oublier mon ex.

Me voilà à mon ancienne adresse, le cœur aussi palpitant qu'un poisson frais pêché, au fond de son seau. Tout ira bien. Je vais garder mon calme. Je viens simplement récupérer mes affaires. Pourquoi a-t-il fallu, dans ce cas, que je claque quarante livres pour une mise en plis ? Je fixe la fenêtre éclairée, quand Sam apparaît derrière un rideau qu'elle écarte. *Intruse ! Va-t'en !*

Je touche le 7 en laiton à côté de la porte. Il paraît que c'est un chiffre porte-chance. C'est du moins ce que je me suis dit au moment d'emménager, quand Rob et moi nous sommes embrassés sur le seuil. Des arbustes dans des pots en terre cuite montent la garde de chaque côté de l'entrée. Bien taillés. Symétriques. Pas du tout mon genre. Je laisse retomber le heurtoir en forme de tête de lion et attends. Des voix étouffées me parviennent. Quelqu'un descend l'escalier. Rob m'ouvre, en chemise pastel, sans cravate, un tablier rayé à la taille. Le fumet d'un poulet au curry en train de mijoter se répand dans la rue. Il sourit. Je n'en reviens pas de sa mine éclatante. J'admire malgré moi la courbe de sa mâchoire et les boucles qui lui retombent sur le front en le rendant presque indécemment beau. Je me penche dans l'intention de lui faire la bise, quand il file à l'étage au pas de course.

— C'est au premier, m'annonce-t-il comme si je venais relever le compteur.

Je note que Sam a marqué la maison de son empreinte. Il y a des fanfreluches et des bibelots partout, au salon. J'avise un abat-jour orné de perles de verre d'un mauvais goût très sûr. De la vapeur provient de la cuisine américaine. Je jette un coup d'œil aux poêles en cuivre et aux aimants sur le frigo vantant les mérites du vin dans la préparation des plats.

— Un vrai petit nid douillet, commenté-je.

— Euh… j'ai rassemblé tes affaires dans la chambre d'amis. Emporte ce que tu souhaites. Le reste, je m'en débarrasserai pour faire de la place.

Il se dandine d'un pied sur l'autre.

— De la place ?

— Pour la chambre d'enfant.

Il se passe une main dans les cheveux, incapable de soutenir mon regard.

— Oh. Sam est enceinte ?

Je manque de peu m'étrangler. Rob paraît mal à l'aise.

— Ne me ménage pas !

— Non mais… nous comptons tout mettre en œuvre pour avoir un bébé après le mariage.

— Oh.

Une boule me remonte dans la gorge, tel un crapaud venimeux.

— Écoute, Viv. Navré mais il n'y a pas de rupture sans douleur. C'est un peu comme d'ôter un sparadrap. Non ? Mieux vaut l'arracher d'un coup.

— Si tu le dis.

Je n'ai aucune fierté, or je le sais. C'est à la fois une bonne et une mauvaise chose. Je n'hésite pas à me donner en spectacle mais, d'un autre côté, je ne me vexe pas facilement et ne suis pas rancunière. Pour l'instant m'apparaît surtout le mauvais côté de la chose. Écrasée de douleur, à peine capable de contenir mon chagrin, je dois récupérer mes affaires pour laisser de la place à son enfant. J'ai envie de lui hurler dessus. Et mes enfants à moi ? Je voudrais lui réclamer mes années de jeunesse, mais je ne m'en tirerai pas vivante si je n'en fais pas mon deuil, si je ne m'en ampute pas comme d'un membre broyé. Il me conduit à la pièce où gisent les vestiges de ma vie d'avant, tels les débris d'un naufrage, autour du fauteuil rouge à l'envers. J'ai l'impression de fouiller le grenier d'une morte.

— Tu ne la gardes pas ? m'étonné-je en avisant une photo encadrée de Rob en haut du mont Snowdon.

Il fixe ses souliers. Je me risque au fond de la pièce.

— Et ça ? insisté-je en remarquant un chandelier design dans un carton bourré de lettres, d'albums photos et autres rebuts de notre relation.

— Viv. Je t'en prie…

C'est au-dessus de mes forces : comme d'enlever du poison dans une plaie infectée… à l'aide d'une cuiller. Je ne me contrôle plus. Un sanglot me noue la gorge.

— Excuse-moi. Ce n'est pas facile.

Bon sang ! Ressaisis-toi ! Il paraît qu'il ne faut pas se laisser déborder par ses émotions. Je m'en fiche de ce qu'il faut faire ou ne pas faire ! Je n'y peux rien.

— Je… j'ai réfléchi : j'aime autant ne pas récupérer mes affaires.

Tu n'as qu'à t'en débarrasser. Les brûler, si tu veux !

Je m'apprête à fuir en dévalant les marches quatre à quatre, quand il me retient par le bras. Je jurerais que j'ai vu Sam se faufiler sur le palier, tel un lutin moqueur.

Rob me prend par les épaules et me force à plonger mes yeux dans les siens d'un si beau bleu. Je mesure alors ce que j'ai perdu, en me décomposant malgré moi. J'ai beau me répéter que je ne vais pas pleurer…

— Viv, mon cœur, non…

Un sanglot m'échappe. Il me serre dans ses bras. Il presse contre moi son torse, son bassin. Je ne peux pas croire que ça ne lui manquait pas.

— C'est bel et bien fini, hein ?

Il affiche un air surpris, gêné. Ne répond rien.

— Rob ! Je ne te manque même pas un peu ? Tu ne ressens rien ?

Je me grise de son odeur en inspirant à fond, le nez au creux de son cou, comme une droguée en manque.

— Je sais : c'est… triste.

Voilà tout ce qu'il trouve à dire ! Il se raidit et s'écarte de moi pour me tapoter le dos.

— Rob ! C'est moi, Viv. Tu ne me reconnais plus ?

Je scrute ses traits, mais c'est la rue qu'il observe.

— Qu'est-ce que tu veux, Viv, à la fin ?

— Toi !

Je m'efforce de sourire sous mon mascara qui coule, en dépit de la morve qui me barbouille le menton. Je lui effleure la joue du bout des doigts.

— Tu ne comprends pas que c'est toi que j'ai toujours voulu depuis que je te connais ?

Il exhale un soupir et passe son pouce sur mes lèvres en y étalant mon rouge. Je ferme les yeux en attendant qu'il m'embrasse. Son haleine me chatouille l'oreille.

— Je ne suis plus libre, murmure-t-il.

Je cherche son regard mais le trouve plus froid qu'un miroir.

— Je regrette, Viv.

Il me serre un instant contre lui, tel un assassin poignardant sa victime. Je me dégage.

— Ne dis pas ça ! sangloté-je.

Un cri m'échappe, tel que je n'en avais encore jamais produit ; un genre de hurlement éraillé. Je prends la fuite en espérant à moitié qu'il me rattrapera. Au coin de la rue, je me retourne une dernière fois sur la porte close. À la fenêtre apparaît le joli visage de Sam à la bouche en croissant.

Chapitre 17

Nouvelle discussion : Coucher avec un ami

Nunuche : Mon meilleur ami m'attire beaucoup, beaucoup. Je n'arrête pas de penser à lui, or il trouve mon attitude bizarre. Faut-il que je passe aux aveux, au risque de mettre un terme à notre amitié ?
Jupe à volants : Oh ho ! Ça s'annonce bien. J'ai couché avec mon meilleur ami et maintenant c'est mon mari.
Monstre : Belle histoire, Jupe à volants ! Nunuche, je te conseille de passer à l'acte, à condition que tu sois prête à en assumer toutes les conséquences.
Nunuche : Ça me ferait quand même mal de le perdre en tant qu'ami.
Monnaie de singe : Non, n'y pense même pas.
Monstre : Attends, Monnaie de singe ! Tout n'est jamais tout noir ou tout blanc. Sois franche, Nunuche, mais n'espère rien. Si tu lui caches ce que tu ressens, votre amitié risque d'en pâtir et tu pourrais le regretter.
Monnaie de singe : Mauvais conseil. L'amitié, c'est sacré.
Nunuche : Je comprends ton point de vue mais il faut que je fasse quelque chose. Sinon, je ne réponds plus de rien !
Monnaie de singe : Beaucoup encore il te reste à apprendre.
Monstre : Yoda ? C'est toi ?

Je m'éloigne en chancelant, meurtrie, blessée. Je remonte une enfilade de bars et de restaurants bondés jusqu'à la Tamise aux eaux brunes miroitantes. Je me penche par-dessus le parapet, où flotte une odeur de métal iodé. Je regarde le courant charrier des galets. Je repense à une exposition d'objets dragués dans le lit de glèbe du fleuve ; les restes d'une femme morte en couches, un minuscule squelette prisonnier de ses entrailles. Triste à voir ! Il faut avouer que la vie n'est pas toujours très gaie. Sans parler des tours cruels que réserve le destin. Ma vue se brouille. Des gamins sur des planches à roulettes me crient « Vas-y ! Saute ! ». Un bateau-cabaret vogue en contrebas en projetant par intermittence une lueur verte ou rouge. Des basses trépidantes rugissent en fond sonore.

Je continue mon chemin vers le nord en me blindant mentalement.

Pas question de revenir sur ce qui vient de se passer. Je me concentre sur le rythme de mes pas. À un coin de rue, une bourrasque me coupe le souffle. Je traverse une avenue passante au pas de course. J'esquive les distributeurs de prospectus. Je prends le métro. À la dixième station, je ressors sous la bruine. Je prends un raccourci par un dédale de rues miteuses et me voilà devant chez Max.

Je presse la sonnette jusqu'à ce qu'il débloque la porte. Dieu merci, il est là ! J'entre dans son immeuble. Une odeur de plâtre humide flotte dans la cage de l'escalier de pierre en colimaçon. Je gravis lentement les marches qui conduisent à son appartement.

— Ah, c'est toi ! s'exclame-t-il sur le seuil, dans un antique t-shirt des Ramones par-dessus un jean râpé.

Avant de me livrer passage, il jette derrière mon épaule un coup d'œil furtif de repris de justice en cavale. Sans mot dire, j'avance dans son hall d'entrée qui a connu des jours meilleurs. De la télé provient la voix d'un commentateur sportif.

— Tu attendais quelqu'un ?

— Non… mais il arrive que du monde passe à l'improviste.

— Du monde ?

— Ouais.

— Des femmes ?

— Ouais. Ou la police.

Je fixe sa pomme d'Adam en imaginant dans quelle situation la police pourrait bien débarquer. Max lisse ses cheveux, rajuste son t-shirt et remonte son pantalon.

— Quoi de neuf ?

— J'avais juste envie de te voir.

— Super ! Il ne vaut mieux pas résister à ce genre d'envie.

Nous gardons un moment le silence.

— Viens ! finit-il par m'encourager.

Je hoche la tête comme une gamine qui a perdu sa langue. Max passe un bras autour de mes épaules et m'entraîne dans sa cuisinette.

— Ça va ? s'inquiète-t-il.

— En fait… je… Non !

Il scrute mon expression, tout en s'emparant d'un tire-bouchon à l'effigie d'une femme nue aux jambes écartées, qu'il faut ramener l'une contre l'autre pour que le bouchon sorte du goulot entre ses cuisses.

— Beurk ! Dans la réalité, elle finirait à l'hosto.

— Dans la réalité, elle serait millionnaire, affirme Max en me décochant un clin d'œil.

Il cherche du regard des verres, avise une tasse et un vase à peine plus grand qu'une chope, où il verse du vin avant de me le tendre. En y plongeant le nez, je hume de puissants arômes de fût de chêne. Ça pique un peu mais c'est avec reconnaissance que j'en avale une gorgée.

— Alors : quoi de neuf ?

— À ton avis, je suis quelqu'un de bien ?

— J'aurais du mal à te donner une réponse objective mais… non. Tu es infréquentable.

— Je me sens… brisée. Abîmée. Rejetée. Comme un œuf qui a reçu un choc.

— Ah.

— Comme si ma coquille venait de se fêler et que quelque chose de gluant et de répugnant allait se répandre par terre ou je ne sais quoi.

— Répands-toi, mon cœur, me sourit-il.

Je me sens au plus bas. À la vue de sa mine bienveillante, j'éclate en sanglots. D'un bond, il me rejoint et n'a que le temps de poser sa tasse avant de me retenir dans ma chute.

*
**

Nous regardons la seconde mi-temps du match en mangeant des plats thaïs à emporter. Blottie contre Max sur son étroit canapé, je trempe des rouleaux de printemps dans de la sauce pimentée. Dave cligne des yeux, plein d'espoir, à mes pieds.

Je sens battre le cœur de Max contre mon dos. Il me comprime par instants la nuque avant de relâcher son étreinte. Ses mains sentent le savon. Son haleine me chatouille l'oreille – j'en attrape la chair de poule – lorsqu'il soulève à l'occasion une mèche folle, où se reflète la lueur de l'écran. Je le sens se raidir alors que les acclamations du public fusent.

— Allez ! Défense de merde, tiens ! s'écrie-t-il en me broyant à moitié l'épaule.

Je n'en reviens pas d'avoir tant pleuré. Nous avons terminé la bouteille de vin, assis à même le sol de la cuisine. Je me sens à présent épuisée, la tête lourde. Je soupire en fermant mes paupières gonflées. J'avais presque oublié le plaisir de se pelotonner contre quelqu'un, de sentir auprès de soi des muscles solides, les battements d'un cœur, la respiration d'un être de chair et de sang. J'avais presque oublié l'effet que produit le contact de deux épidermes, seul à même d'apaiser la peur du dehors. Je savoure l'instant en humant l'odeur de musc et de tabac du t-shirt de Max, en laissant mon esprit aller à la dérive. Je finis par entrevoir une sorte de paix.

*
**

— Viv ! Il se fait tard…

J'ouvre les yeux sur Max, à genoux au pied du canapé. Il a éteint la télé et débarrassé les reliefs du repas.

— Je t'appelle un taxi ?

Je me redresse avec précaution en m'imaginant le trajet jusqu'à mon appartement, où ne m'attend personne, où pas une lumière ne brille. Je considère le visage de mon ami, la courbe de sa mâchoire, ses sourcils noirs qu'on dirait tracés d'un coup de pinceau hardi. Pas question de m'en aller.

— Ne m'oblige pas à sortir.

— Reste, alors. Je dormirai sur le canapé.

— Je ne pourrais pas plutôt dormir avec toi ? prendre ta place, rien qu'un moment ? C'est tellement merdique d'être à la mienne.

Il me sourit.

— Viv, n'oublie pas : tu peux dormir avec moi quand tu veux.

— Dormir, hein ? Pas coucher.

— Dormir ou coucher. Quand tu veux.

— Je te remercie : je n'en demandais pas tant.

Je le suis jusqu'à sa chambre. Il refait son lit et me prête un t-shirt.

— Je vais chercher de l'eau, m'annonce-t-il alors que je me change avant de me glisser entre les draps frais.

Je me tourne vers le mur en fermant les yeux, soulagée de ne pas avoir à passer la nuit seule. Max me rejoint sous la couverture. Une minute plus tard, la lumière s'éteint. Je tends l'oreille à son souffle haché, à la rumeur lointaine d'un bus de nuit dans l'avenue. Je tente de mesurer ce qu'implique ma présence dans le lit de Max, auprès de lui. Tout ce que je sais, c'est que je ne supporterai pas de me retrouver seule.

— Max ? chuchoté-je.

— Hum ?

— Je veux un câlin.

Il s'approche de moi et me glisse un bras autour de l'épaule en maintenant une distance prudente entre nous. Je lui donne un coup de coude.

— Un vrai !

— Impossible.

— Pourquoi ?

— Je bande.

— Oh…

— Excuse-moi mais j'ai aperçu tes fesses en soulevant le drap. Ne t'inquiète pas : tu n'as rien à craindre mais, si ça ne t'ennuie pas, j'aime autant rester de mon côté du lit.

En bas dans la rue, des filles piaillent avant d'entonner une chanson. Leurs voix faiblissent à mesure qu'elles s'éloignent. Un silence s'installe. Pas moyen de m'endormir. La présence de Max me perturbe. La proximité de son corps d'homme. La place qu'il occupe dans mon dos. Le poids de son bras. L'idée de me glisser contre lui pour lui faire l'amour tout doucement se répand en moi comme une tache d'encre. Je ressens des démangeaisons dans tout le corps à la pensée qu'après tout, rien ne m'en empêche. La bouche sèche, je passe la langue sur mes lèvres.

— Si, ça m'ennuie.

— Hein ?

Les battements ardents de nos cœurs troublent la pénombre. Je déglutis avec peine.

— Ça m'ennuie que tu restes de ton côté.

Silence. Sa respiration ralentit. Il pivote sur le dos et lance prudemment :

— Qu'est-ce que tu dis ?

Je rouvre les yeux. Mon rythme cardiaque s'accélère. Je me retourne, me niche au creux de son cou, glisse mon genou entre ses cuisses poilues, effleure son caleçon en coton au tissu tendu par son érection. La tête dressée, j'approche mes lèvres de son visage.

— J'ai envie d'être avec toi.

Je l'embrasse au coin de la bouche. Il se hisse sur un coude. Ses lèvres frôlent les miennes. Il hésite. J'observe sa silhouette, ses boucles, sa carrure.

— Sûre ? me chuchote-t-il.

Je lui donne un baiser au goût de dentifrice. Il passe la langue sur mes dents. Je me sens fondre. Je me rapproche de lui. Je touche son visage. Il me caresse les cuisses en relevant mon t-shirt. Un frisson de désir me gagne. Une irrésistible chaleur se diffuse entre mes jambes. J'arque le dos alors que ses doigts se posent sur ma culotte en dentelle. Il se fige.

— Sûre, vraiment ? insiste-t-il, le souffle court.

Je referme la main sur son caleçon, qui se raidit aussitôt. Je lui murmure à l'oreille :

— Max… prends-moi.

*
**

Le jour se lève. Je ne suis pas chez moi. Je songe à Rob en guettant le pincement au cœur qui suit à tous les coups. Je le ressens bel et bien mais moins fort que d'habitude. Je décolle les paupières. Une lumière verte – de la teinte des rideaux – baigne la chambre de Max. Je m'étire. Mes orteils rencontrent ma culotte roulée en boule au bout du lit. Max remue dans son sommeil, un bras autour de ma taille. J'étudie sa longue main : ses ongles propres et nets à bout carré, les restes de peinture dans la rainure de son pouce. J'assimile lentement la nouvelle : j'ai couché avec Max ! Je m'attends à ce qu'une flamme de panique s'allume en moi, mais non. Rien ne trouble ma sérénité. J'ai couché avec Max et alors ? Me voilà nue dans son lit… l'esprit en paix. Je suis des yeux les lignes de sa main, que je connais si bien. J'y glisse la mienne. Il la presse doucement. Faire l'amour avec lui m'a semblé naturel. Allant de soi. Un vrai réconfort. Comme une gorgée d'eau fraîche en plein désert. Je tends l'oreille à sa respiration ensommeillée et me tourne vers lui.

— B'jour ! murmuré-je.

Il renifle, encore assoupi. J'étudie ses traits, la courbe de ses sourcils noirs et de ses cils, l'arc de ses lèvres, son grand nez droit. Je l'ai souvent regardé, sans pour autant prêter attention à son physique. Il y a longtemps qu'elle est là, cette minuscule cicatrice sous son oreille ? Et l'autre, au creux de sa fossette au menton ? Je lui presse la lèvre. Il m'attrape la main en souriant, les paupières closes.

— À quoi tu joues ?

— Tu as de grandes oreilles, non ?

— Hum…

— Elles grandissent avec l'âge, tu sais ?

189

Je me hisse sur un coude et me frotte les yeux en le considérant.

— Hé ! s'écrie-t-il en ouvrant enfin les paupières pour me détailler. Bonjour. Qu'est-ce que tu fiches, nue dans mon lit ?

Je me blottis au creux de son cou en inspirant son odeur masculine de poivre et de terre.

— Je me cache.

Il promène les doigts le long de mon échine.

— Quelle heure est-il ?

Il ramasse son téléphone et consulte l'écran en plissant les yeux.

— Pas loin de huit heures.

Il me tapote l'épaule. Mon regard se pose sur le dessus-de-lit, que le soleil réchauffe en lui donnant une teinte pastel. J'envisage un instant de traverser la ville en hâte pour rejoindre mon bureau. Je m'étire.

— Je n'irai pas travailler, ce matin.

Max me caresse le bras. Bien au chaud dans son lit, nous tendons l'oreille aux ritournelles publicitaires des émissions matinales en provenance des autoradios, au claquement de talons sur l'asphalte, aux klaxons des autobus. Max se tourne de mon côté en me caressant les cheveux.

— Viv… À propos d'hier soir…

— Ne dis rien !

Je remonte le drap par-dessus ma tête.

— Ça ne te pose pas de problème ?

— Non.

Il écarte le drap.

— Sûre ?

— Pourquoi ? Tu serais prêt à me rembourser ?

— La maison n'accepte pas les réclamations. Tu n'as pas lu les petits caractères ? Sérieusement : je ne voudrais pas que tu penses que j'ai profité de la situation ou je ne sais quoi.

— Non, non. C'est moi qui ai commencé.

— Mais je n'aurais pas dû céder. Vu ton état…

— Max… boucle-la.

Je lui donne une pichenette sur le nez.

— Alors ça ne te pose pas de problème ?

— Oh là, là ! Non ! Je t'ai dit que non. Pourquoi ? Ça t'en pose, à toi ?

Je lui lance un regard inquisiteur.

— À moi ? Non, pas du tout !

Il me couve d'un œil attendri. Je me rends compte que je souris aux anges.

— Toi, alors ! lance-t-il, un sourire aux lèvres. Je vais nous préparer du café.

Il sort du lit. Je contemple ses fesses, alors qu'il se rend à la cuisine. J'admire son large dos bronzé. C'est tout juste si l'horrible tigre tatoué sur son épaule ne m'attendrit pas. Je me rallonge, le sourire aux lèvres. J'ai couché avec Max. Et, en plus, c'était super. Ça ne me déplairait d'ailleurs pas de recommencer. Tant que je resterai ici à me laisser gagner par son énergie, rien ne m'atteindra. On dirait un champ de force qui me protège : je tente de réfléchir à mes soucis, à mon cœur brisé, mais Max s'impose à mes pensées, qui reviennent malgré moi à la nuit dernière.

*
**

Max reparaît, toujours nu, un plateau à la main. Je remarque malgré moi son pénis qui se balance contre sa cuisse. Assis sur son lit, nous sirotons du café noir serré mais sucré. Il finit sa tasse d'un trait.

— Ça donne un sacré coup de fouet ! commente-t-il. Je ne comprends pas qu'on puisse préférer le thé.

Je joue avec les boucles sur sa nuque.

— J'adore tes cheveux.

— Et dire que tu me l'as caché pendant toutes ces années !

Il me presse le genou. Sa main halée contre ma peau claire… Un courant électrique se propage jusqu'à mes orteils.

— Tu en es bien sûr ?

Ses doigts se baladent sur ma cuisse, qu'ils caressent un instant avant de se figer, puis de recommencer de plus belle. Je déplace les jambes de manière à ce que sa main glisse un peu plus haut.

— Je n'insisterai pas, reprend Max. Il y a des tas de choses que je ne t'ai moi-même jamais dites, que je peux t'avouer maintenant.

— Quoi par exemple ?

— Tu es magnifique.

Je plonge mon regard dans ses yeux noirs qui papillonnent sur mon corps. Il m'embrasse l'oreille.

— Tu sens délicieusement bon.

Un chatouillis se communique de ma nuque au bas de mes reins. Ses mains se promènent sur ma poitrine. Il contemple mes seins, les pupilles aussi noires qu'un lac sans fond.

— Tu es belle.

Je me fige sous le poids de son corps. C'est à peine si je respire encore, tant la force de mon désir me coupe le souffle. Je n'en reviens pas de l'effet qu'il produit sur moi : je me sens fondre.

— J'ai souvent rêvé de coucher avec toi.

Il écarte mes cuisses et s'introduit en moi.

— Je t'aime depuis toujours. Je t'aime, Vivienne Summers, me chuchote-t-il dans le cou.

*
**

Nue face au miroir de la salle de bains, je contemple ma mine indécemment épanouie, le téléphone en main. Mes cheveux emmêlés se hérissent à l'arrière de mon crâne. J'ai les lèvres rouges d'avoir été mordillées et le menton irrité par la barbe de Max.

— Ma Mémé est au plus mal, or il n'y a que moi qui puisse m'occuper d'elle, annoncé-je à la boîte vocale de Pète-sec. Je crains de devoir m'absenter quelques jours. Je vous tiendrai au courant.

Toutes mes excuses ! Bonne journée.

Un malaise me vient, au moment de raccrocher. Je me demande si Mémé va vraiment bien, ou si je ne viens pas de lui porter malchance en racontant un mensonge. Je tourne le robinet de la douche, qui crachote en emportant un cheveu noir bouclé dans le siphon. La salle de bains se remplit de vapeur. Je me risque sous le jet, qui me martèle le dos, avant d'y exposer mon visage en recrachant de l'eau. À quoi est-ce que je joue ? Je manque le boulot pour me taper mon meilleur ami et ne prétends pas rentrer chez moi… Je m'empare d'un reste de savonnette et me débarrasse de l'odeur de nos ébats, qui me colle à la peau. Max a dit qu'il m'aimait. Il y a quelque chose là-dedans qui me met mal à l'aise. Je ne sais pas comment réagir à l'amour. Je me sens pleine de vie et d'audace. Sur mes lèvres flotte ce que Lucy qualifierait de sourire post-coïtal. J'ai couché avec Max ! Qui m'aurait prédit que j'y prendrais tant de plaisir ? Je ne me sens quand même pas en état d'envisager l'amour avec un grand A. J'ai simplement envie de me sentir bien. Je le mérite ! Sans avoir à me soucier du reste. Je sors de la douche. Du plafond vétuste tombent des gouttelettes de condensation. Je me drape dans une serviette encore rêche et retourne à la chambre.

Assis au bord du lit, Max, toujours nu, gratte sa guitare en plissant les yeux, à cause de la cigarette au coin de sa bouche.

— Ah non ! Pas *All along the Watch Tower* ! plaisanté-je en me rappelant le spectacle amateur où il s'était ridiculisé à la fac : il y mettait tout son cœur mais le public a fini par lui lancer des trucs à la tête.

— J'allais peut-être jouer autre chose. Maintenant, tu ne le sauras jamais.

Il pose sa guitare sur ses genoux avant d'éteindre sa cigarette.

— Parce que tu es capable de jouer autre chose ?

— Oui. « Joyeux anniversaire ».

J'ouvre la fenêtre afin de chasser la fumée : de l'air frais entre, malgré la circulation. Le soleil ressemble à un œil clair dans le ciel blanc.

— Il va faire chaud, aujourd'hui.

— Qu'est-ce que vous comptez faire, aujourd'hui, Mademoiselle Summers ?

Je me désentortille de la serviette afin de me sécher les cheveux.

— Te tenir compagnie.

— Ah. Tu t'imagines que je vais tout laisser en plan, parce que tu n'as rien de prévu ? lance-t-il en me reluquant.

— Ouais.

— D'accord.

Je l'embrasse à pleine bouche.

— Merci ! J'ai envie de voir la mer.

— Allons-y. Il se penche pour me rendre mon baiser, mais je m'esquive.

— Prête-moi de quoi m'habiller, alors.

*
**

Nous longeons le front de mer à Brighton, bras dessus, bras dessous. Le soleil caresse les flots turquoise. De temps à autre, se fracassent sur la grève des vagues scintillantes, qui charrient des galets ; ce qui incite les gamins à pousser de petits cris. Vêtue d'un jean et d'un t-shirt de Max, je me sens un peu ridicule, dans mes chaussures à talons, à côté des nénettes en bikini, que nous croisons, sur leurs patins à roulettes. Max ne leur accorde même pas un coup d'œil. Il n'a pas voulu me prêter de bermuda : nous sommes venus en moto.

— Je veux faire tout ce qu'il y a à faire, en bord de mer.

— Du genre : manger des moules d'à la pêche aux moules, moules, moules ? chantonne Max en s'arrêtant près d'une camionnette, où l'on vend des fruits de mer.

— Beurk. On dirait des organes génitaux.

— J'en raffole !

Il s'en achète un cornet. À l'aide d'une pique en bois, il porte à sa bouche des mollusques gris jaune dégoulinants. Il en agite un sous mon nez en s'écriant :

— Miam ! Salé !

— Il faut absolument qu'on mange du *fish and chips*, de la barbe à papa et de la glace, et que tu gagnes une babiole au tir à la carabine, le long de la jetée.

— C'est tout ce qu'évoque pour toi le bord de mer ? me chambre-t-il gentiment.

— Qu'est-ce que tu suggères ?

— Des transats sur la plage, des pintes et un cornet d'organes génitaux.

— Tu oublies le sucre d'orge.

— Et les cartes postales olé olé.

Je contemple son profil, alors qu'il marche à côté de moi en blouson de motard, ébouriffé par le vent.

C'est quoi, ton problème ? lui dis-je.

Il éclate de rire et passe un bras autour de ma taille. Nous descendons sur la plage et louons deux transats, que nous plaçons face au soleil. Max s'allonge sur le sien, en laissant traîner sa main par terre, le visage tourné vers le ciel. Je roule le bas de mon jean, en hésitant à ôter mon t-shirt. Mon soutien-gorge pourrait-il passer pour un bikini ? Parmi les galets se risque une grosse dame en maillot de bain à fanfreluches, aux mollets tellement enflés qu'on les croirait en pâte à modeler. Deux adolescents se mesurent à la lutte, devant une superbe fille de type hispanique. Je me tourne vers Max. Mon cœur bondit, lorsque mes yeux se posent sur son grand nez droit et sa large bouche plissée en un sourire ; une combinaison séduisante, mais son charme ne s'arrête pas là. Je me sens tellement à l'aise avec lui. Il n'y a aucune espèce de gêne entre nous. Je plonge les doigts entre les galets avant d'en ramasser un.

— Oh, regarde ! On dirait ta tête !

Max ouvre les yeux en plissant le front.

— Il est plus beau que moi. Ce galet mériterait de tourner dans un film.

— Dommage qu'il ait manqué d'ambition. Sa carrière est à l'eau, maintenant.

— Très drôle !

Il ferme les paupières. Je lance sur lui de petits cailloux en manquant à chaque fois ma cible. Je me laisse hypnotiser par le rythme apaisant des vagues, qui recouvrent la grève. Au bout d'un moment, j'entends ronfler.

— Max ! Va nous chercher du *fish and chips*, réclamé-je d'un ton geignard.

Il s'étire.

— Deux portions ? me demande-t-il.

Je hoche la tête en m'abritant les yeux du soleil. Je le regarde escalader comme un empoté un monticule de galets avant de gravir les marches qui mènent à la digue. Je reporte mon attention sur l'horizon miroitant, au-delà de la jetée, avant de clore les paupières en exhalant un soupir. Londres et les soucis qui m'y attendent me semblent appartenir à un autre monde. Je sais que je vais devoir m'y colleter mais pas aujourd'hui. Je pense à Rob ; ce qui revient à passer la langue sur l'emplacement d'une dent arrachée. C'est douloureux. Je sens qu'il manque quelque chose, mais pas au point de menacer ma survie.

*
**

Au tir à la carabine le long de la jetée, Max remporte un orang-outang au pelage orange fluo et aux mains et aux pieds en velcro, qui sourit aux anges. Vu qu'il est hors de question que je le porte, Max l'attache à son dos à la manière d'un jeune enfant. Il décide ensuite de le baptiser Maurice et lui achète un beignet. Au bout de la jetée, nous entrons dans un bar, où nous sirotons une bière bien fraîche face à la mer. Un regard appuyé de Max m'incite à me tourner vers lui.

— Qu'est-ce qu'il y a ?

— J'aimerais beaucoup te dessiner, telle que tu es là, maintenant.

Et nous voilà plongés dans les yeux l'un de l'autre. Bonjour le cliché !

— Max ! J'ai peur de te quitter, lui avoué-je tout à trac, en lui prenant la main. Comme si tu étais venu à ma rescousse. Si tu t'en vas, il faudra que je me confronte à mes soucis.

— Je ne m'en irai pas, me promet-il en me pressant la main. À moins que tu ne le veuilles.

— Tu sais que je ne te ferai jamais de mal. Je ne voudrais pas… que tu souffres à cause de ce qui s'est passé.

Ma vue se brouille ; ce qui me chamboule. Une main posée sur sa nuque, je l'attire vers moi en pressant ma bouche contre la sienne.

— Je me sens un peu… perdue.

— Viv, ne t'inquiète pas, me rassure-t-il en me serrant la main. Tout va bien. Je comprends que tu n'aies pas encore pris de décision.

Je lui réponds par une pression des doigts.

— J'ai le temps. Il y a des lustres que je t'aime alors… depuis que je t'ai rencontrée, en fait.

— Parce que tu ne me connais pas vraiment, le mets-je en garde en prenant une mine de psychopathe.

— Si, je te connais.

Il me sonde du regard. Je me détourne et me radosse à ma chaise. Il boit une gorgée. Je lui lance un coup d'œil. Il hoche la tête en levant son verre à mon intention.

*
**

Au retour, je me colle à sa veste en cuir, alors que nous filons à toute vitesse entre des collines moutonnantes. Des insectes s'écrasent sur la visière de mon casque. La jambe de Maurice, accroché à ma taille, tressaute sous le vent. Un sentiment de liberté me grise, jusqu'à ce que les rues encombrées de Londres se resserrent autour de nous comme un piège. Max s'arrête dans un dépanneur pour nous acheter à dîner. En l'attendant près de sa moto, je consulte mon téléphone pour la première fois de la journée : un appel manqué de Christie, un autre de Mémé, un autre encore de Lucy et un dernier de Christie. J'écoute ma messagerie.

« Bonjour, Viv ! Ici Christie. Je voulais m'assurer que tu vas bien. J'ai regardé ton agenda : tu avais une réunion avec des fournisseurs aujourd'hui. Je les ai décommandés. Dis-moi s'il y a autre chose qu'il faut que je fasse. À plus ! »

Merde ! Cette satanée réunion m'était sortie de la tête. Tant pis : je la reporterai. C'est de toute façon ce que j'aurais dû faire, en cas de maladie. Je reconnais ensuite la voix de Mémé.

« Bonjour, ma chérie. Écoute, j'ai peur d'avoir gaffé. Je viens d'appeler chez toi. Comme tu ne répondais pas, j'ai essayé de te joindre à ton travail. La personne qui m'a répondu semblait persuadée que tu te trouvais à mon chevet ! Ne sachant pas quoi dire, j'ai raccroché… Navrée, si je t'ai créé des ennuis. Ça t'embêterait de me passer un coup de fil ? Je commence à me demander où tu es. »

Elle a tenté de me joindre au bureau ? Ça ne lui arrive pourtant jamais ! Me vient alors le genre de mauvais pressentiment, dont je n'ai que trop l'habitude. Ça sent le roussi. Je dois m'attendre à des représailles. Lucy m'a laissé le message suivant, la bouche pleine :

« Coucou ! Ici Lucy. Bon… Rappelle-moi. J'aimerais savoir comment ça s'est passé chez Rob. J'espère que tu as récupéré tes affaires et que tu l'as envoyé promener ! Reuben m'a fait grimper aux rideaux en se servant de sa langue et d'un gadget en caoutchouc et… waouh ! Bon. J'attends ton coup de fil. »

Je jette un coup d'œil à l'intérieur du dépanneur. Max fait la queue à la caisse. Lucy qui s'éclate au pieu, ce n'est pas nouveau. Moi, en revanche… Je regarde Max sourire à la caissière ; il lui dit quelque chose que je ne saisis pas. Elle incline la tête en tripotant sa queue-de-cheval. Max est sacrément bandant. En un sens, je dois admettre qu'il me plaît et pas qu'un peu. Christie m'a laissé un dernier message :

« Salut, Viv ! C'est encore moi. Pardon de te déranger. Je voulais juste te prévenir qu'une vieille bique vient d'appeler en se faisant passer pour ta grand-mère. Je lui ai dit que ça ne pouvait pas être elle puisque ta grand-mère est à l'hôpital et toi, à son chevet. Là-dessus, elle a raccroché. Elle ne manque pas d'air, quand même ! En tout cas, Pète-sec est sur le pied de guerre : elle veut savoir quand tu reviens. Rappelle-moi ! »

Dieu merci, c'est Christie qui a décroché ! Quelqu'un d'autre et j'étais fichue. Je compose le numéro de Mémé. J'ai droit à l'interminable radotage du répondeur, où Mémé commence par s'adresser à quelqu'un auprès d'elle :

« Pas sûr… Attends, je crois que c'est parti… Allô ? Bonjour, vous êtes au 71-89-00. Je ne suis pas là pour le moment. Laissez-moi vos coordonnées et je vous rappellerai dès mon retour… Ça y est ? Je n'ai pas entendu le bip. »

Je dis à la bande magnétique de ne pas s'inquiéter : je vais rappeler Mémé pour lui expliquer. Max reparaît, un sac de courses à la main.

— J'ai acheté à dîner.

— Attends ! C'est une igname ou je rêve ?

— Tu ne rêves pas. Je lui trouvais une bonne tête.

Je considère le tubercule noueux, qu'il range dans le coffre.

— Qu'est-ce qu'il y a ? On dirait que tu es triste.

Il met son casque. Je lui montre mon portable.

— Les enquiquinements habituels…

Il range mon téléphone à côté de l'igname et démarre le moteur. Puis il enfourche sa bécane et recule en s'aidant de ses jambes.

— Monte, ma belle ! m'ordonne-t-il d'un mouvement de tête, le front comprimé par le casque.

Je m'installe derrière lui en posant ma tête contre son dos et nous voilà partis, pourchassés par mes soucis comme par une nuée d'oiseaux de malheur.

*
**

À l'heure où nous rentrons chez Max, le jour décline sous la poussière en suspension dans l'air. Dave cligne des yeux sur le canapé. Max allume une lampe branlante et des bougies. Je m'aventure dans son atelier, pendant qu'il nous verse à boire. Sur le chevalet trône une toile saisissante : le dos et les fesses rebondies d'un modèle à la tête subtilement tournée, brossés à grands traits hardis pourpres, verts et or. Son nez droit tranche sur ses formes voluptueuses. L'un de ses seins arrondis pointe vers le haut. Sa grâce ô combien féminine m'émerveille. Max se campe sur le seuil.

— Ça te plaît ?

— Magnifique ! Tu vends beaucoup ?

— Plus qu'avant, me répond-il en me tendant un verre de vin.

— Combien vaut ce tableau-là ?

— Euh… Deux mille livres. Prix d'ami.

— Deux mille ?

J'étudie les couleurs en me demandant par quel miracle il a réussi à rendre une telle lumière.

— Bon. D'accord. Mille en liquide et je te le livre.

— J'aurais cru plus.

— Je suis nul pour marchander.

— Tu n'as pas de galeriste qui s'en charge à ta place ?

— J'en cherche un.

— Si tu vends plus qu'au début, j'imagine que tu t'en sors assez bien.

— Euh… au début, je ne vendais rien du tout.

Je m'aventure au fond de la pièce. Je m'arrête face à Lula, dont j'admire le teint d'ivoire et le regard lointain. Max me rejoint.

— Tu as couché avec elle.

— Non.

— Ça se voit à sa mine… comblée.

— Pas par moi, en tout cas.

— Je ne te crois pas. Tu séduis tous tes modèles… c'est évident, lui rétorqué-je d'un ton de jalousie puérile, qui m'horripile moi-même.

— Elle est folle ! proteste Max.

— Folle… mais pas à lier ! Plutôt à croquer, non ?

Je contemple son irrésistible moue.

— Plutôt folle à t'arracher les couilles.

— Et ton portrait de moi ?

— Je l'ai exposé.

— À l'Académie royale ?

Il acquiesce.

— Max ! Je n'en reviens pas !

— Et pourtant ! m'assure-t-il, un large sourire aux lèvres.

— On va me voir dans une exposition ?

— On t'y voit déjà.

— Tu as intérêt à ne pas m'avoir enlaidie.

— Hé ! J'ai fait ce que j'ai pu : je peins d'après nature, je te signale.

Je l'entoure de mes bras.

— Donc tu n'es pas un raté, au fond, si je comprends bien ?

— Ah si ! s'amuse-t-il à me détromper.

— Ouais, admettons…

Il pose son front contre le mien.

— Félicitations ! conclus-je avant de presser mes lèvres sur les siennes.

— Parce que j'expose mes œuvres ou parce que je t'ai eue ?

— Hé ! Tu ne m'as pas « eue », comme tu dis.

— Ah bon ? relève-t-il en me pinçant les fesses.

— Non, c'est moi qui t'ai eu, toi.

— Peu importe.

Je le couvre de baisers, qu'il me rend sans se faire prier.

— Je n'arrive pas à croire que tu sois ici. Auprès de moi.

— Moi-même j'ai peine à le croire. Veinard ! le taquiné-je en l'embrassant de plus belle ; cette fois en écartant les lèvres.

Je l'aide à passer mon t-shirt par-dessus ma tête et me voilà en soutien-gorge. Max m'oblige à me tourner, le temps de le dégrafer.

Les bretelles glissent sur mes épaules qu'il effleure de ses lèvres avant de poser sa paume sur mon nombril. Je frissonne. Il écarte mes cheveux pour m'embrasser la nuque.

— Tu es magnifique, murmure-t-il au creux de mon oreille.

Sa main se faufile sous ma ceinture et s'aventure dans mon intimité moite. C'est le souffle court que je le sens s'introduire en moi.

— Ma belle amie, murmure-t-il en m'ôtant mon pantalon. Je n'arrive pas à croire que tu sois à moi.

Mon jean tombe en accordéon sur mes chevilles. Je m'en débarrasse d'un mouvement du pied. J'entends que Max enlève son t-shirt. La chaleur de son torse se communique à mon dos. Il me pétrit de plus belle en remuant la main entre mes jambes, jusqu'à ce qu'une vague de plaisir m'emporte. Je lève les yeux sur le chevalet – la femme aux fesses pourpre et or, au téton dressé, au sourire impénétrable. Max se penche sur moi en me mordant l'épaule. Je me rattrape à la table sur laquelle s'entrechoquent des bocaux de pinceaux. Il me caresse les fesses, qu'il frôle de son haleine brûlante puis de ses cils. Il déboucle sa ceinture et finit de se déshabiller dans un froissement de tissu. Il se colle contre moi sans mot dire. J'en frémis de plaisir par avance. Je me plaque sur lui à reculons et il me prend là, dans son atelier, sous le regard jaloux de Lula.

À la fin, nous nous allongeons sur le plancher poussiéreux. Un frisson me parcourt. Il passe un bras autour de moi et, de sa main libre, allume une cigarette. Il y a quelque chose de trop aguerri dans son geste. Je me trouve soudain idiote.

— Dis donc… Ça ne te paraît pas mufle ?

— Quoi ?

— Fumer après l'amour.

— Mieux vaut après que pendant.

Il m'embrasse les cheveux. Je tente de me dégager mais il ne me lâche pas.

— Avec combien de femmes as-tu couché ici ?

— Je ne les compte plus.

Je me tourne pour étudier son expression mais il fixe le plafond.

— Je joue l'artiste torturé. Ça marche à tous les coups ! Il suffit de laisser traîner une ou deux toiles à moitié bâclées et hop ! elles tombent comme des mouches.

J'essaye de me libérer de son étreinte, mais il me serre trop fort.

— Je crois bien que je me suis tapé tous ceux qui ont mis les pieds dans mon atelier, aussi bien hommes que femmes.

Je le vois sourire en exhalant un rond de fumée. Je lui martèle la poitrine jusqu'à ce qu'il tousse.

— Ne me charrie pas !

— Viv ! Pour qui tu me prends ?

— Je ne sais pas… je me sens vulnérable.

— Eh bien, tu as tort. J'ai encore du mal à croire à ma chance.

Je me blottis contre lui et nous regardons le jour s'éteindre par la fenêtre. Il me caresse le bras. En dépit de la température plutôt douce, j'ai la chair de poule. Il se lève, allume des bougies et nous couvre d'un plaid qui sent le moisi.

— Max ?

— Ouais ?

— Tu n'aurais pas un truc à grignoter ?

Il s'étire. Je le regarde se lever. Un sourire éclaire ses traits, quand il baisse les yeux sur moi.

— Je vais voir ce que je trouve.

Enveloppée dans le plaid, j'examine mon reflet sur la vitre qui vire au noir. Qu'est-ce que je fabrique là, nue, à me payer du bon temps dans l'atelier de Max ?

Il m'amène du pain, du fromage et repart chercher du vin en guise de pique-nique, à même le sol. Impossible de détacher les yeux de lui : c'est plus fort que moi. Il coupe le fromage à l'aide d'un énorme couteau à viande et lève la tête. Je suis tellement en admiration devant lui que je souris aux anges, suspendue à ses lèvres.

— Comment ça se cuisine, une igname ? me demande-t-il. Tu as une idée ?

Je lui avoue que non. Il pousse vers moi une tranche de pain, où il dépose un morceau de fromage, et me remplit le vase qui fait office de verre.

— Santé ! lance-t-il avec son accent chantant d'Irlandais, en me regardant droit dans les yeux.

Je le trouve irrésistible à la lumière que renvoie sa peau nue ; pétillant d'humour et… de vie. Je prends soudain conscience d'un basculement, d'un nouveau rapport de force entre nous. Comme s'il risquait de m'achever, rien qu'en se montrant un peu trop distant. Il me décoche son sourire à tomber.

— Quoi ?

— Rien… Toi, c'est tout.

— Eh bien quoi, moi ?

— Qui aurait cru ?

— Moi ! Je le savais depuis le début ! prétend-il en riant.

— Depuis tout ce temps…

— Toi, tu ne t'en doutais pas.

— Pourquoi tu ne m'as rien dit ?

— Je te l'ai dit, à maintes reprises.

J'y réfléchis. Je dois admettre que je soupçonnais depuis le début que je lui plaisais. Seulement, je ne songeais pas à lui comme à un partenaire potentiel. Un artiste qui lutte pour s'imposer ne correspond pas vraiment à mon idéal masculin. Sans parler de son attitude envers les femmes qui le harcèlent et le supplient en pleurant de les revoir. À quel point faire l'amour avec quelqu'un peut-il changer l'image qu'on se fait de lui ? Max reste un souillon bordélique et… fauché. Pourtant, quand je contemple la courbe de son épaule et ses magnifiques toiles, je ne vois plus que son talent.

*
**

Le lendemain, je me réveille de bonne heure. Le soleil brille dehors. Je m'habille alors que Max dort encore à moitié. Avant de m'en aller, je l'embrasse. Il ramène sur lui la couette en grommelant.

— Reste !

— Il faut que j'aille bosser.

— Viens ! me supplie-t-il en tapotant les draps.

— Faut que j'y aille. Je repasserai plus tard.

Je lui caresse le torse.

— Reste !

Il bascule sur le ventre et croise les mains sur sa nuque tandis que je cherche mon sac.

— Ne t'en va pas ou je meurs.

— Je t'appellerai, lui promets-je en souriant.

— Vivienne ! s'écrie-t-il alors que je m'apprête à sortir. Vivienne !

Il rugit si fort que Dave en cesse de se lécher le cul. Installé à côté de la dépouille de Maurice l'orang-outang, ce satané chat cligne des yeux avec dédain lorsque je referme la porte.

*
**

Un matin d'été dans les quartiers nord de Londres : des employés de bureau, dont les cheveux n'ont pas eu le temps de sécher après la douche, s'engouffrent dans le métro. Une camionnette de livraison remplie de croissants stationne devant un café. Je me concentre sur mon travail en dressant mentalement une liste de choses à faire, en guettant le mouvement de panique qui me vient d'habitude mais, cette fois : rien. Je songe à Rob et garde mon calme. Je sais que ça fait cliché de dire ça mais, pour la première fois depuis des mois, j'avance d'un pas léger. Je flotte sur un nuage. Max m'a réveillée d'un cauchemar : auprès de lui, tout me paraît à sa place et je vois la vie en couleurs.

Chapitre 18

Test de compatibilité

1. Vous appréciez-vous sincèrement l'un l'autre ? Aspirez-vous à passer du temps ensemble ?
2. Endossez-vous chacun votre tour le rôle de l'amant/de l'aimé ?
3. Vous arrive-t-il de demander pardon ou de réfléchir à la manière de faire progresser votre relation ?
4. Riez-vous des mêmes choses ?
5. Parvenez-vous à parler d'argent sans vous disputer ?
6. Seriez-vous prêt à renoncer aux habitudes qui agacent votre partenaire ?
7. Attendez-vous la même chose de la vie ?
8. Êtes-vous lion et bélier, taureau et vierge, gémeaux et balance ou cancer et scorpion ?

Si vous obtenez :
Une majorité de « oui » : vous êtes tout à fait compatibloo (Youpi !).
Une majorité de « non » : laissez tomber (Beuh !).

J'arrive à mon poste à huit heures tapantes, et pourtant : personne au bureau. Je ne me suis absentée qu'une journée. Il n'a rien pu arriver de grave, quand même ? Je consulte ma messagerie. Aucun signe de Rob. Certains fournisseurs m'annoncent qu'ils ne pourront pas tenir leurs engagements concernant les prix. Un concurrent a fait main basse sur tout le tissu écossais de la création et Pète-sec veut me voir au plus vite. Je laisse un message mielleux à sa boîte vocale, histoire qu'elle sache que je suis arrivée à huit heures.

Je me surprends à contempler le ciel bleu par la fenêtre. Je jette un coup d'œil à mon portable, au cas où Max m'aurait envoyé un texto. En effet :

Vivienne ! beauté ravageuse, ton odeur me colle à la peau.
M. X

C'est tout émoustillée que je lui réponds : *Prends une douche !*
V. XX

Je calcule des coûts sur mon tableur, afin d'évaluer la rentabilité de la gamme de produits prévue. Mon esprit ne tarde pas à divaguer. Je tape l'adresse Internet que m'a fournie Michael. Apparaît à l'écran un en-tête bleu marine en anglaise sur fond gris pâle. La page d'accueil de mon site – une réussite dans le genre – propose une sélection de conseils aux amoureux déçus. Je clique sur « Rupture : mode d'emploi » et tombe sur un forum où chacun peut raconter son histoire. Je me connecte à la page « Mon ex de retour sur le marché du célibataire ». Sous mes yeux apparaît la photo d'un Michael à la mine si solennelle qu'il me fait penser à l'un de ces collégiens qui, un beau jour, sans prévenir, flinguent leurs camarades. J'ai du mal à croire qu'une de ses ex ait écrit : « Si vous aimez vous éclater au lit, il va vous plaire. On ne s'ennuie pas avec lui. Il est sacrément bien bâti. » Je survole le forum des cœurs brisés, où s'accumulent les messages de rupture. À la rubrique « Demandez conseil à Lucy » figure mon histoire en guise d'exemple de la semaine. Mon enthousiasme augmente à chaque clic de souris. Je remercie Michael par e-mail et lui demande quand il pourra mettre le site en ligne. Il me répond « Tout de suite ;-) » et il tient parole ! Je me connecte au forum « Tout ce qui vous passe par la tête » pour y laisser un message à l'intention de Max.

Deux heures sans nouvelles de toi. Tu n'es pas déjà mort, quand même ?!

Je lui communique l'adresse du site par texto, en le priant d'y jeter un coup d'œil.

Neuf heures sonnent. Les bureaux se remplissent. Je ferme l'onglet du site, comme si je pliais en quatre un billet doux, et retourne à ma messagerie. Des nouvelles de Pète-sec :

« Passe me voir dès que possible » m'a-t-elle écrit à huit heures et quart.

En arrivant devant son bureau, je vois par la cloison vitrée qu'elle discute au téléphone, les jambes entortillées l'une autour de l'autre. Elle m'invite tout de même à entrer. Je m'assieds en face d'elle, ouvre mon calepin et pose dessus mon crayon, d'un air de maîtriser la situation. Le soleil qui entre à flots par la fenêtre panoramique souligne le duvet sur sa lèvre poudrée à outrance. Je jette un coup d'œil à ses pieds : elle a opté aujourd'hui pour un croisement entre des sandales et des botillons, sur des collants en nylon dont on aperçoit la couture aux orteils. Ça me rappelle Mémé et ses mi-bas couleur chair qui sentaient des pieds, qu'elle laissait traîner partout comme autant de souris crevées.

Absorbée par sa conversation, Pète-sec pose sur moi un regard vide en pinçant ses lèvres écarlates. Je m'étonne de la présence, sur ses étagères bien en ordre, de livres sur l'art de s'affirmer. Dehors, les immeubles miroitent sous la chaleur. Je songe à Max dont le sexe en érection s'impose intempestivement à mes pensées.

— Vivienne !

Pète-sec me rappelle à la réalité en reposant le combiné :

— Ravie de te revoir parmi nous.

— Bonjour ! la salué-je en me forçant à sourire.

— Ta grand-mère va mieux ?

— Beaucoup mieux, merci.

— Elle m'a paru en pleine forme, quand elle a appelé hier.

Un sourire perfide se forme sur les lèvres de Pète-sec. Alors là, je ne pige plus. Sur qui Mémé est-elle tombée ?

— Elle a téléphoné ici ?

— Oui. Elle cherchait à te joindre.

— Ah. À vrai dire, elle ne sait plus très bien où elle en est.

Pète-sec persiste à me sourire, ce qui m'inquiète plus qu'autre chose. C'est d'un ton ridiculement grave qu'elle reprend :

— Vivienne, si j'avais cru que tu racontais des sornettes, tu ne serais déjà plus ici… J'en connais beaucoup qui briguent ton poste. Tu n'as pourtant pas l'air de le trouver digne de toi.

Me revoilà dans le bureau du principal à quinze ans. Mes joues me cuisent.

— J'ai noté un relâchement dans ton travail, récemment… Je

sais que tu traverses une phase difficile dans ta vie privée, poursuit-elle en m'adressant un sourire condescendant, mais tout de même…

Ses traits se figent en un rictus. Il me faut un certain temps avant de saisir que mon tour est venu de prendre la parole.

— Je comprends ce que tu veux dire…

— Ce que je veux, c'est te donner un avertissement, me coupe-t-elle.

J'ouvre la bouche pour la refermer aussitôt.

— Entendu. Mais pourquoi ? Parce que je me suis absentée hier pour m'occuper de ma Mémé ?

— Non, à cause de ton manque d'assiduité, ces derniers temps.

— Mais encore ?

Elle ouvre un dossier puis énumère des dates en précisant « en retard au travail » « congé maladie » « partie de bonne heure » « réunion manquée », etc.

— Faut-il que je continue ?

— Non.

— Que ce soit clair : aujourd'hui, tu n'as droit qu'à un avertissement de vive voix mais, le suivant, tu le recevras par écrit. La direction sera dès lors en droit de se séparer de toi.

— Ah ? Plutôt que de me licencier pour raisons économiques ? On va me virer ? Ça coûtera moins cher, je suppose ?

— Vivienne, je n'apprécie pas ce ton…

— Je me suis donné du mal à ce poste. Tu ne peux pas dire le contraire.

— Le problème vient de ton attitude, ces dernières semaines.

Je me lève.

— Ça pue ! lâché-je avant de prendre la porte. Oui, vraiment ça pue !

La colère monte en moi en me nouant la gorge. Une connerie d'avertissement verbal ? Où est-ce qu'elle se croit ? Combien de fois ne lui ai-je pas sauvé la face en improvisant, en réunion ? Je retourne à mon poste d'un pas ferme et résolu. Des visages surgissent de derrière les cloisons grises, avant de disparaître aussitôt, tels des lapins dans leurs terriers. Paul, de la compta, pointe en l'air son museau de fouine.

— B'jour ! Tu ne t'es pas fait porter malade, ce matin ?

— Va te faire, Paul ! lui rétorqué-je ; ce qui lui arrache un gloussement de gamin.

Je rejoins enfin mon bureau. Christie tape sur son clavier, une tresse lovée sur chaque oreille. Un trait argenté souligne ses paupières. Bienvenue dans l'espace ! Elle se tourne vers moi en souriant.

— Qu'est-ce qui a merdé hier ? me renseigné-je à brûle-pourpoint.

Son sourire s'efface.

— Non mais parce que j'ai eu droit à un avertissement verbal ! Elle affiche une mine, d'abord déroutée, puis soucieuse.

— Je n'étais pas au courant, affirme-t-elle en secouant la tête. Sache en tout cas que je compatis, Viv… Moi aussi, j'en ai reçu un.

— Je sais ! C'est même moi qui te l'ai donné.

— Alors ce n'est que justice.

— Tu as parlé à ma Mémé, hier ?

— Non.

— Mais si Christie ! Elle a téléphoné ici… la vieille bique ?

— Oh. Je ne pensais pas que c'était elle.

— Eh bien si. Comment Pète-sec en a-t-elle eu vent ? Christie dresse l'index sous le coup d'une illumination.

— Elle se tenait dans mon dos quand j'ai décroché. Elle a dû croire que je répondais à ta grand-mère.

— C'était le cas !

Le front de Christie se plisse. Je me ratatine sur ma chaise. Ma rage se mue en désespoir.

— Bah ! Ne t'en fais pas, va ! soupiré-je.

— D'accord ! conclut Christie, les mains en l'air. De toute façon, moi aussi, je me suis attiré des ennuis hier.

Je l'observe, le menton calé au creux de la paume. Elle a enduit de mascara argenté l'extrémité de chacun de ses cils. Combien de temps a-t-elle passé à se maquiller ?

— J'ai présenté à Pète-sec nos idées à propos de la gamme « slipduction ». Tu sais, les slogans pour les culottes ? Figure-toi qu'elle n'en a retenu aucun. Elle les a même trouvés injurieux. Au point d'en piquer une crise.

— Attends ! « Nos » idées ?

— Oui, tu sais : « Un Noël au poil », etc.

— Ce sont tes idées à toi.

— Mais je te les ai soumises et c'est toi qui as pensé à « De quoi emballer sa paire de marrons ».

— Ne me dis pas que tu as répété ça devant Pète-sec !

— Ben si… m'avoue-t-elle, interloquée.

Je balaie des yeux l'étage – les nuques des employés de la comptabilité et les néons qui bourdonnent sur fond du bruit blanc de la climatisation – avant de revenir à Christie. J'imagine Pète-sec en train d'écouter ses slogans sans broncher. Un irrépressible fou rire me gagne. Me voilà pliée en deux, les larmes aux yeux, incapable d'articuler.

— Tu lui as parlé de « mettre le feu à la bûche » ?

— Ben oui, reconnaît-elle, sérieuse comme un pape.

Je me tiens les côtes. Rien qu'à imaginer la scène, j'en ai les larmes aux yeux.

— Ce n'est pas drôle, Viv.

Je hoche la tête et la considère un instant sans rire.

— Mettre le feu à la bûche ! répété-je avant de me tordre de plus belle.

Quelques minutes s'écoulent avant que je me calme enfin. Christie me paraît contrariée.

— Ce n'est pas grave, lui mens-je. Pète-sec nous a mises sur sa liste noire mais nous allons nous en sortir. Ne t'inquiète pas, Christie. D'accord ?

Elle ne semble pas convaincue.

— D'accord ? insisté-je.

Elle acquiesce.

— Toi et moi formons la meilleure équipe de responsables produits que le monde ait connue et si les autres ne s'en rendent pas compte…

Je ne sais pas comment terminer ma phrase.

— Tant pis pour eux !

— Entendu ! me sourit Christie.

Nous tapons dans les mains l'une de l'autre. Il me revient alors en mémoire que nous venons d'écoper d'un avertissement. Enfin ! Même l'annonce de coupes budgétaires n'entamera pas mon optimisme. Je souffle un bon coup avant d'appeler Mémé.

— Ici le 71-89-00 ?

— Bonjour, Mémé.

— Ma chérie ! Pardon de t'avoir téléphoné hier au bureau. Je ne t'ai pas créé de problèmes, au moins ?

— Non. Enfin… pas trop. À qui as-tu parlé ? Tu t'en souviens ?

— Hum… À une fille qui m'a paru un peu simplette.

Un élan de tendresse m'emporte quand mes yeux se posent sur la raie soigneusement tracée de Christie.

— Il y a eu comme un malentendu. Une dame un peu sèche a ensuite pris la communication ; elle m'a posé un tas de questions.

Je me frotte le front.

— Honnêtement, son ton ne m'a pas plu.

— Bah… Mieux vaudrait que tu ne m'appelles plus au bureau.

— J'ai tenté de te joindre sur ton portable, mais comme tu ne répondais pas…

— Mémé, chuchoté-je. J'ai passé la journée avec Max. J'ai prétendu que je devais m'occuper de toi parce que tu étais souffrante.

— Oh ! me répond-elle à mi-voix.

— Pourquoi voulais-tu me parler ? Tout va bien ?

— Oui… J'ai ressenti une douleur à la poitrine, alors j'ai pris peur. Ça va mieux maintenant. Pas de quoi s'inquiéter.

— Sûre ? Tu as consulté un médecin ?

— Non, mais Reg est venu. Nous avons bu un remontant et c'est passé. Comment se fait-il que tu aies manqué le travail pour traîner avec Max ? Tu ne veux pas m'en dire plus ?

— Ce serait une longue histoire.

— Amène-le dimanche.

— On verra… Bon ! Il faut que j'y aille. On se rappelle.

Je raccroche et me carre au fond de ma chaise.

Mes pensées reviennent malgré moi à la journée d'hier, à l'atelier de Max. Je me rappelle la force de mon désir. Je revis les bons moments. Quand je songe à lui, mon cœur se met à cogner comme celui d'une écolière qui a son premier béguin. Ça n'a pas de sens. Je me connecte au forum « Tout ce qui vous passe par la tête ».

Vivienne Summers,
Si je pouvais t'offrir le bleu secret du ciel,
Brodé de lumière d'or et de reflets d'argent,
Le mystérieux secret, le secret éternel,
De la nuit et du jour, de la vie et du temps,
Avec tout mon amour je le mettrais à tes pieds.
Mais tu sais, je suis pauvre, et je n'ai que mes rêves,
J'ai déposé mes rêves sous tes pieds,
Marche doucement, car tu marches sur mes rêves.

C'est toi que je veux. C'est toi que j'ai toujours voulu et je voudrais ne jamais cesser de te vouloir. M.

Je me dépêche de fermer la page… pour m'y reconnecter aussitôt. Une douce chaleur m'envahit, tandis que je relis le message de Max. Je me figure ses belles mains en train de pianoter sur son clavier et m'imagine fuir avec lui, tout plaquer là pour me réfugier dans un monde bohême où nous ne nous consacrerions qu'à l'amour et à l'art. Sauf que la perspective de tomber amoureuse de Max me terrorise. Je me rappelle le peu de temps que j'ai passé auprès de ma mère, dans un deux-pièces merdique, sans le sou. Je sais que le romantisme échevelé ne paye pas le loyer et que l'amour ne tient pas chaud l'hiver. Je songe à Rob et à nos projets. Renoncer à un avenir que je croyais assuré me cause une douleur aussi vive qu'une gifle. Bon sang ! Je suis pitoyable ! Aveuglée par ma solitude et mes pulsions.

Ce serait chouette de me laisser emporter, sauf que ni la poésie ni les rêves ne remplaceront le futur sur lequel j'ai dû tirer un trait. Ça ne m'étonnerait pas que je perde mon travail, par-dessus le marché. Je ne sais plus où j'en suis. Tant de changements en si peu de temps ! Le mieux consiste à rester calme et prendre un peu de recul. J'ai besoin de réfléchir. Je me déconnecte du site sans répondre et me concentre enfin sur mon travail.

*
**

Je quitte le bureau à six heures. Ombre et lumière dessinent un damier sur la chaussée. Je m'arrête chez un traiteur, sur le chemin du métro. J'y choisis des mets irrésistibles, du genre poivrons farcis au fromage frais, pain au levain et salami, plus une bouteille d'un grand cru. J'ai toujours eu envie d'acheter des plats *glamour.* Je m'imagine pique-niquer avec Max. Je sais que je ne dois pas m'emballer, mais plutôt prendre le temps de la réflexion. Disons que j'achète seulement deux ou trois trucs, au cas où. Je ne suis pas esclave de mes impulsions. Sans doute que je le décommanderai pour passer la soirée seule. Oui, tiens ! Je dresserai la liste de mes buts dans la vie et aussi des avantages et des inconvénients d'une liaison avec mon meilleur ami.

Un frisson me parcourt, alors que je me le représente nu dans mon lit ; son corps hâlé sous les draps blancs. J'ai du mal à croire que ça me chamboule autant.

J'attrape le métro de justesse en me faufilant entre les portes coulissantes. Serrée contre une passagère bien en chair, je consulte mon portable.

À quelle heure Madame m'attend-elle ? M. XX

Tu m'as jeté un sort, vilaine ! Je n'arrive pas à travailler, je n'arrive même plus à penser ! M.

Vivienne ! Mon cœur ! M.

J'ai envie de te goûter encore... M.

Oh ! Le dernier me paraît un peu trop cru à mon goût. Je lève la tête, au moment où le métro quitte la station. Mon regard se pose sur le visage rose de la dame à côté de moi. Elle aussi avait l'œil sur mon téléphone. Elle hausse un sourcil et sourit. Je déglutis en me sentant rougir face aux immeubles qui défilent par la vitre. Je me demande dans quoi je me suis engagée. Je voudrais que le plaisir de fantasmer sur la suite des événements se prolonge indéfiniment. Je réponds à Max :

Je ferais mieux de passer la soirée seule – à faire le tri dans ce que je ressens. V.

Mon texto me paraît tellement trivial, qu'il m'arrache une grimace.

« Comment ça, tu "ferais mieux" ? Je ne connais pas ce mot. Fais ce dont tu as envie » me répond Max avant d'ajouter « De quoi tu as envie ? ».

Je lui avoue sans réfléchir : « de toi ».

— Passez une bonne soirée ! me salue la passagère dodue, quand je descends à ma station.

En me retournant, alors que le métro s'éloigne, je croise son regard. Elle m'adresse un clin d'œil.

Bon sang ! Je ne me contrôle plus. À tel point d'ailleurs que ça en devient inquiétant. J'ai hâte de retrouver Max ! J'ai des papillons dans le ventre, comme au collège. Ce n'est vraiment pas raisonnable. Céder à mes pulsions ne me conduira qu'à la catastrophe. D'un autre côté, je ne me sens pas la force de lutter. Bah ! Je vais attendre que la situation se décante. Je verrai bien comment je me sentirai, à ce moment-là. Je presse le pas, dans mes chaussures à talons. Je traverse en trottinant l'avenue ensoleillée avant de prendre un raccourci par les petites rues de traverse. Sitôt rentrée, je passerai sous la douche, me laverai les cheveux et m'appliquerai la crème de luxe que Lucy m'a offerte à Noël avant d'enfiler ma longue robe d'été ; celle dont Max a dit un jour qu'il l'aimait bien. Encore un pâté de maisons et voilà la porte de mon immeuble. Oh ! Quelqu'un m'attend dans l'embrasure.

Adossé au chambranle en bras de chemise. La lumière met en valeur son bronzage. Son bracelet-montre en platine accroche un rayon de soleil. Il scrute la rue en tournant vers moi son profil digne d'une statue. On dirait une gravure de mode avec son nez grec, sa petite moue et ses lunettes griffées. Je me fige. Il est là qui resplendit à ma porte, mais je me méfie du poignard qu'il dissimule à coup sûr. Je me prépare à recevoir un nouveau coup en plein cœur. Il se retourne, me reconnaît. Il agite la main à mon intention. Il m'appelle comme dans mes rêves.

— Viv !

Il me décoche son adorable sourire de petit garçon.

— Rob ! Qu'est-ce que tu fais là ?

Chapitre 19

Ce que femme veut[1]

Bon… Puisque tu me le demandes (inspirer un bon coup avant de se lancer)

Le petit-déjeuner au lit, partir en week-end, des draps propres, un dîner aux chandelles, un cunni, des escarpins Manolo Blahnik, un coup de fil, une femme de ménage, plus de loisirs, un câlin par-derrière, un homme qui sache conduire (c'est-à-dire qui passe la marche arrière en gardant une main sur le volant), un homme aussi bien capable de bricoler que de s'occuper d'un bébé, un partenaire au torse large et musclé, savoir où l'on va, un bon connaisseur de l'anatomie féminine, un amant qui me chuchote des propos salaces à table, quelqu'un qui me fasse rire, un bon bouquin, un soutien-gorge qui ne me scie pas l'épaule, des lettres d'amour, des fleurs, des roses aux pétales mouchetés de rosée et des chats à moustaches.

[1] Valable aujourd'hui seulement.

Rob s'avance à ma rencontre. Il me tend les bras et m'attire contre lui en me comprimant la taille. Je jette des coups d'œil aux alentours en tenant mon sac de courses à bout de bras, au point d'en attraper une crampe. Rob enfouit son nez dans mes cheveux. Je m'écarte.

— Ce que tu m'as manqué, Viv !

— Hum.

Une boule dans la gorge, je sors mes clés en faisant mine de l'ignorer.

— Je peux entrer ? me demande-t-il.

Je me retourne. C'est bel et bien lui. Il veut me suivre chez moi. Que faut-il que je fasse ?

— D'accord.

Ses pompes de luxe couinent sur la moquette râpée de l'escalier. Qu'est-ce qu'il veut ? Qu'est-ce qu'il fait là ? Ma tenue ne me grossit pas trop ? Je lui ouvre. Il risque un pied à l'intérieur en inspectant mon sanctuaire. Comme s'il entrait dans un musée. Il s'avance un peu plus avant de pivoter sur lui-même avec le chic d'un acteur.

— Plutôt sympa ! Très… bohême.

Tel est son verdict – alors que je ne lui ai rien demandé.

— Merci.

Ses iris d'un bleu éblouissant lancent des étincelles. Il m'adresse un regard appuyé.

— Tu voulais quelque chose ? lui demandé-je d'une voix fluette.

— Oui : toi.

Je pose mon sac de courses et me frotte les mains en m'attendant à déchanter, à m'en prendre plein la tête.

— Je m'en suis rendu compte, quand tu es passée l'autre jour… Ça m'a frappé comme la foudre. Je me suis dit : c'est elle que je veux ! Je n'arrête plus de penser à toi. Je ne supporterai pas de vivre sans toi. Marions-nous, Viv !

Le voilà tout à coup à genoux, en train de me tendre mon ancienne bague de fiançailles, dont le solitaire brille de mille feux. Je l'adore, cette bague. J'ai l'impression, en la voyant, de retrouver une vieille amie. L'envie me vient de la lui chiper avant de détaler comme Gollum dans *Le Seigneur des anneaux*. Rob s'approche de moi, toujours à genoux. Je ferme les yeux pour les rouvrir aussitôt. Le voilà à mes pieds, souriant et plus beau que jamais. Je me demande si je ne suis pas victime d'une hallucination, d'un coup de chaleur ou je ne sais quoi. Je touche ses cheveux. Eux au moins sont bel et bien réels.

— Lève-toi, s'il te plaît, Rob.

Il se redresse en tenant la bague à la manière d'un hypnotiseur. Je pose mes fesses sur l'accoudoir du canapé, histoire de prendre appui sur quelque chose.

— Et Sam ?

— C'est fini. C'est toi que je veux.

Il s'assied auprès de moi et me prend la main.

— Je regrette de t'avoir fait de la peine.

Je contemple son ravissant visage. Si ça se trouve, un taxi m'a renversée et je vais me réveiller en soins intensifs. À moins qu'il ne s'agisse d'un coup monté et que Sam ne pouffe en ce moment même, en m'observant par l'intermédiaire d'une webcam.

— C'est une blague ?

— Je n'ai jamais été aussi sérieux de ma vie.

— Non, mais parce que ce n'est pas drôle. Je ne tolérerais pas que tu m'humilies.

— Épouse-moi, Vivienne.

Il attend. Je le dévisage.

— Je ne sais pas quoi dire.

— Dis oui ! m'implore-t-il.

Cela me déroute de voir s'illuminer ses traits parfaitement réguliers. Je contemple son sourire Colgate, son visage que j'ai tant aimé, tant désiré. Quelque chose bascule alors en moi.

— Tu me prends au dépourvu…

Il se lève et se poste à la fenêtre.

— Allez, Viv ! À quoi tu joues ? Tu prétendais que tu me voulais, moi et me voilà à genoux devant toi ! Je ne sais plus ce qu'il faut que je fasse !

Il s'adosse à l'appui de fenêtre en croisant les chevilles.

— Tu ne peux quand même pas tout bonnement débarquer ici et m'annoncer que tu veux m'épouser.

— Et pourtant si.

— Ce n'est pas ainsi que ça marche.

Il lève les yeux au plafond et part d'un petit rire.

— D'accord ! Pardon ! Au temps pour moi. À toi de me dire ce que tu attends, ma douce.

— Je ne sais pas.

Mais qu'est-ce qui m'arrive à la fin ? Mon cœur cogne dans ma poitrine comme un marteau sur l'enclume.

— Tu veux que je te supplie ? D'accord ! Je me couperais les couilles à l'aide d'un couteau à pain rouillé, si tu me le demandais.

— Oh, je n'en réclame pas tant. Non… je… Mince ! Il y a une minute encore, je m'efforçais de t'oublier.

— Tu ne vois pas que je regrette ? Je suis vraiment navré ! Si je suis venu, c'est pour me rattraper.

— Sauf que ce n'est pas possible… du moins pas d'un simple claquement de doigts.

Il ne me répond que par un sourire. Je le regarde lui, puis le mur, et de nouveau lui. Au fond de ses yeux brillent mes rêves de vie de couple. Je nous revois au début de notre relation, quand il ne ressemblait pas encore à un cadre supérieur à qui tout réussit ; quand il n'était que mon Rob à moi, en jean et espadrilles. Il me faisait rire. Nous formions des projets. Nous voulions un chien, nous étions déjà d'accord sur les prénoms de nos enfants (encore que « Horatio » me laissait perplexe). Nous comptions apprendre à jardiner pour récolter nos propres salades. Nous avions même planté des herbes aromatiques en pot sur la terrasse, mais elles n'ont pas tenu. Qu'est devenu le Rob des premiers temps ? Je l'examine. C'est à peine si je le reconnais dans son costume griffé.

— Tu ne rêves pas : je suis bien là et ne compte pas m'éclipser.

— J'ai besoin de boire un coup, dis-je, à moitié à moi-même.

Il sort de son sac une bouteille de Bollinger.

— Ouvrons-la. Je l'ai mise à rafraîchir avant de venir… je savais que tu dirais oui.

Il ôte le bouchon d'une main experte. Je me rappelle alors que j'ai brisé toutes mes flûtes. Je file à la cuisine chercher des verres à vin. Mais qu'est-ce qui se passe, enfin ? Boire son champagne implique-t-il que j'accepte de l'épouser ? Et Max, alors ? Je me fige face au lave-vaisselle, les verres à la main.

— Merde ! m'exclamé-je à mi-voix. Qu'est-ce qu'il fout là ? Merde de merde !

Rob s'éclaircit la gorge au salon. Je me dépêche de le rejoindre.

— À nous ! lance-t-il en trinquant.

Je considère les bulles, puis ses magnifiques yeux.

— Tu crois que nous pouvons recommencer comme avant ? lui demandé-je.

Il me prend la main et y dépose un doux baiser.

— Non, pas comme avant. Avant, je ne t'aimais pas comme tu le méritais. Cette fois, je ferai de toi la femme la plus heureuse du monde. Je te le promets, Viv. J'ai failli te perdre et ça m'a transformé. J'ai eu tort ; je m'en rends compte, à présent.

Il s'approche pour me caresser les cheveux. Je ne trouve pas la force de réagir.

— Je suis sincèrement navré.

Je respire l'odeur familière de sa peau. Il m'embrasse les paupières. Son souffle me caresse les lèvres, qu'il effleure des siennes. Encore et encore. Il me couvre de doux baisers pleins de tendresse. Les baisers auxquels j'aspirais tant.

— Tu m'as blessée. Je ne sais pas si…

— Nous nous sommes blessés l'un l'autre, ma douce. C'est ce qui arrive quand on s'aime.

Il presse sa bouche contre la mienne. Cette fois, je lui rends ses baisers, telle une alcoolique qui replonge au fond de sa bouteille. Mon estomac se noue comme si j'avalais de l'acide. Rob serre mon visage entre ses mains.

— Si nous partions ? Prenons l'avion ! Envolons-nous !

— Où ? À Bali ou je ne sais quoi ?

— J'ai deux billets pour Bali en classe affaires. Plus une réservation de deux semaines dans un cinq étoiles. Autant en profiter !

Il me sourit. Il ne plaisante donc pas ?

— Bali ne me dit rien, Rob.

— Ah. J'imagine que non. De toute façon, rien ne nous oblige à nous décider maintenant.

Un mouvement de recul m'échappe.

— Nous ? Hé ! Doucement ! Ralentis un peu, tu veux bien ?

— Oui. Excuse-moi. Il faut que nous en discutions. Je comprends.

C'est juste qu'il me tient à cœur de rattraper le temps perdu.

Mon regard s'arrête sur la fenêtre, peu à peu envahie par l'obscurité. La scène me paraît irréelle. Il s'assied.

— Tu as eu raison de me quitter, ma douce. J'avais besoin d'une secousse.

Je ne parviens pas à le croire. Combien de fois ne me suis-je pas imaginé Rob ici ? Combien de fois n'ai-je pas anticipé cet instant ? Et pourtant… quelque chose me chiffonne.

— Je vais aux toilettes ! l'avertis-je avant de m'éclipser.

Je cherche mon portable dans mon sac et appelle Max.

— Quoi de neuf, ma belle ?

— Max ? J'ai eu un imprévu. Ne viens pas ce soir, d'accord ?

— Tout va bien ?

— Oui, oui.

— Sûre ? Tu as une drôle de voix.

— Ça va. Seulement… Bah ! Je t'expliquerai. En tout cas : inutile que tu viennes, je ne serai pas chez moi.

— Bon. Comme tu veux. Tu me manques !

Je ferme les yeux. Tout ira bien. Je trouverai bien à me justifier. Rob frappe à la porte.

— Viv ! À qui tu parles ? Viens ! J'ai une surprise pour toi.

Je m'adosse au mur.

— Toi aussi, tu me manques, chuchoté-je avant de raccrocher, face aux coups de plus en plus insistants de Rob.

— Viv ! s'écrie-t-il.

J'ouvre la porte.

— À qui parlais-tu ?

— Oh, à moi-même.

Il me saisit la main et m'entraîne vers le canapé. Il a disposé sur la table basse les plats du traiteur et rempli nos verres. À côté du mien se trouve une belle boîte turquoise entourée d'un ruban blanc.

— Ouvre-la, me prie-t-il, des trémolos dans la voix.

Ma main tremble, au moment de défaire le nœud. Sous le couvercle se niche un petit sac fermé par une cordelette. Je jette un coup d'œil à

Rob, dont les yeux brillent, tandis que j'ouvre son cadeau. Au creux de ma main coule une chaîne en filigrane, au bout de laquelle brille un diamant taillé en émeraude. Rob me décoche son sourire le plus éblouissant.

— Mets-le.

Je soulève mes cheveux sur ma nuque, le temps qu'il l'attache. C'est fou ce que ça peut peser, un diamant ! Les yeux de Rob oscillent du bijou à mon visage. Une image s'impose à mon esprit : Max allongé sur moi. Je revois ses yeux noirs et ses larges épaules.

— Je ne peux pas l'accepter.

— Et pourtant si : je l'ai choisi pour toi. Faire carrière a ses bons côtés : au moins, j'ai les moyens de couvrir ma copine de bijoux.

— Ta copine ?

— Oui. Tu veux bien redevenir ma copine ?

— Je me le demande.

— Garde le pendentif, en tout cas. En gage d'estime.

— Merci.

— Un bisou ! me réclame-t-il en me tendant les lèvres.

Je me penche vers lui et voilà tout à coup qu'il introduit sa langue dans ma bouche en me pétrissant les seins. Je recule et me raidis en soupesant le diamant que n'a pas encore réchauffé ma peau.

— C'est un diamant taille émeraude ? me renseigné-je en sirotant du champagne.

— Je crois bien.

— Il est très joli.

— Il peut ! Pour deux milles livres…

Je tripote la chaîne.

— Tu es certain de vouloir que je le porte ?

— Pourquoi crois-tu que je te l'aie offert ?

Il me prend la main.

— Viv ? Je peux passer la nuit ici ? me demande-t-il en me regardant droit dans les yeux. Elle doit déménager et il vaut mieux que je ne reste pas dans ses jambes.

— Oh.

Je manque de peu m'apitoyer sur Sam, en repensant à mon départ de chez Rob. Mes yeux se posent sur le bel homme en face de moi, qui m'est enfin revenu. Je sonde mon cœur en soupesant mes sentiments, en priant pour qu'ils n'aient pas changé. Rob me paraît plus petit que dans mes souvenirs. Diminué, dirait-on. Je le voyais autrefois comme un dieu, or me voilà face à un être de chair et de sang tout juste séparé de sa fiancée. Il me fait l'effet d'un étranger, présentant le visage de celui que j'aimais jadis. Non ! Je ne peux pas ne plus l'aimer ! Il faut simplement que j'encaisse le choc. Après tout ce que nous avons traversé…

— En fait, il me faudrait un endroit où dormir, une ou deux nuits. Je pourrais aller à l'hôtel mais… Viv, poursuit-il en me pressant la main, je veux passer le reste de mes jours auprès de toi. À quoi bon attendre ?

La vue de nos doigts enlacés me rappelle sa première demande en mariage. J'ai cru ce jour-là que j'allais exploser de joie. Jamais je ne m'étais sentie aussi heureuse. Je ne sais pas si je revivrai un jour quelque chose d'aussi fort.

— Bien sûr que tu peux rester.

— Tu es un ange !

Il m'embrasse. Je m'efforce d'éprouver un minimum d'émotion en lui rendant ses baisers, les yeux ouverts. Je distingue ses longs cils sur sa joue au modelé parfait, alors que sa langue repousse la mienne. Soudain, Max s'impose à mes pensées. Je m'écarte.

— Qu'est-ce qu'il y a ?

— Ne précipitons rien.

Il baisse la tête. Une crainte bien connue me noue la gorge. Il risque de s'en aller ! Et si je le perdais une fois de plus ?

— Je suis quand même contente que tu sois là, ajouté-je pour faire bonne mesure.

Il m'adresse un sourire de petit garçon arrivé le premier chez le marchand de bonbons.

Je dresse la table en vue du dîner. Je m'en veux en repensant au pique-nique sans façons auquel je rêvais. Ça me coupe l'appétit. Rob passe des chansons d'amour sur l'ordinateur, il allume quelques veilleuses comme s'il était là chez lui et commence à me parler de Sam. Il me prend pour un robot sans âme ou quoi ? Je l'arrête : je n'ai aucune envie qu'il me raconte qu'elle lui a tapé dans l'œil dès leur rencontre, une semaine après mon départ, ou qu'il me parle de son régime à base de pousses de soja et de ses imbéciles d'amis.

Il embraie sur son travail : une promotion l'attend au cours des mois à venir. Il est bien parti pour devenir millionnaire à quarante ans. Je regarde le soleil disparaître par la fenêtre. Une partie de moi-même vole au-dessus des toits en direction de Max. Le téléphone de Rob se met soudain à bourdonner comme un moustique.

— Excuse-moi, mais il vaudrait mieux que je réponde.

Il décroche en dépliant le clavier d'un geste aguerri.

Rob Waters à l'appareil.

Les ombres s'agrandissent dans le salon, tandis que je l'écoute.

— D'accord. Calme-toi, déclare-t-il en baissant la voix.

Il sort. J'emporte en cuisine les couverts et laisse couler de l'eau dans l'évier, où je les regarde sombrer. Je consulte mon portable. Un message de Max.

Tu peux m'appeler, STP ? Tu vas bien ? Un gorille hirsute

t'a enfermée dans la cave ou quoi ? Je ferais mieux de venir.

Je me dépêche de lui répondre :

Ça va. Ne viens pas, s'il te plaît. Je t'expliquerai demain.

Je retourne au salon. De l'ordinateur s'échappe une émouvante mélodie. Une chanteuse à la voix éraillée se lamente d'avoir perdu celui qu'elle aimait. Je lui coupe le sifflet. Rob s'énerve au téléphone. Je crois entendre « N'essaye même pas ! » suivi de « Merde mais tu n'oserais pas, quand même ! ». Je fais le tour du salon en marmonnant dans ma barbe.

— Je ne peux pas croire qu'il soit là ! Il veut se remettre avec moi !

Je fais glisser le pendentif le long de la chaîne à mon cou. Je pourrais tout à fait reprendre la vie sur laquelle je tablais : un avenir assuré auprès d'un mari beau et riche. Des réceptions monstres, une immense cuisine, des enfants, un chien… et, qui me couvera d'un regard plein d'amour ? Max. Euh non… Rob ! Oui, Rob ! Je reviens sur l'image qui s'est imposée à mon esprit : mes futurs enfants ont l'air d'autant de Max en miniature. En bas, dans la rue, je repère un chat dont le pelage tigré me rappelle Dave. Il s'arrête sur le dessus du mur en briques et me cloue sur place en fixant sur moi ses pupilles animées d'une redoutable énergie avant de disparaître dans l'ombre. Que peut bien faire Max en ce moment ? Je n'arrête pas de penser à lui. Il me manque. Bah ! Ce sont les circonstances qui le veulent. Nous venons de coucher ensemble, bien que je le considère comme mon meilleur ami ; ce qui n'est quand même pas anodin. Il n'y a rien d'étonnant à ce que je pense à lui. N'empêche que si je veux renouer avec ma vie d'avant, j'ai intérêt à me concentrer sur Rob. Nouveau tour de la pièce. Il s'impatiente au téléphone.

— Si elle s'imagine…

Je me connecte à cœurs-brisés.com. L'apparition de la page d'accueil m'électrise. Michael a vraiment fait du bon travail ! Je jette un coup d'œil à la rubrique « Tout ce qui vous passe par la tête ». Rien de neuf. Je relis le message de Max – à deux reprises – et réfléchis à ma réponse, quand mon téléphone sonne : Lucy. Au même moment, Rob me rejoint d'un air abattu. Il me fait signe de ne pas décrocher. Je secoue la tête. Il lève les yeux au ciel, alors que je me réfugie dans ma chambre.

— Allô ?

— Je t'écoute, Lucy.

— Dis donc, c'est la galère pour te joindre ! T'étais où ?

— Tu ne me croirais pas, si je te le disais. Devine qui est là, chez moi ?

— Le Père Noël ? Jésus ?

— Rob.

— Oh.

— Il m'a demandé de l'épouser.

— Ça change.

— Il a quitté Sam et m'a offert un pendentif en diamant.

Un silence me répond.

— Tu imagines le choc ! poursuis-je. Je ne sais plus où j'en suis… je me demande ce qu'il faut que je fasse.

— Dis-lui non. Il a laissé passer sa chance, tant pis pour lui. Vire-le.

— Je lui ai dit qu'il pouvait s'installer chez moi, le temps qu'elle déménage.

— Pouah ! C'est laid.

— Tu sais ce que j'apprécie chez toi ? Ton tact. Plus compatissante que toi, je ne connais pas !

— Excuse-moi, mais je ne peux pas le blairer. Ce n'est pas un type pour toi.

— Ah, et j'oubliais : j'ai couché avec Max.

— Et ben merde !

— À plusieurs reprises. Trois, en fait.

— Attends ! Toi et Max ?

— Ouais.

— Raconte : c'était comment ?

— Drôlement bien.

— Je le savais ! Je me doutais bien que tu craquerais un jour.

— Et là, Rob est de retour.

— Ne me dis pas que tu envisages de remettre le couvert !

— J'avoue que je me sens un peu paumée.

— Enfin, ça tombe sous le sens : débarrasse-toi de Rob. Il est nul. Alors que Max, tu l'adores depuis la fac.

Je me mordille le pouce : à l'entendre, ça paraît simple. Je tripote mon diamant. Lucy n'a jamais pu avaler que Rob gagne autant : elle ne l'estime pas assez futé pour mériter une telle somme. Je me sens soudain idiote de lui demander son avis.

— Tu ne connais pas vraiment Rob.

— Si. C'est un bon à rien.

— Bon. Et toi sinon ?

— Ah ! Reuben ! Si tu savais ! Il me rend folle.

— Ah bon ?

Rob frappe à la porte.

— Qu'est-ce que tu fabriques, ma douce ? me demande-t-il en tambourinant de plus belle contre le panneau de bois.

— Dis, Lucy, tu serais libre pour déjeuner demain ?

— Réponds-lui que tu es au téléphone.

— Je t'appelle demain. On déjeune ensemble, d'accord ?

— Non ; pas d'accord.

J'entends Rob s'éloigner.

— C'est bon, il est parti. Alors, Reuben ?

— C'est le meilleur amant…

— Écoute : tant mieux pour toi si tu t'éclates. Là, il faut que j'y aille. Je te vois demain ?

*
**

Je retrouve Rob au salon en train de pianoter sur le clavier de mon ordinateur, qu'il referme en hâte à mon arrivée. Il se lève alors pour me serrer contre lui.

— Qui c'était ? me demande-t-il en m'embrassant dans le cou.

— Lucy.

— Tu la vois encore ?

— Oui.

— Tu ne trouves pas que c'est une fille facile ? Un soir, elle m'a fait des avances.

— Elle a ses faiblesses, comme tout le monde. Tu as vu mon site Internet ? lui demandé-je en indiquant l'ordinateur.

Rob me libère pour s'affaler sur le canapé.

— Non. Je voulais simplement vérifier un texte de loi.

Il se frotte le nez en soupirant.

— En rapport avec ton boulot ?

— Non. Avec Sam : elle se croit des droits sur une partie de mon argent, explique-t-il à la table. Si nous nous marions, toi et moi, il faudra établir un contrat.

Son regard se perd dans le vague. Je m'appuie contre le mur en l'étudiant. Comment ça, « si » ? À l'entendre, il y a une minute à peine, il ne supportait pas de vivre sans moi.

— Je croyais que seules les grandes fortunes y avaient recours.

— Non ; à partir du moment où tu ne tiens pas à te laisser dépouiller…

— Ah.

Il m'examine un instant.

— Viens ici, toi ! me sourit-il.

Je m'assieds à côté de lui. Il presse mes mains entre ses paumes lisses et fraîches. Je considère nos pieds : ses chaussettes en cachemire à côté de mon vernis à ongles à bas prix. Chacun de nous a un rôle bien défini à jouer : à lui de se laisser adorer ! Normal : il a l'argent, le pouvoir, le physique de rêve… Et à moi, en retour, de lui exprimer ma gratitude. Telle a du moins été mon attitude pendant cinq ans, mais là… à ma propre surprise, l'envie m'en est passée. Rob écarte une mèche sur ma joue.

— Viv ?

— Hum… oui ?

— Tu as… eu quelqu'un d'autre depuis ?

— Depuis que nous avons rompu et que Sam a emménagé chez toi dans l'intention de t'épouser ?

Il part d'un petit rire en guettant ma réaction de son regard de chien soumis.

— Quoi encore ?

— J'ai besoin de savoir, insiste-t-il.

— Pourquoi ?

— C'est le cas ?

— Non. Je passe mes soirées cloîtrée chez moi à broder ton prénom sur mes sous-vêtements.

Il me comprime la main.

— Et Max ?

— Eh bien quoi, Max ?

Je me sens rougir jusqu'à la racine des cheveux. Comme si l'on venait de me prendre en flagrant délit de vol à l'étalage.

— Vous avez… enfin, tu sais… ?

Je me lève et me place de manière à ce que la table basse se dresse entre nous.

— Je n'ai pas envie d'en parler, Rob. Ce ne sont pas tes affaires !

— Pourtant si. Nous allons nous remettre ensemble alors…

— Au bout de cinq ans, tu m'as demandé de t'épouser ; tout ça pour prétendre ensuite que tu ne te sentais pas prêt à te marier. Tu n'as rien trouvé de mieux que de te fiancer avec une autre et, là, tu veux de nouveau m'épouser. Tu as joué avec mes sentiments en les piétinant. J'arrive tout juste à me faire à l'idée de ta présence ici. Je ne compte certainement pas te dire avec qui j'ai couché ou non pendant que tu fricotais ailleurs. Compris ?

— Tu marques un point, concède-t-il en riant. Tu as quand même dû connaître quelqu'un pour que ma question te mette autant en rage !

Je considère son sourire Colgate. Il semble content de lui, confortablement installé dans mon canapé, l'air détendu. Il me détaille.

— Nous allons nous remettre ensemble, Viv. Tu le sais aussi bien que moi. Tu n'as jamais pu me résister.

— Tu me parais bien sûr de toi…

Je lui lance un coussin à la tête.

— En tout cas, je suis ravie que tu aies pris tes aises sur mon canapé parce que c'est là que tu vas passer la nuit, mon canard…

Chapitre 20

Les dix commandements de la rupture

1. Tu ne te déroberas pas devant ton ex. Ferme mais juste tu te montreras.
2. Les piques minables tu éviteras.
3. Tu ne laisseras pas la situation s'enliser.
4. Tu t'arrangeras pour qu'il ne te surprenne pas avec un autre.
5. Tu ne l'appelleras pas. (Ça ne résoudra rien.)
6. Tu t'expliqueras honnêtement sans te laisser entraîner à discuter le pourquoi du comment... une énième fois.
7. Tu ne coucheras pas en souvenir du bon vieux temps, si c'est pour rompre ensuite.
8. Tu n'accepteras pas de cadeaux ni de dîners en tête à tête avec celui dont tu te sépares.
9. Tu ne t'abaisseras pas à l'injurier ni à lui hurler dessus, quoi qu'il dise. Au contraire : ton calme, tu garderas.
10. Armée d'un escarpin, en aucun cas tu ne l'attaqueras.

Waouh ! Deux hommes me désirent. Comme dans mes rêves ! Bon. Pas tout à fait : dans mes rêves, il était question de chevaliers et de tournois, ou quelque chose dans ce goût-là.

La situation ne me réjouit cependant pas autant qu'on pourrait le croire. D'un côté, elle me grise mais, d'un autre, je me trouve malhonnête, minable et lâche, et mon attitude me fait honte.

Max m'a envoyé un texto à minuit.

Arrange-toi pour te libérer demain soir : j'ai une surprise pour toi. M. X

Oh là, là ! Il faut absolument que je retrouve Max. Je vais devoir tout lui expliquer, lui annoncer que j'ai besoin de temps pour tirer les choses au clair. Il comprendra, j'en suis sûre. Il se montrera patient.

Rob m'a laissé un message, ce matin.

Je t'invite à dîner ce soir. Sors ta tenue des grandes occasions.

À mon réveil, il était déjà parti depuis belle lurette. J'ai trouvé son sac à linge sale au pied du lavabo et une paire de chaussures à lui près de la porte. Comme s'il marquait son territoire. Je me disais jusqu'ici que s'il revenait, tout recommencerait comme avant – peut-être même en mieux. Là, je me demande si ça peut encore coller entre nous. Ce n'est plus pareil et certainement pas mieux. C'est plutôt bizarre.

Je suppose qu'il nous faudra un peu de temps pour retrouver nos marques. En admettant que je me remette avec lui. Je pense à Max.

Je pars travailler en bus. Les rues de Londres défilent par à-coups entre deux arrêts. L'air est lourd et le ciel gris jaune prêt à craquer. Comme moi. Y aurait-il moyen de les voir tous les deux ce soir ? De dîner avec Rob avant de filer chez Max ? Je compose le numéro de Max : les sonneries se succèdent mais il ne décroche pas. Le bus passe devant la nappe de verdure de Regents Park. Des coureurs se suivent sur les chemins balisés, tandis que les touristes attendent l'autocar panoramique. Nous passons au coin de Marylebone Street. Je compte les Ferrari et pense à Rob. Nous voilà dans Baker Street. Je descends au prochain arrêt. Je file au pas de course devant le café *Angelo's*. Pas question de m'y arrêter ce matin : j'ai une réunion de bonne heure avec l'équipe achat. Je traverse deux files encombrées de véhicules et rejoins enfin mon bureau. Je jette un coup d'œil à mon reflet sur les portes vitrées. J'ai opté pour un style chic à la Audrey Hepburn mais je me demande si le foulard n'est pas de trop.

Je me faufile dans l'ascenseur en retardant la fermeture des portes ; ce qui arrache un soupir à ceux qui guettaient impatiemment son départ. Un homme aux cheveux drus presse le bouton comme s'il comptait en obtenir des billets de banque. Je lance un coup d'œil contrit à la ronde et aperçois Michael. Il m'adresse un grand sourire, balance la tête et mastique une gomme à mâcher ; les trois en même temps. Il se tient pressé contre La Verrue, dont le bras mou m'évoque un jambon. Je remarque qu'il lui pince la cuisse avant de s'en aller. Devant ma mine interrogative, il m'adresse un petit signe de tête et me file sous le nez, en laissant derrière lui une traînée de patchouli. Je me retourne sur La Verrue, dont le sourire dévoile des taches de rouge à lèvres couleur de sang figé sur ses dents.

— Bonjour, Viv. Tu vas au douzième aussi, je suppose ?

Tout le monde se tourne vers moi.

— Oui. À la réunion.

Au tour de La Verrue d'attirer les regards.

— Espérons qu'on nous servira le petit-déjeuner !

Je lui souris en examinant le panneau lumineux qui indique les étages. L'ascenseur se vide au fur et à mesure de son ascension. Enfin : nous voilà au douzième. La Verrue et moi nous rendons ensemble à la salle de réunion. Elle marche vite et d'un pas plein d'allant dans ses ballerines rouges étonnamment petites. Je ne résiste pas à l'envie de lui poser la question :

— Tu connais Michael ?

— Tu veux dire, bibliquement ?

Elle part de son petit rire cristallin.

— Je connais… très bien Michael, oui. Et toi ?

— Un peu, admets-je en manquant de justesse m'étrangler.

— Sache qu'il gagne à être connu ! affirme-t-elle en riant de plus belle.

Il me vient à l'esprit une image scabreuse de La Verrue et Michael dans les bras l'un de l'autre, en train de batifoler comme de jeunes chiots, sous des draps en satin, avec du Barry White en fond sonore.

La salle de réunion sent le rance, en dépit de la climatisation. Sur un chariot roulant, dans un coin, trône un thermos d'eau chaude auprès de sachets de thé ou de café instantané et d'une assiette de viennoiseries grasses à souhait. Un croissant fourré à l'abricot dans la bouche, la Verrue se prépare un café noir avant de se répandre sur une chaise à une extrémité de la table ovale. Elle ouvre une chemise cartonnée, dont elle sort une liasse d'ordres du jour.

— Sois gentille : distribue-les, tu veux bien ?

J'en place un devant chaque chaise en jetant un coup d'œil aux points à évoquer. « Sureffectif » pour commencer. Mieux vaut être au top, ce matin ! Christie et Pète-sec nous rejoignent à quelques minutes d'intervalle. Pète-sec – qui ne risque pas de passer inaperçue dans sa robe décolletée à motifs d'étriers, ses bas ornés de cœurs et ses sandales en cuir vert – me salue d'un bref signe de tête. Christie paraît détendue dans sa veste noire et son sarouel en satin. Elle prend place auprès de moi. C'est fou ce qu'elle sent les fleurs d'été.

— Tout va bien ? me chuchote-t-elle.

Je lui montre l'ordre du jour. Elle tire une de ces têtes ! La Verrue prend la parole :

— Nous avons reçu pour mission de nous attaquer au problème du sureffectif. En attendant de réorganiser les postes, nous allons devoir nous serrer la ceinture. Autrement dit : finies les études de marché. Plus de taxis ni de déjeuners d'affaires avec les fournisseurs. Il faudra renoncer à un tiers des produits prévus et mettre le paquet sur les relations publiques.

— Viv, tu te chargeras de la presse : je veux qu'un échantillon de la gamme au moins apparaisse dans tous les suppléments du dimanche et trois hebdomadaires minimum.

— Et les cadeaux aux journalistes ?

Ça ne me rassure pas de voir Pète-sec gribouiller sur son bloc-notes.

— Ils s'attendent à en recevoir, insisté-je.

La Verrue acquiesce.

— Fais le nécessaire pour qu'on parle de Barnes and Worth.

Pète-sec souligne je ne sais quoi, avant de poser son crayon avec détermination, et de passer en revue un produit après l'autre, en expliquant pourquoi nous allons renoncer à certains.

— Les sous-vêtements comestibles ? D'accord à condition de les présenter sous un autre angle. Viv, nous pensons qu'il vaudrait mieux que tu chapeautes le projet, bien que ce soit à Christie de s'en occuper.

Je hoche la tête, humiliée pour Christie. Je l'observe à la dérobée :

elle note « autobronzant » et « dissolvant » sur sa liste de courses, sans paraître s'en formaliser.

— Nous allons tirer un trait sur les bougies scandinaves, nous prévient Pète-sec.

Christie se redresse d'un coup et note sur mon calepin :

J'en ai commandé dix mille ! À côté, elle dessine un bonhomme à l'air inquiet. Je sens ma poitrine se serrer en lui écrivant :

Tu t'es renseignée sur les conditions de travail des prisonniers ?

Sa réponse tombe : *J'ai oublié.* ☹

Et merde ! Il m'en vient des picotements dans la nuque.

Annule la commande, gribouillé-je.

Trop tard, j'ai signé le bon.

J'inspire à fond en balayant du regard la salle de réunion. Mes yeux se posent sur Pète-sec. Je repense à son avertissement verbal et l'envie me prend d'éclater de rire. Faut-il que je l'interrompe pour lui expliquer posément que nous avons encore une fois merdé et que dix mille bougies politiquement incorrectes ont pris le chemin de nos entrepôts ? *Parle, Vivienne. Dis quelque chose !*

— Euh… À propos des bougies…

Pète-sec me décoche un coup d'œil, par-dessus ses demi-lunes.

— Je te croyais décidée à en vendre. J'ai bien peur qu'une commande n'ait déjà été passée, lui avoué-je en souriant.

— Annule-la, me rétorque-t-elle.

— Je ne demande pas mieux, mais la Maison Forestière a mis le paquet sur les bougies. À mon avis, nous aurions intérêt à en proposer aussi. Sans compter que les nôtres sont plus jolies… et moins cher.

— La Maison Forestière ?

— Oui ! s'interpose Christie. Ils vendent des bougies à paillettes parfumées aux épices. Quand on en allume, ça sent Noël dans toute la maison.

— Nous proposons quant à nous un produit haut de gamme : le style minimaliste de nos bougies cadre tout à fait avec les tendances actuelles en décoration intérieure. Je crois qu'il en sera d'ailleurs question dans le prochain numéro de *Mieux vivre aujourd'hui*.

Je bluffe, bien sûr. Cela dit, je connais une rédactrice de *Mieux vivre aujourd'hui*. Pète-sec consulte une feuille de tableur, qu'elle annote.

— D'accord : commandons-en deux mille. Nous verrons si elles se vendent ou pas.

Eh merde ! Nous avons du souci à nous faire. Pendant ce temps-là, La Verrue boulotte déjà sa troisième viennoiserie. Christie, elle, dessine des spirales sur son bloc-notes. Je contemple un pan de ciel bleu par la fenêtre. Mon sang ne fait qu'un tour, quand je songe à Max. Je me rappelle alors Rob. L'homme de ma vie, celui auquel j'ai pensé jour et nuit des mois durant, veut m'emmener dîner. Naturellement, je passerai la soirée avec lui mais… j'aimerais tant voir Max. Je me demande quelle surprise il me réservait. Pète-sec continue son laïus. Je m'efforce de m'intéresser à l'emballage des miroirs de poche et aux cadeaux de la gamme « deux achetés, le troisième offert » même s'ils me semblent à des années-lumière de mes préoccupations. Je réfléchis à ma tenue de ce soir en me triturant les méninges pour décider qui va me tenir compagnie.

*
**

Et maintenant : coups de fil aux attachés de presse. J'ai horreur de ça. Il va falloir que j'invente je ne sais quoi pour mettre en avant notre gamme de cadeaux de Noël tartignolle. Les culottes qui se mangent… culottées ! Les accessoires… à la pointe de la mode ! Surtout : ne pas paraître réduite à la dernière extrémité. Tant pis si nous frôlons la faillite. J'ai devant moi une liste de magazines et de contacts. J'y cherche des noms connus. Donna, de *Lire dimanche*… ça me dit quelque chose. Ce n'est pas elle qui parlait mariage avec son magnifique petit ami, à la soirée B & W de la Saint-Valentin ? Je vais commencer par l'appeler, elle.

— Donna Hayes.

Oh ! Elle me prend au dépourvu : je m'attendais à tomber sur sa boîte vocale.

— Bonjour Donna. Ici Vivienne Summers de Barnes and Worth…

— Bonjour.

— Nous nous sommes rencontrées à la soirée Saint-Valentin. Je ne sais pas si tu t'en souviens ?

— Oui… Sympa.

— Tout ce champagne rosé… il fallait bien que quelqu'un le boive, non ?

— Hum… Oui. Je me suis bien amusée.

— Et ton fiancé beau à tomber ?

Un silence s'installe. Je me demande si la ligne n'a pas été coupée.

— À quand le grand jour ?

— Euh… nous ne sommes plus ensemble.

Eh merde. Je gribouille des points d'exclamation à côté de son nom.

— Oh. Navrée.

— En fait, il ne voulait pas se marier.

— Ah ?

Bonjour le dérapage ! Comment aiguiller la conversation sur les sous-vêtements comestibles, à présent ?

— Il compte en épouser une autre bientôt. À peine cinq mois après notre rupture ! s'exclame-t-elle d'une voix près de se briser.

— Figure-toi qu'il m'est arrivé la même chose.

Quarante minutes plus tard, Donna de *Lire dimanche* accepte de consacrer un entrefilet à cœurs-brisés.com. Super ! Mon travail n'a pas avancé pour autant. Bientôt l'heure du déjeuner. Je note des idées d'accroche : « B & W s'encanaille cet hiver », « Des culottes dans la hotte du Père Noël ». J'appelle Graham de *Week-end*. Je suis sûre que les slips l'intéresseront. Surtout si nous les photographions sur des mannequins bien bâtis.

— Graham Jackson…

— Bonjour ! Ici Viv Summers de Barnes and Worth…

— … n'est pas disponible pour le moment. Veuillez laisser un message ou renouveler votre appel ultérieurement.

J'explique à sa boîte vocale que j'ai deux sujets d'articles à lui proposer. En reposant le combiné, je me rends compte que j'ai encore une fois passé plus de temps à parler de mon site que de B & W. Ça tourne à l'obsession. À mon avis, il faudrait évoquer sur le forum les doubles liaisons… à moi d'entamer la discussion ! Bon. Je m'accorde ma pause déjeuner et cet après-midi, promis, j'appelle tous les journaux sur ma liste en insistant pour qu'ils mettent en avant nos cadeaux de Noël.

Mon téléphone se met à vibrer. Lucy ! Je parierais qu'elle a eu l'idée d'un chouette restau où nous retrouver.

— Salut Viv ! Dis… ça t'ennuierait qu'on se voie un autre jour ?

— Oui, ça m'ennuierait. J'ai besoin de te parler.

— Je sais, mais je croule sous le boulot et je ne peux pas m'attarder ce soir. J'ai rendez-vous avec le dieu de l'amour.

— Attends ! Tu veux dire que tu fais passer ton épanouissement sexuel avant notre amitié ?

— Euh… j'imagine que oui. Désolée !

— Tu es nulle, comme amie.

— Je sais. Tu as raison. Je me rattraperai la prochaine fois. De toute façon, tu comptais seulement me parler de Rob. Non ?

— Oui et alors ?

— Eh bien, tout ce que j'ai à te dire, c'est : envoie-le paître, ce connard. Quoi d'autre ?

— Max.

— Vas-y. Fonce.

— Oh. Parfait. C'est moi qui complique tout inutilement, si je comprends bien ?

— Ne te fâche pas. Je crois que je suis amoureuse.

— Tant mieux pour toi.

— C'est sérieux ! Il est incroyable, Viv ! Sur le plan sexuel, c'est moi en homme, un anneau pénien en plus.

— Super ! Parce que j'imagine que tu trouves ça super ?

— Ne m'en parle pas ! Il n'arrête pas de m'amener au bord de l'orgasme et, quand je jouis enfin, c'est tout juste si les yeux ne me sortent pas de la tête.

Je sens que je vais avoir droit à un récit circonstancié de leurs ébats, or je ne suis pas certaine de le supporter.

— Avec sa langue, il…

— Hé ! Tu n'as pas envie que je te parle de Rob ? Figure-toi que moi non plus je ne tiens pas à ce que tu me racontes par le menu tes orgasmes multiples. Je m'en fiche de sa langue et de la taille de sa queue. Tu… m'ennuies, à la fin.

Un long silence s'ensuit. Je me demande si Lucy est toujours à l'autre bout de la ligne.

— C'est toi qui m'ennuies, Viv.

— Je suis en pleine crise et tu t'en tapes !

— Mais non, je ne m'en tape pas, Viv. Ça fait des mois que j'essaye de te remonter le moral. Seulement là, je viens enfin de rencontrer quelqu'un et j'ai envie d'en parler ! Franchement, tu es toujours en pleine crise.

— Non.

— Tu aimes ça, les crises. Avoue !

— Retire ce que tu as dit.

— Non.

— Merde ! Ce que tu peux être égoïste. Je sais que tu ne peux pas encadrer Rob mais je pensais que tu m'appréciais, moi.

— Tu sais quoi ? En ce moment, pas vraiment.

Là-dessus, elle coupe la communication.

Je ne peux pas croire qu'elle m'ait raccroché au nez. Merde de merde ! J'en pleurerais presque. Quelle égoïste ! Enfin… je devais m'y attendre, non ? Depuis que nous sommes amies, c'est toujours à moi de m'adapter à elle. Lucy à qui tout réussit sur le plan professionnel. Lucy à la vie amoureuse la plus trépidante de nous deux. Mes problèmes l'amusent. Sans plus. Elle… me déprécie. Elle ne tient aucun compte de ce que je ressens. Tant pis ! Je ne la rappellerai pas. Toujours en pleine crise ? Au moins je ne suis pas une droguée du sexe, moi. Je ramasse mon sac en laissant mon portable exprès sur mon bureau, au cas où elle chercherait à me joindre. Je ne répondrai pas. Ça lui apprendra. L'ascenseur me dépose au rez-de-chaussée. Je franchis les portes à tambour et traverse la rue au pas de course pour m'engouffrer dans le grand magasin Barnes and Worth.

Je me sens tout de suite mieux, à flâner au rayon maquillage. Ah ! Sacrée Lucy ! J'ai besoin d'un nouveau rouge à lèvres, d'ici ce soir. À paillettes, tiens ! Un type aux sourcils pas possibles, au comptoir Chanel, me convainc d'opter pour une teinte pourpre et du vernis à ongles assorti. Je passe ensuite au rayon lingerie. Un soutien-gorge bleu marine en satin orné de rubans roses et une culotte assortie dans mon sac, et me voilà prête à retourner au travail. Je croise dans l'ascenseur une dame qui me rappelle un peu Mémé. Je songe un instant à lui demander son avis : plutôt Max ou Rob ? Je devine d'ici sa réponse. Vu ses soucis de santé, ces derniers temps, j'aime autant ne pas l'importuner. D'ailleurs, il faudrait que je prenne de ses nouvelles.

Je note « appeler Mémé » en haut de ma liste d'attachés de presse à contacter, quand un texto me parvient. Sans doute Lucy qui s'excuse.

J'imagine qu'il vaut mieux laisser tomber pour ce soir. M. Bizarre. Qu'est-ce qu'il veut dire par là ? Je l'appelle.

— Ici Max, m'annonce son répondeur. Laissez-moi un message.

— Hé, Monsieur Mystère ! Je n'ai pas compris ton texto. Où es-tu ?

Je raccroche et le rappelle aussitôt, au cas où il n'aurait pas entendu la sonnerie mais : pas de réponse. Laisser tomber ? Nous n'avons même pas échangé un mot aujourd'hui. Bouderait-il parce que je n'ai pas répondu à son SMS hier ? J'ai pourtant envie de le voir et il faut que je lui parle. Je le rappelle. Cette fois, je tombe directement sur sa boîte vocale. Un doute inquiétant s'insinue en moi. Serait-il au courant, à propos de Rob ? Je lui laisse un autre message.

— Max. Rappelle-moi de toute urgence.

Je teste mon nouveau rouge à lèvres sur le dos de ma main, quand Christie retourne à son poste. Elle pose auprès de son ordi un gobelet en papier rempli d'un bouillon marronnasse à la puanteur infecte.

— Qu'est-ce que c'est ? On dirait que ça sort d'un égout.

— Une soupe miso à la gelée de tofu et aux algues. Excellent pour la santé.

— Pouah ! Ça me lève le cœur.

Elle aspire à grand bruit la mixture à l'aide d'une cuiller en plastique. Des serpentins vert fluo lui dégoulinent sur le menton. Je laisse mon regard errer par la fenêtre. Je m'inquiète à propos de Max. J'espère qu'il va bien et n'est pas remonté contre moi. Oh là, là ! Quel sac de nœuds ! Et dire que je n'ai personne à qui me confier. Je me tourne vers Christie.

— Rob est revenu hier soir.

— Non !

Elle renonce à la cuiller et boit à même le gobelet, qui me masque son visage. L'instant d'après, une traînée visqueuse souligne l'arête de son nez.

— Tu t'es salie, là ! lui indiqué-je.

Elle se tamponne à l'aide d'un mouchoir en papier.

— Qu'est-ce qui s'est passé ? Il ne devait pas épouser Miss Perfection ?

— Ils ont rompu. Il veut se remettre avec moi.

— Waouh. Il est vraiment riche ?

— Oui.

— Et beau ?

— Ouais.

— Waouh. Tu en as de la chance.

— Tu crois ?

— Ben oui, tiens.

Elle racle des globules gélatineux au fond de son gobelet.

— J'aimerais trouver un type comme lui. C'est le rêve de toutes les filles, non ?

Je lui souris. Elle examine ses dents dans un miroir, au cas où des bouts d'algues y adhéreraient.

— Tu vas renouer avec lui alors ?

— Je ne sais pas, soupiré-je.

— À ta place, je bondirais dessus !

Elle s'applique du *gloss* beige à paillettes : sa bouche a maintenant l'air saupoudrée de sucre glace.

— Ah bon ?

— Oui ! Pas la peine d'y réfléchir à deux fois, conclut-elle, sans la moindre ironie, en me lançant un coup d'œil par-dessus son miroir.

*
**

Je me débats avec la fermeture du pendentif en diamant, quand l'interphone sonne. Je sursaute. Mon taxi est arrivé. *Calme-toi, calme-toi.* Ce n'est qu'un dîner ! Je m'assure que mon rouge à lèvres n'a pas bavé, avant d'enfiler un manteau qui ne masque pas l'ourlet de ma nouvelle robe noire en tricot moulant. Non. Rob ne le trouverait pas à son goût. Tant pis ! Je me passerai de manteau. Je descends précautionneusement l'escalier sur mes hauts talons et prends place à l'arrière d'une Mercedes en rajustant ma culotte flambant neuve. Je demande au chauffeur où nous allons.

— Je n'ai pas le droit de vous le dire ! C'est une surprise.

Il me sourit par le truchement du rétroviseur, auquel pendouille un sapin diffusant un parfum synthétique de Canard-WC. Puis il s'engage dans la circulation en direction du West End.

— C'est votre anniversaire ? me demande le chauffeur en souriant.

Sa dentition me fait penser à l'orée d'une forêt incendiée.

— Euh non.

— Alors il a drôlement envie de vous impressionner, commente-t-il, hilare.

J'imagine Rob qui m'attend, soucieux de m'impressionner. Non. Impossible ! En mettre plein la vue relève pour lui d'une seconde nature. Pas un instant, il ne douterait de sa capacité à m'épater. Une idée saugrenue me vient : demander au chauffeur de me déposer chez Max. Ça me turlupine qu'il n'ait pas répondu à mes messages. Ça ne lui arrive jamais : il est plutôt du genre à vouloir tout savoir. Je me mords le pouce en me creusant la cervelle. Je n'ai rien fait qui puisse le contrarier. Il se comporte comme un mufle, alors. Voilà l'explication.

Bon. Il faut que je me concentre sur Rob, que je me détende et que je profite de ma soirée en compagnie de l'homme que j'aime. Enfin… que j'aimais et qu'il n'est pas exclu que j'aime encore.

La Mercedes s'arrête devant un restaurant de Soho. Un type en costume bleu marine m'ouvre la portière. Je cherche mon portefeuille.

— Inutile, me devance le chauffeur. La course a déjà été réglée.

— Ah ? Très bien, marmonné-je.

— Passez une bonne soirée, me souhaite-t-il en souriant.

Le costume bleu marine m'ouvre la porte du restaurant – un genre de hangar industriel, que je découvre du haut d'une passerelle en acier. Des éclats de voix et des rires fusent du fond de la salle sépulcrale, bondée de tables. D'énormes projecteurs éclairent des tuyaux, qui grimpent le long des murs jusqu'au plafond. Au vestiaire, un type à la face enfarinée, tellement beau que cela en devient ridicule, me sourit. La passerelle bifurque ensuite vers la droite, en formant un balcon le long d'une paroi, où des barmen en veste blanche très classe servent à boire, derrière un comptoir en acier brossé. Je repère Rob à une table. Il pose son verre et se lève pour me faire la bise, ce qui me vaut une montée d'adrénaline. Je n'aurais pas dû chausser de hauts talons : nous voilà à la même hauteur. Comme d'habitude, il est tellement beau que j'en reste sous le choc. Son costume gris anthracite à la coupe impeccable le rend intolérablement séduisant. La lumière bleutée met en valeur son teint éclatant. Il me décoche son sourire le plus ravageur, en inclinant la tête. À croquer !

— Tu es superbe, m'assure-t-il en m'avançant une chaise. Deux vodkas martini ! commande-t-il, sans me quitter des yeux, au serveur tapi dans l'ombre.

— Attendez ! Je voudrais du vin blanc, s'il vous plaît ! réclamé-je au garçon qui s'éloigne déjà. Un verre de blanc sec, ce serait possible ? demandé-je à Rob.

— Pas question ! Je ne t'ai pas amenée dans un restau quelconque. Je tiens à ce que nous passions une soirée d'exception.

Il me prend la main en la caressant du pouce.

— C'est dommage que tu ne portes pas ta bague.

Je me rétracte, comme s'il me réprimandait.

— N'insiste pas, s'il te plaît. Je la remettrai… bientôt, lui promets-je face à sa mine dépitée.

— Je voudrais que le monde entier sache que tu es à moi, Viv.

Il m'accapare une fois de plus la main, en la frottant comme s'il espérait voir un génie se matérialiser. Je lui souris. Je ne suis pas à lui ; ou plutôt, je ne suis *plus* à lui, or cela me rend si triste que je me dépêche de penser à autre chose. Il me faudra sans doute un peu de temps pour l'aimer à nouveau et lui accorder ma confiance.

Je baisse les yeux sur les clients, dans la salle en contrebas. Des serveurs en veste blanche vont et viennent, des tables, à la cuisine ouverte. Un maître d'hôtel sur une estrade au centre veille à la bonne marche de l'ensemble.

— Quel endroit génial ! Je ne connaissais pas du tout.

— Il s'agit d'un club privé.

— Alors ça explique tout.

— Huit mille livres de cotisation annuelle.

— Rien que ça ! Tu en es membre depuis longtemps ?

— Deux mois, je dirais.

Le serveur nous amène deux verres, une coupelle d'amandes, et des biscuits torsadés en prime.

— Santé ! lance Rob en brandissant son cocktail.

Je sirote la mixture glacée, dont l'odeur d'alcool à brûler manque de peu me faire tomber dans les vapes et m'irrite la trachée. Pour compenser, je grignote quelques amuse-bouche. Mauvaise idée : ils ont été saupoudrés de piment. Je serre mon verre au creux de ma main avant de porter à mes lèvres une autre gorgée de cette mixture infâme. Les larmes aux yeux, je souris à Rob, qui part d'un petit rire.

— Au début, ça surprend.

— En fait, j'aime ça, affirmé-je, en me forçant à sourire de plus belle.

Pour le lui prouver, je sirote de plus belle mon cocktail. Malheureusement, j'ai le palais délicat : la preuve, c'est qu'un jour, j'ai savouré des huîtres. Je déglutis en frissonnant. D'un air amusé, Rob pousse vers moi les biscuits.

— Tu en reprendras bien un peu ?

Je jette un coup d'œil à la coupelle, où je distingue à présent une épaisse couche de poudre rouge.

— Non merci, lui dis-je, toujours tout sourire.

— Oh Viv, tu es trop drôle.

Il prend mon verre et le vide d'un trait en me regardant droit dans les yeux. De sa main libre, il appelle le serveur et passe sa langue sur ses lèvres au modelé exquis, en continuant à m'étudier.

— Mademoiselle prendra du sancerre.

— Et une carafe d'eau ! Pas une bouteille, hein ? Une carafe !

Le serveur hoche la tête et recule en s'éloignant pour ne pas nous tourner le dos. Rob me considère d'un air navré.

— Quoi ?

Il porte ma main à sa bouche et renifle mon poignet.

— Tu sens incroyablement bon, murmure-t-il.

Et là, il me prend une de ces envies de rire… Non ! Il faut que je me concentre. Rob saisit mon pendentif en diamant entre le pouce et l'index.

— Il te va à merveille.

— Merci. C'est un vieil ami qui me l'a offert.

— Un très, très bon ami, je dirais…

Bizarrement, je me sens dans la peau d'une bête traquée. Arrive le vin. Un serveur nous conduit au bas de l'escalier, où il nous confie au maître d'hôtel, qui, mine de rien, me détaille avant de sourire d'un air entendu à Rob.

— Bonsoir, Monsieur Waters. Nous vous avons réservé votre table habituelle.

— Merci Patrick.

Rob lui adresse un clin d'œil et lui glisse un billet de banque au creux de la main. Nous suivons entre les tables un autre serveur maniéré, qui nous indique une banquette dans un coin. Rob se glisse sur le siège en cuir savamment vieilli en face de moi et commande aussitôt du vin et des entrées pour nous deux. J'examine la salle de la taille d'un théâtre, un brin agacée. Je sais qu'il cherche juste à m'impressionner mais depuis quand se sent-il à sa place dans un endroit pareil, où *sa* table lui est réservée ?

— On est très bien placés, ici, m'explique-t-il en refermant le menu.

Je lui souris de plus belle.

— Tu dois le savoir mieux que moi.

— Comme je te l'ai dit, je suis membre du club. Du coup, je viens tout le temps manger ici. Sinon, ça n'en vaudrait pas la peine.

— Et moi qui croyais que tu m'invitais dans un lieu d'exception !

Il se raidit en dépit de mon ton blagueur.

— C'est un endroit d'exception, Viv ! Tu as déjà dîné dans un restaurant comme celui-ci ?

Un postillon atterrit sur ma joue. Je l'essuie à l'aide de ma serviette en damas. Quand je relève la tête, Rob semble rasséréné. Il me presse le genou sous la table, comme s'il cherchait à se réchauffer les mains.

— Vivienne, il faut que tu saches que c'est toi, ma vie… Et que, bientôt, je serai ton mari.

— Ça rime, commenté-je bêtement.

Il me lâche le genou et balaie des yeux la salle. Un muscle tressaille le long de sa mâchoire.

— Viv… je te demande pardon. Tu t'imagines sans doute que je cherche à t'épater. Malheureusement, il semblerait que je n'aie pas réussi.

— Si, je t'assure. Seulement, je me demande où est passé le Rob du bon vieux temps. Toi, tel que tu étais avant… ta réussite professionnelle et tout le reste.

— Ma réussite fait partie de ce que je suis.

— Je sais.

Je baisse les yeux sur la table.

— Tu te souviens de l'époque des pintes et des beignets fourrés ?

— Je suis resté le même.

— Voilà vos carpaccios de poulpe au genièvre.

Le serveur pose devant moi un mets artistement disposé sur une immense assiette. Rob déplie sa serviette et s'empare de ses couverts avant d'entamer… ce qui ressemble à s'y méprendre à des tripes finement émincées. Le poulpe qu'il porte à ses lèvres y laisse une rosette blanche en dépôt.

— Délicieux !

Il sirote une gorgée de vin.

— Le sancerre se marie parfaitement avec le genièvre.

Je baisse les yeux sur mon assiette, soudain épuisée.

*
**

Le dîner s'éternise. Chaque plat s'apparente à une épreuve de force : Rob prend un malin plaisir à commander des préparations crues ou exotiques, quand ce n'est pas les deux à la fois. Quand arrive le dessert – une espèce de gelée au jaune d'œuf non cuit – mon estomac mécontent gargouille à qui mieux mieux. Enfin, Rob règle l'addition et je monte avec lui dans le taxi qui nous attend à la sortie.

Consciente que Rob s'est mis en quatre dans l'intention de m'impressionner, je m'encourage à faire le nécessaire pour passer une bonne soirée. L'harmonie renaîtra peut-être entre nous, pour peu que nous parvenions à nous détendre, tous les deux.

Il faut que je cesse de penser à Max. Je viens de consulter mon téléphone : pas de nouvelles de lui. Ça me fait drôle de m'inquiéter à son sujet. Jusqu'ici, je me sentais en position de force par rapport à lui, or il me tarde à présent de recevoir un signe de vie de sa part, comme n'importe laquelle de ses conquêtes. Un jour, je suis tombée sur l'une de ses victimes au téléphone, en décrochant chez lui : elle menaçait de se noyer, s'il persistait à ne plus lui adresser la parole. « Laisse-la dire » a déclaré Max. « Elle n'osera jamais » a-t-il ajouté en voyant ma tête. J'ai passé une demi-heure à tenter de la convaincre que Max n'était qu'un salaud. Me voilà maintenant à sa place !

Sur la banquette du taxi, Rob m'annonce qu'il me réserve une surprise. Je n'ai aucune idée de l'endroit où il m'emmène. Voilà Trafalgar Square ! Traverser le centre de Londres m'électrise, bien que le vin m'ait brouillé les idées. Rob s'étale nonchalamment auprès de moi. Les phares des véhicules en sens inverse éclairent par intermittence son magnifique profil.

— Le dîner t'a plu, ma douce ? me demande-t-il en me tapotant la cuisse.

— C'était sympa, oui, lui souris-je.

— Tu ne comptes pas me remercier ?

Je me tourne vers lui, histoire de m'assurer qu'il ne plaisante pas.

— Pardon ?

— Je disais : tu ne comptes pas me remercier de t'avoir payé à dîner ?

Je rougis malgré moi.

— Je ne t'ai pas dit merci au restaurant ?

— Non.

— Dans ce cas : merci, Rob, pour ce charmant dîner.

— Brave petite, murmure-t-il.

Je me tourne vers Trafalgar Square. La main de Rob sur ma cuisse me fait songer à une tarentule. Le taxi quitte une voie encombrée pour foncer le long de Pall Mall à la vitesse d'une boule de billard électrique, en me projetant contre la banquette. Rob examine en souriant ma robe, contre laquelle oscille son pendentif en diamant. Je lui rends son sourire en rajustant ma tenue. Qu'est-ce qui ne va pas chez moi ? J'ai envie de m'enfuir à toutes jambes ! Me voilà pourtant à côté de l'homme de mes rêves, dont le souvenir m'a arraché tant de larmes. Il se comporte exactement comme je le désirais, or je ne ressens rien… hormis de l'agacement. Le taxi remonte St James's Street, prend à droite et s'immobilise. Il me faut un moment avant de reconnaître le quartier. Rob me prend le bras. Nous avançons dans une cour. Il commande deux coupes de champagne à un kiosque, avant de se mêler à une foule à l'entrée d'un musée. Je remarque des affiches annonçant une exposition.

— Où sommes-nous Rob ? À l'Académie royale des arts ?

— Oui. J'ai décidé de t'offrir l'œuvre qui te plaira : tu n'as qu'à choisir.

— Oh non. Pas question d'entrer là-dedans !

— Je sais : c'est noir de monde, le soir du vernissage. D'autant que les artistes qui exposent sont venus à la rencontre du public. Ça doit grouiller de célébrités… Tu disais ?

— Je ne me sens pas bien. Ça t'ennuierait, que nous marchions un peu ?

— Ne sois pas idiote, Viv. Tu te dégourdiras les jambes à

l'intérieur de l'expo. Je sais que tu t'intéresses beaucoup à l'art ; d'où l'idée de ma surprise. Alors ? insiste-t-il en me tapotant les fesses.

— J'ai dû manger quelque chose qui ne me réussit pas : j'ai des bouffées de chaleur.

— D'ici une minute ou deux, tu te sentiras mieux, m'assure-t-il en me guidant vers la première salle. La plupart des artistes qui exposent seront là ce soir. Je suis curieux de découvrir qui a peint quoi.

Devant nous se dresse un œuf énorme en verre bleu.

Je balaye la salle des yeux à la recherche de Max. Je devine à présent ce qu'il avait en tête : m'emmener ici. Il voulait que je l'accompagne au vernissage, or je n'ai même pas pris la peine de lui répondre. Merde ! Comment peut-on être aussi nulle ? Ma présence ici comptait tellement pour lui ! J'aurais dû me mettre à sa place. Et moi qui me demandais pourquoi il ne me donnait pas signe de vie… Mon cœur se met à cogner dans ma poitrine. Quoi qu'il arrive, il ne faut pas que je le croise au bras de Rob.

Hormis deux toiles aux tonalités jaune et bleu, la salle ne contient que des sculptures. En restant ici, je réussirai peut-être à l'éviter.

— J'adore la sculpture ! m'exclamé-je en comprimant le bras de Rob pour le ralentir.

Je m'arrête face à une forme humaine en métal rouillé. On dirait un corps tordu, liquéfié, sur le point de se répandre en une mare de sel.

— Fascinant ! commenté-je. J'aurais tendance à y voir une réflexion sur la condition humaine.

— C'est quand même drôlement laid. Tu en voudrais dans ton salon ?

— Je ne sais pas. Je ne trouve pas ça laid, moi. Au contraire ! affirmé-je en passant en revue la foule qui nous entoure.

— Tu plaisantes ? s'étonne Rob en me dévisageant. Je pensais plutôt acheter de la peinture. Allons voir par là, m'indique-t-il, sa coupe de champagne à la main.

Je m'évente à l'aide du livret de présentation.

— Pff ! Je crois que je vais tourner de l'œil, le mets-je en garde en m'affalant sur un banc. J'ai dû trop picoler.

J'aperçois sur les cimaises les photos des artistes souriants et *trendy* venus ce soir à la rencontre du public. Je prie intérieurement pour que nous n'en croisions pas ! Rob fronce les sourcils.

— Qu'est-ce qui t'arrive, ma douce ? Tu n'as pas bu tant que ça.

— J'ai besoin de prendre l'air.

Rob avise une autre porte dans la salle.

— Viens par là, il y a moins de monde.

Il m'oblige à me lever. Je repère quelques collectionneurs agglutinés devant une immense toile. J'avance sans force, poussée par la main de Rob au creux de mes reins. À l'entrée de la salle suivante, je passe en revue l'assistance. Un homme en costume de tweed recule d'un pas. Mon cœur se serre : le voilà ! Non ? Ce n'est pas lui, le grand type en jean et chemise noire, aux boucles plaquées sur les tempes ? Le costume en tweed me bouche de nouveau la vue. Je me fige.

— Je ne crois pas que nous trouverons quoi que ce soit ici, protesté-je. Ce n'est pas notre style.

Rob m'agrippe le bras et m'entraîne de plus belle.

— Jetons au moins un coup d'œil.

— Aïe ! Tu me pinces !

Il desserre son étreinte pour me glisser un bras autour de la taille. Le costume en tweed s'écarte. Qui pivote alors en regardant dans ma direction avant de tourner la tête ? Max ! Un quart de seconde plus tard, il percute. Ce que je lis sur son visage me démolit : appréhension, douleur, déception, rage. Il marche vers nous en écartant ceux qui lui barrent le passage et se campe devant moi, d'un air de vouloir me tuer. Je me sens la personne la plus haïssable de l'univers.

— Max !

J'esquisse un geste en direction de sa joue, alors que le bras de Rob me comprime la taille.

— Ne t'avise pas de lever les yeux sur moi alors que tu es avec lui, Vivienne.

Sa bouche se tord. On dirait un loup montrant les crocs.

— Ce n'est pas ce que tu crois, Max. J'ai cherché à te joindre aujourd'hui…

— Et alors ? Ne prétends pas que tu en as quelque chose à cirer de ce que je pense ! Tu me prends pour un con ?

Il me scrute de son regard impitoyable. Je pose une main sur son bras mais il me repousse d'une secousse.

— Ne parle pas sur ce ton à ma fiancée ! s'interpose Rob.

— Toi, tu la fermes. D'accord ? Sinon, je te fais avaler tes dents. Ça reste entre elle et moi.

Il me toise comme s'il venait de découvrir qu'un monstre se cachait en moi.

— Qu'est-ce que j'ai fait de mal ?

Des larmes me picotent les yeux.

— Tu m'as trahi, énonce-t-il calmement alors que son regard oscille de Rob à moi. Bonne chance à vous.

Je lis dans ses yeux une immense souffrance, lorsqu'il se détourne pour fendre la foule en me laissant sous le choc.

— Il exagère ! estime Rob en souriant. Je croyais que c'était un ami à toi.

Je me dégage pour me lancer à la poursuite de Max. Les gens me regardent de travers et rouspètent, alors que je les bouscule sans ménagement.

— Max ! Attends ! crié-je parmi la cohue.

Je l'ai perdu de vue. Je me retourne en inspectant la salle. Les œuvres dans leurs cadres dorés se brouillent devant mes yeux.

— Max ! insisté-je.

Il a disparu.

Chapitre 21

Cocktail de l'amour n°1 – Le cœur brisé

Versez dans un verre une mesure de vodka. Ajoutez deux cuillers de sucre et de la menthe fraîche broyée au pilon. Complétez avec de la glace et un trait d'eau gazeuse. Pressez un citron vert et agitez. Et voilà ! Guéri, le cœur brisé !

Monique, Londres

Cocktail de l'amour n°2 – Le tombeur

Versez une mesure de tequila dans un grand verre. Complétez avec de la glace, de la limonade et du jus de citron. Agitez et servez à votre victime.

Lizzie, Braintree

Cocktail de l'amour n°3 – La bombe sexuelle

Versez de la glace sur deux mesures de Bailey's mélangées à une de brandy. À défaut : installez-vous nue dans un fauteuil en sirotant un verre de scotch et voyez ce qui se passe.

Caroline, Perth

De retour chez moi, je m'effondre sur le canapé. Me voilà au trente-sixième dessous ! J'ai le ventre noué. À cause de l'abus d'alcool ou de mes craintes ou des deux à la fois ? Je me repasse l'incident de l'exposition en me mettant à la place de Max. Il voulait que je l'accompagne au vernissage, évidemment ! J'aurais dû le savoir, que cela tombait ce soir.

Peut-être mon absence de réponse à son texto l'a-t-elle contrarié ; ce qui expliquerait qu'il m'ait dit de « laisser tomber » sans réagir à mes messages. Et, bien sûr, il a fallu que je me pointe à l'Académie au bras de Rob ! Il y a quand même quelque chose qui ne va pas. Pourquoi Max aurait-il renoncé à me voir ce soir ? Ça ne lui ressemble pas de se montrer aussi susceptible.

Quoi qu'il en soit, je ne vois pas pour quelle raison il ne m'adresserait plus la parole. Et son attitude, quand il m'a reconnue ! À croire qu'il me déteste ! Pour ne rien arranger, il refuse de décrocher. Je suppose que je vais devoir attendre qu'il revienne à de meilleures dispositions. Je finirai bien par découvrir la cause de son agacement. Il ne me restera plus, alors, qu'à me répandre en excuses jusqu'à ce qu'il accepte à nouveau de me parler.

Maudit Rob ! Oser me traîner de force à l'exposition alors que je ne voulais pas y aller ! Où est-il passé ? Je ferais mieux de me reposer un peu. Oh ! Le salon tourne dans tous les sens ! Quel cauchemar !

Je n'arrête pas de penser à Max et à son expression de profonde souffrance au moment où il s'en est allé. Je me déteste. Il doit penser que je suis venue exprès avec Rob. Oui, il s'imagine à coup sûr que j'ai délibérément cherché à le blesser, alors que c'était bien la dernière chose que je souhaitais.

Rob apparaît dans mon champ de vision. Il me tend un verre d'eau de vie, que je refuse d'un mouvement de tête. Le salon tangue de plus belle. Zut de flûte ! Je dois être ronde comme une queue de pelle. Je me sens pourtant dégrisée. Rob s'assied près de moi et me caresse les cheveux.

— Ça va ? me demande-t-il d'une voix douce.

Je prétends que oui.

— Je vais porter plainte et réclamer que l'on retire de l'exposition ses toiles de merde.

— Non !

— Oser s'emporter contre toi… uniquement parce qu'il nous a vus ensemble.

— Sauf que nous ne sommes plus ensemble, toi et moi… De toute façon, là n'est pas le problème.

— Chut ! Je suis auprès de toi, maintenant. Tout ira bien. Je vais m'occuper de toi.

Il penche sur moi son ravissant visage débordant de tendresse. Il sent bon l'eau de Cologne. Mes yeux m'élancent, dès que je tente de me focaliser sur un point. Rob m'embrasse la joue. Impossible de lui laisser voir combien Max compte pour moi ou à quel point je brûle d'envie de le rejoindre. Peu importe que Max n'en ait plus rien à fiche de moi : il faut que je lui explique par quel concours de circonstances je me suis retrouvée à l'Académie royale au bras de Rob.

Une minute : il y a quelque chose qui cloche dans mon raisonnement. Je ne conçois pas que Max n'en ait rien à fiche de moi. Bien sûr que si, je compte pour lui ! Alors comment expliquer son attitude ? Il aurait mieux valu que je continue de garder mes distances par rapport à lui.

— Le problème, c'est qu'il est très entier, dis-je tout haut, à mon propre étonnement.

— Hum, ne t'inquiète pas, lapin... me chuchote Rob en m'embrassant le cou.

Sa main remonte peu à peu le long de ma cuisse, sous ma robe. Je la regarde comme si ce n'était pas moi qu'il caressait. J'incline de nouveau la tête contre l'accoudoir, mais le salon s'obstine à tournoyer en me donnant la nausée.

— J'ai envie de toi... annonce-t-il à mes cuisses.

Et Max qui m'a baratinée en me racontant qu'il m'aimait ! Il m'a menée en bateau. S'il m'aimait vraiment, il aurait répondu à mes coups de fil en m'expliquant pourquoi il me faisait la gueule, au lieu d'annuler la soirée par un simple texto. Ce n'est pas ainsi qu'on se comporte vis-à-vis de la personne qu'on aime.

Beurk ! J'ai un sale goût acide à la bouche. Je vais me verser un verre d'eau, d'ici une minute. En attendant, Rob trace des cercles autour des rubans roses sur mes nouveaux sous-vêtements. Je ne regrette pas mon achat. De toute façon, quand je les ai vus en rayon, je n'ai pas pu y résister. D'autant qu'ils étaient soldés. Rob est à croquer avec ses cheveux qui cascadent devant son front. Il me couvre à présent la jambe de baisers. On dirait une poule qui picore du maïs.

Quand je pense que j'ai trahi Max ! Une minute... Comment ai-je pu le trahir ? C'est lui qui m'a dit de « laisser tomber ». C'est lui qui m'a lâchée ! Et à quoi ça rime de ne même pas daigner me parler ? Quel enfantillage ! Je ne vais pas tarder à me rétablir, à condition de garder la tête sur le côté sans penser à cet immonde poulpe que j'ai avalé tout à l'heure. À genoux entre mes pieds, Rob déboutonne à présent son pantalon en dévoilant son caleçon blanc sans un pli. Jolie vue. Charmant !

Le téléphone sonne. Mon cœur bondit. Max ! OK : tirons les choses au clair et qu'on en finisse une bonne fois pour toutes ! Je m'apprête à décrocher mais Rob m'en empêche. Il se hisse à côté de moi sur le canapé et… tiens ! Le voilà qui bande sous mon nez.

— Viens, lapin. Suce-moi, murmure-t-il.

Mon regard oscille du téléphone à Rob. Le répondeur se déclenche.

Il n'y a pas à dire : il a un physique de rêve. Des jambes bronzées. Un ventre musclé, on ne peut plus plat. J'ai l'impression de me voir moi-même de très loin, vaguement lasse et triste. Rob s'appuie d'une main contre le mur tandis que, de l'autre, il me brandit son érection à la figure. Je détaille son anatomie, que je ne reconnais plus, en humant le parfum d'un nouveau savon qui sent le luxe à plein nez. À l'instant précis où j'ouvre la bouche, Mémé me laisse un message.

Chapitre 22

Sagesse

Te voilà abattu ? Allons, allons, qu'est-ce qu'il se passe ?
Souris !
Ce n'est pas grave de tomber
En revanche, ne pas se relever – ça, c'est une honte.
Edmund Vance Cooke

Ne gâche pas ton temps pour l'impossible
Et si tu peux le trouver, alors tant mieux pour toi
Et tu verras tout est résolu
Lorsque l'on se passe des choses superflues.
L'ours Balou – Le Livre de la jungle.

Il n'y a pas à épiloguer : vomir au travail n'est pas la meilleure manière de commencer la journée. Je m'assieds auprès de la cuvette, le temps d'évaluer les dégâts… Ma tête me semble sur le point d'éclater. Mes yeux me brûlent et… pourquoi fait-il aussi chaud ?

S'il y a bien une chose que je réussis en compagnie de Rob, c'est me soûler au point de ne plus me souvenir de rien. Il faut dire aussi qu'il me pousse à la roue. Pouah ! Impossible de repenser à la soirée d'hier sans que mon estomac se soulève. Je devrais avoir honte de moi. D'ailleurs, j'ai honte. Et je le dis sérieusement. Non mais qu'est-ce qui ne tourne pas rond chez moi ? Voilà ce qui s'appelle se déprécier ! Je tire la chasse et m'adosse à la porte. Eh zut ! Plus de papier. Ne me reste-t-il pas des kleenex au fond de mon sac ? Je palpe mon téléphone dans la poche intérieure. Si je consultais ma messagerie ? Sait-on jamais ! Max m'a peut-être appelée ? Non. Rien. Je compose son numéro… et tombe sur son répondeur.

— Max, s'il te plaît, parle-moi. Je m'en veux tellement…

J'attends, au cas où il décrocherait. En vain.

— Si tu savais à quel point je regrette ! Laisse-moi au moins m'expliquer. J'ai besoin de te voir. Max… Tu me manques.

Je coupe la communication et me mouche dans un vieux ticket de caisse.

Rob se trouvait dans mon lit à mon réveil. Je ne me rappelle pas comment il y est arrivé. S'est-il passé ce que je crains ? Mon état me semble plus critique que je ne l'aurais d'abord cru. Je fixe le mur : les motifs dessus se mêlent les uns aux autres. Je cligne des yeux, dans l'espoir que cela cesse, quand quelqu'un entre en fredonnant. Une porte claque. J'aperçois, par-dessous la cloison, des pieds tartinés d'autobronzant orange, sur des sandales à talons de bois.

— Christie ?

— Bonjour ! Qui c'est ?

— Aide-moi !

*
**

De l'aspirine dans un verre de limonade : telle est la recette miracle de Christie contre la gueule de bois. J'en avale piteusement une gorgée après l'autre, à mon bureau, pendant qu'elle flirte avec Paul.

— Non, je n'ai jamais fumé la pipe, affirme-t-elle.

— Allez ! Une petite pipe de temps en temps… Tu ne dis quand même pas non ?

— Non ! C'est bon pour les hommes, la pipe. Pas pour les filles de mon âge.

Paul se donne tant de mal pour ne pas éclater de rire qu'il en devient tout rouge.

— Christie, ne l'écoute pas : il te raconte des cochonneries.

— Oh. Je ne pige pas ? admet-elle en fixant sur lui ses yeux aux cils empâtés de mascara.

— Tu m'étonnes. Je t'expliquerai plus tard.

— M'expliquer quoi ? Il veut savoir ce que je fume.

— Et je suis le sosie d'Angelina Jolie, renchéris-je en posant mon front sur mon bureau.

— Tu m'as l'air un peu pâlichonne, Viv. Tu as passé une nuit agitée ? me demande Paul en souriant de toutes ses dents.

On dirait une fouine avec sa petite tête, son long cou et ses épaules tombantes.

— Mêle-toi de tes oignons, le rembarré-je en lui décochant un sourire perfide.

— L'abus d'alcool ne réussit à personne. Prends-en note, Christie.

— Tu es encore là ? Va comptabiliser ! Ce n'est pas pour ça qu'on te paye ?

Il se bidonne ! Avant de retourner à son ordi, il envoie un baiser à Christie en soufflant sur sa paume. L'aspirine dissoute dans la limonade forme dans mon estomac une concoction qui ne promet rien de bon. Je grignote un paquet de crackers exhumé du fond de mon tiroir, intriguée par la tenue de marin de Christie, qui consulte pendant ce temps-là sa messagerie.

— Oh non ! m'annonce-t-elle en pivotant vers moi. La Verrue demande à nous voir. Tu crois que c'est au sujet des bougies ? Elles devraient bientôt arriver.

Je regarde par la fenêtre en me demandant si je ne ferais pas mieux de vomir avant de passer au bureau de ma chef.

— Ne t'inquiète pas Christie. Que peut-il nous arriver de pire ?

Je me lève mais je n'ai pas fait trois pas que je me tombe de tout mon long.

— Allons voir ce qu'elle nous veut.

*
**

La Verrue ressemble à une poire géante dans sa robe en lin vert. Au moins, elle a l'air de bonne humeur, le menton au creux de la main, les yeux rivés à son écran. Christie et moi poircautons comme des idiotes sur le seuil de son bureau, jusqu'à ce que je me décide à frapper.

— Entrez !

De sa main grassouillette, la Verrue nous désigne un siège. Non, je ne regarderai pas le poireau dans son cou. Je ne céderai pas à la tentation ! Elle joint le bout de ses doigts, qu'elle examine avant de nous lorgner sans trop de bienveillance et paf ! Le voilà qui surgit dans mon champ de vision, tel un étron dans la mer. Malgré moi, il attire mon regard. Les poils qui en dépassent m'hypnotisent. Je crois que je vais rendre, là, sur son bureau. Je remue sur ma chaise en ravalant ma salive.

— Bon ! Je tenais à vous voir ensemble. Vous formez une équipe, toutes les deux. Je me trompe ?

Christie hoche la tête en souriant, comme sur le point de recevoir une récompense.

— À propos du sureffectif…

Mon cœur cogne si fort que c'en devient douloureux. La Verrue nous scrute tour à tour, Christie et moi, en guettant notre réaction. Ses lèvres cerise, trop petites par rapport à ses joues, ont l'air en plastique. Comme si elle les avait dégotées dans une pochette surprise.

— En ce qui me concerne, je ne me porte pas volontaire pour quitter l'entreprise, lâche Christie en me lançant un regard oblique.

Une pellicule de sueur me picote de la tête aux pieds. Je m'efforce de me concentrer sur le bord du bureau de La Verrue. Tant que je ne bougerai pas la tête, je ne gerberai pas. La Verrue boit une gorgée d'eau et se presse la poitrine en réprimant une série de rots.

— Bien sûr que non, ma petite, grimace-t-elle en consultant des documents devant elle. De toute façon il n'y aura pas de départ volontaire.

— Tant mieux ! J'ai déjà réservé mes prochaines vacances en Thaïlande ! glapit Christie.

— Écoutez, toutes les deux… Autant ne pas tourner autour du

pot. Pouvez-vous me donner une seule bonne raison de ne pas vous virer ?

Eh ben ! Si je m'y attendais ! Christie me regarde, moi, puis La Verrue. Pas question de remuer la tête ! Je fixe un point droit devant moi.

— Je ne suis pas sûre d'avoir saisi ? relève Christie en triturant le col marin de son chemisier.

— Vous êtes au courant du dégraissage… nous assène La Verrue en cherchant mon regard.

Mon estomac se soulève, au moment où je me tourne vers elle. Ne pas penser à de la graisse ! Surtout ne pas penser à de la graisse ! Je déglutis péniblement, le goût de l'aspirine à la limonade au fond de la bouche.

— Sachez que la direction pourrait bien vous dégraisser, toutes les deux, si vous me passez l'expression.

— Nous dégraisser ? s'étonne Christie.

— Parfaitement.

— Nous dégraisser… répète-t-elle en retournant l'idée dans sa tête.

— Je regrette, reprend La Verrue, mais, compte tenu de votre attitude… La commande des bougies en surnombre, pour commencer…

Christie me lance un regard en coin.

— Les slogans idiots pour les sous-vêtements, votre absentéisme, j'en passe et des meilleures… Je vous donne aujourd'hui un dernier avertissement. À la prochaine bourde, c'est la porte.

— Barnes and Worth n'a quand même pas le droit de nous traiter comme ça !

— Bien entendu : libre à vous de contacter la direction des ressources humaines.

Une ombre voile le front de la Verrue lorsqu'elle nous remet une enveloppe chacune. Si je ne reste pas absolument immobile, ça va mal finir pour moi.

— Voici nos conditions. Un commentaire, Vivienne ?

— Je crois que je vais vomir.

Je me lève en me couvrant la bouche et file.

*
**

Sur nos bureaux gisent les avertissements dans leur enveloppe. Je retourne la corbeille à papier afin de poser les pieds dessus. On se sent parfois mieux une fois qu'on a rendu : me voilà de nouveau capable de tolérer une tasse de thé.

— Je ne peux pas croire qu'elle ait eu le culot de nous parler de dégraissage. Non mais ! Tu as vu la taille de ses fesses, à cette grosse vache ?

— Tss…

— Sans compter que c'est de ma faute, le coup des bougies. Pourquoi as-tu écopé d'un avertissement, toi ?

— Parce que je suis censée superviser ton travail.

Je me décide enfin à prendre connaissance du contenu de mon enveloppe, en soupirant. Pourquoi ai-je été au-dessous de tout ? Nous ne devons plus nous absenter sans certificat médical. Nous devons trouver un moyen d'écouler les bougies tout au long de l'année. Nous devons constituer, pour chaque produit, des dossiers que la hiérarchie épluchera. Ça sent le roussi.

— Bah ! Il ne faut pas se plaindre : nous avons encore un boulot.

— Il me reste mes vacances en Thaïlande à payer.

— Et moi, mon loyer.

— Oh, toi, tu n'as pas à t'inquiéter : tu vas épouser un type nanti.

Je ne saisis pas tout de suite où elle veut venir… Ah ! Rob.

— Vivre aux crochets d'un homme n'est pas une solution.

— N'empêche que je parierais que tu es contente de te remettre avec lui. Non ?

Je me rappelle le choc que j'ai reçu, en me réveillant auprès de lui, nu dans mon lit. J'ai couru à la salle de bains passer un pyjama.

Son bol abandonné dans l'évier me revient à l'esprit. Sans parler du tapis de bain trempé après sa douche. Comment en sommes-nous arrivés là ? Je ferme les yeux, incroyablement lasse.

— Viv ?

— Quoi ?

— Je parie que tu remercies ta bonne étoile. Non ?

— On va dire que oui.

J'avise une rangée de têtes baissées, derrière des cloisons grises, à l'autre bout de l'étage. Bien sûr que je devrais remercier ma bonne étoile. Et tout de suite. Heureusement, ce n'est pas cet avenir-là qui m'attend : je m'apprête à vivre le rêve de toute femme. À l'instar de Cendrillon, j'ai mis le grappin sur un bel homme riche, qui va m'arracher à mes misères. « Tu ne l'aimes pas ! » proteste une voix dans ma tête, aussitôt réduite au silence. Faux ! Je l'aime. Mais oui ! Et l'avantage de l'aimer, c'est que je n'ai plus à m'inquiéter. Mon boulot j'en ai plein l'dos de toute façon. Il me fichait même un peu la honte. Non ? N'aspirais-je pas à mieux ? Eh bien voilà : un mari riche. Le jackpot !

Mais… Il n'y a pas de « mais ». Je médite là-dessus, quand mon téléphone se met à vibrer. Je ne reconnais pas le numéro. Max qui m'appelle d'une cabine ?

— Allô ?

— Vivienne ? Ici Reggie, le voisin d'à côté.

Il n'habite pas à côté de chez moi. En voilà une façon de se présenter !

— Bonjour.

— C'est au sujet de ta Mémé.

Sa voix tremble – l'effet du grand âge. Pauvre petit vieux !

— Je t'appelle de l'hôpital. Tu ferais mieux de venir.

— Qu'est-ce qui est arrivé ?

— Elle est… mal en point.

— Mal en point ?

— Oui. Les médecins la gardent sous observation. Ils ont

diagnostiqué une pneumonie. Elle ne voulait pas que j'appelle le docteur.

*
**

Le train bringuebalant à destination du Kent marque un arrêt à chaque station balayée par le vent. Des jardins envahis de broussailles, des balançoires de travers et des vérandas défilent par la fenêtre. Mémé s'en sortira. Elle est résistante. Je ne me rappelle pas l'avoir vue malade. On lui a diagnostiqué de l'arthrose à la suite d'une chute, mais rien de bien méchant.

Une pneumonie peut toutefois s'avérer fatale. Du moins, quand elle frappe des personnes âgées admises à l'hôpital, qui n'en ressortent plus jamais.

Mémé n'est quand même pas tellement âgée. Elle vient à peine de fêter ses soixante-dix ans. Ne dit-on pas que les septuagénaires d'aujourd'hui sont en aussi bonne forme que les quadragénaires d'antan ? En plus, elle ne fume pas. Enfin, ne *fumait* pas, jusqu'à l'autre jour. Ses poumons sont donc comme neufs.

D'un autre côté, elle ne se nourrit pas assez. Elle devrait peser plus, par rapport à sa taille. Sa vulnérabilité me préoccupe, depuis quelque temps. La perspective d'un avenir sans elle se profile devant moi, telle une ombre menaçante. Mémé a toujours été là pour moi. Le jour où ma mère m'a abandonnée sur le pas de la porte de mes grands-parents, elle m'a pris la main, pour me rassurer, et ne l'a plus lâchée depuis. Je me rappelle encore sa réaction, compréhensive et bienveillante, quand j'ai cru tomber enceinte, à seize ans. Même à la mort de Grand-père, c'est elle qui m'a consolée. Mes yeux s'embuent. C'est elle, mon seul et unique point d'ancrage. Jusqu'ici, j'ai toujours pu compter sur son affection, sa gentillesse. Plus gentille qu'elle, il n'y a pas. Tout le monde s'accorde à le dire. Je m'en rappelle un bon millier de preuves, en m'y raccrochant comme à des talismans. Je me figure Mémé plus forte qu'en réalité, en repoussant l'ombre inquiétante, jusqu'à ce que le train arrive à destination.

À l'hôpital, Reggie l'ours me serre contre lui. L'une de mes vertèbres craque, alors que mes yeux se retrouvent à la hauteur de ses oreilles poilues. Il a pleuré, visiblement.

— Où est-elle ?

— Dans la salle 12. Elle a perdu connaissance, m'annonce-t-il en clignant ses yeux larmoyants, cernés de rides.

— Il y a longtemps ?

— La nuit dernière.

— Pourquoi ne pas m'avoir contactée plus tôt ?

— Elle m'a dit qu'elle t'avait laissé un message. Elle m'a bien recommandé de ne pas te déranger au travail.

Je remonte au pas de course un couloir pastel, en suivant les panneaux qui indiquent la salle 12. En tournant sur ma gauche, je bute contre un gros type, dont j'écrase sans le vouloir le bouquet de chrysanthèmes. La salle 12 est fermée. Je secoue la poignée de la porte avant d'aviser un interphone, dont je presse le bouton. Une voix de femme me répond.

— Je suis venue voir ma Mémé… Ève Summers. Elle est là ?

La voix me prie d'attendre. Quelques instants plus tard, la porte de la salle s'ouvre sur une infirmière aux cheveux noirs, en uniforme bleu. Je fais mine de retenir la porte, mais elle la referme derrière elle.

— Bonjour. C'est vous, Vivienne ? me demande-t-elle d'un ton prévenant.

— Oui. Ma Mémé a une pneumonie. On m'a dit qu'elle était en salle 12. C'est bien ici ? Elle est là ?

D'une légère pression du coude, l'infirmière me guide vers une table. Je me raccroche au dossier rembourré d'une chaise, avant de m'y asseoir.

— Je m'appelle Claire. C'est moi qui suis de garde aujourd'hui. J'aimerais vous dire quelques mots, avant de vous conduire à votre Mémé, Vivienne.

Je m'efforce de sourire, bien que je sente la situation m'échapper. Une odeur de chou bouilli flotte dans le couloir.

— Ça va ? s'assure l'infirmière.

— Je veux juste la voir.

Ma lèvre se met à trembler malgré moi.

— Je comprends. Je dois vous avertir que son état nous inquiète. Elle est sous perfusion d'antibiotiques.

L'infirmière étudie mon expression. Je hoche la tête, sans oser soutenir son regard compatissant.

— Un masque à oxygène l'aide à respirer.

— Elle s'en sortira ?

— Son état s'est stabilisé. Je demanderai au médecin de venir vous voir, dès qu'il arrivera.

Elle pose sur mon poignet sa main, qui dégage une impression de force. Voilà quelqu'un de raisonnable et d'utile à la société. Je rougis en mon for intérieur, en repensant à mes mésaventures de la veille.

— Elle a repris conscience ?

— Non, pas encore.

Je baisse les yeux sur le sol rose luisant.

— Ça ira ? reprend l'infirmière. Je vous demanderai simplement de stériliser vos mains avant d'entrer.

Elle tape un code sur le clavier près de la porte, qui se déverrouille aussitôt.

Des rideaux, couleur de bleu de travail, divisent une salle vert pâle, qui sent l'antiseptique et le caca. Des lits s'alignent le long des murs. Dans chacun d'eux gît une forme humaine, pareille à une chrysalide vide. J'emboîte le pas à l'infirmière en jetant des coups d'œil autour de moi. Ces gens n'ont rien à voir avec ma Mémé. Pourquoi l'avoir amenée là ?

L'infirmière s'arrête auprès d'un type, auquel il ne reste plus que la peau sur les os. À voir son teint terreux, on le croirait sorti d'un sarcophage. Il nous lorgne d'un air mauvais par-dessus son masque à oxygène. Je plonge mon regard dans ses yeux jaunes, en dissimulant mon dégoût sous un sourire poli. Il hoche la tête. L'infirmière tire un rideau et la voilà : ma Mémé loufoque et pleine de vie, au fond d'un lit, les mains à plat sur le drap, plus placide que je ne l'avais encore vue jusqu'ici. Le souffle me manque.

— Désirez-vous une tasse de thé ? me propose l'infirmière en me pressant l'épaule.

— Euh… oui, merci.

Une larme roule le long de ma joue. Je m'assieds sur une chaise au chevet de Mémé, en lui prenant la main, et pleure sans bruit, en frottant mon pouce sur sa peau parsemée de taches brunes. Ma pauvre Mémé percluse d'arthrose ! Ses ongles me paraissent nus, sans le vernis criard qu'elle affectionne. C'est la première fois que je lui comprime la main sans obtenir de réaction. Je frôle de mes lèvres sa peau lisse et froide comme du marbre. J'essuie mes larmes. Un masque à oxygène lui couvre le nez et la bouche. Les paupières closes, elle semble en paix. Je touche sa joue plissée de rides.

— Mémé !

Je lui embrasse le front, en écartant ses cheveux, avant de plaquer sa main contre ma joue. Je regarde sa poitrine se soulever lentement. Une solution coule goutte à goutte d'une poche en plastique dans un tube fixé au creux de son bras, où fleurit une ecchymose. Mes yeux se posent sur le bracelet à son poignet. « Ève Summers. Née le 07/07/39. » Elle compte tellement pour moi ! C'est ma boussole, mon point de repère dans la vie.

— Pourquoi n'as-tu pas voulu appeler le médecin ? Reg affirme que tu as refusé qu'il lui téléphone.

Je m'essuie les yeux de plus belle en portant à mes lèvres le bout de ses doigts.

— Regarde-toi ! Tu vois où ça t'as menée ?

L'infirmière m'apporte du thé dans une tasse en carton.

— Tout va bien ?

— Quand va-t-elle se réveiller ?

L'infirmière observe Mémé en réfléchissant.

— Difficile à dire. Je demanderai au médecin de s'adresser à vous, dès qu'il sera là.

Elle sourit avant de disparaître derrière un rideau. Le respirateur artificiel remplit d'air les poumons de Mémé en sifflant. Je ne reconnais aucun signe de l'esprit qui l'animait jusqu'ici. Je pose la tête sur la couverture, à côté de ses jambes, en fermant les yeux.

— Guéris ! Je t'en prie ! Ne me laisse pas seule.

Le moniteur cardiaque émet une série de bips.

— Ne m'abandonne pas.

Il fait nuit, quand je sors de l'hôpital. Les derniers visiteurs s'éparpillent sur le stationnement. Des moteurs se mettent en route et des phares balayent la chaussée, tandis que je prends le chemin de la gare. Ça m'embête vraiment de la laisser là, mais je n'ai pas reçu l'autorisation de rester à son chevet. Le monde extérieur me semble hostile et glacial.

Je pense à Max. Je voudrais tant qu'il soit là, qu'il m'ait conduite ici en moto et qu'il m'attende, le sourire aux lèvres, pour me serrer contre lui. Je sors mon téléphone de ma poche. Un message de Rob : *Je rentrerai tard du bureau, mon ange. Ne me prépare pas à dîner.* Je l'efface et appelle Max.

— Ici Max. Laissez un message.

— Max, c'est moi. Je voulais… prendre de tes nouvelles… savoir si tout va bien. Rappelle-moi.

Qu'est-ce que je vais lui dire ? « Ma Mémé est à l'hosto. Ça t'ennuierait de t'apitoyer sur mon sort. » ? Je raccroche et descends une à une les marches qui mènent au quai désert, où le panneau « direction Londres » grince en oscillant sous les assauts du vent.

*
**

À mon retour, à dix heures passées, je trouve mon appartement plongé dans la pénombre. Je déniche un sachet de soupe instantanée aux champignons et fais bouillir de l'eau. J'allume mon ordinateur et tape « pneumonie » dans un moteur de recherche. Le résultat m'inspire une série de questions, que je note sur un bout de papier. Il semblerait que le principal risque de complication consiste en une septicémie – deux fois plus fréquente chez les plus de soixante ans. Le médecin ne m'en a pas parlé. Bon signe ou pas ? Je verse de l'eau chaude sur la poudre et touille. Des morceaux de champignons de la consistance du cuir tourbillonnent à la surface. Je me connecte sur mon site cœurs-brisés.com, curieuse de voir si Max m'a laissé un message. Je clique sur la page « Tout ce qui vous passe par la tête ». De nouveaux commentaires ont été postés, dont celui-ci – le dernier en date : *C'est vrai que c'est rude mais qui voudrait se taper un type aussi poire ?* Je cherche le nom de Max… il n'apparaît qu'à la suite de sa déclaration. Un certain *Chat qui rit* a écrit peu après : *Magnifique ! Mon poème préféré !* Quelqu'un d'autre a rétorqué : *De qui se moque ce type ? Il est raide comme un passe-lacet et n'a que ses rêves ? Qu'il les garde ! Ils ne payeront pas le loyer. J'ai honte pour lui, quand je vois ce qu'il a écrit. Quel lourdaud ! Ne t'approche plus de moi, M. J'ai fait une bêtise. Je n'ai envie ni de toi ni de tes rêves ! Vivienne.*

Je relis le message. Signé de mon nom. Un tremblement me saisit, alors que je tente de comprendre. Seul quelqu'un qui s'est connecté avec mes identifiants a pu se servir de mon pseudo. À quand remonte ma dernière visite au site ? J'ai lu le poème de Max au travail. Aurais-je oublié de fermer la page ? En tant qu'administrateur, Michael pourrait usurper mon identité mais pourquoi ? J'imagine la réaction de Max, quand il a vu ça. Je relis son texto, où il me disait de « laisser tomber pour ce soir ». Je martèle les touches de mon clavier : *Max, ce n'est pas moi qui ai écrit ça ! Quelqu'un a usurpé mon identité. J'ignore qui, ou comment il s'y est pris.* Le curseur de la souris clignote. Quoi qu'il me vienne à l'esprit, ça lui paraîtra lamentable. J'enfile mon manteau et sors en courant.

J'appelle Max, mais je tombe sur son répondeur. Je compose

une énième fois son numéro. Je hèle un taxi et donne au chauffeur son adresse. Qu'a-t-il dû penser ? Je lui demande de ne pas venir et voilà qu'il découvre ce message, et me croise à l'Académie au bras de Rob. Mon adorable Max ! Il semblait tellement meurtri, ce soir-là. Je me repasse la scène de l'exposition, en souffrant un peu plus à chaque fois, jusqu'à ce que le taxi m'amène à destination.

Je descends, en laissant la portière ouverte. Le moteur continue de tourner pendant que je presse la sonnette à intervalles réguliers. Sans résultat. Je cours à l'arrière de l'immeuble et lève les yeux vers la fenêtre de sa cuisine. Pas de lumière. Je ne vois sa moto nulle part. Je tente de nouveau ma chance à la porte d'entrée, en appuyant sur le bouton de l'interphone. Encore et encore. Le chauffeur de taxi se penche vers moi.

— Hé, ma petite dame ! Le compteur tourne. Vous voulez que j'attende ?

Je lève les yeux vers les vitres noires de l'immeuble.

— J'arrive.

Le taxi repart, alors que je fixe encore la fenêtre plongée dans l'ombre, le moral au plus bas. Il me vient à l'esprit que Max a peut-être disparu pour de bon, or ma vie ne vaut rien sans lui.

Chapitre 23

Nouveau sujet de discussion : Se remettre avec son ex

Charogne : Je songe à me remettre avec mon ex. Il n'arrête pas de me réclamer un rendez-vous. Je me sens seule, sans lui, mais je crains que ça ne marche pas entre nous. Comment éviter une nouvelle rupture ?
Bugs Bunny : Deviens quelqu'un d'autre ?
Chat araignée : Charogne, tu ne précises pas à quand remonte votre séparation. S'il s'est écoulé assez de temps depuis, pourquoi pas ? Vous repartirez de zéro. Dans le cas contraire, vous retomberez dans les mêmes travers qu'avant.
Debbo : Réfléchis bien à ce que tu veux. Mon ex s'est réinstallée chez moi, après six mois de séparation. Au bout d'à peine vingt minutes, j'ai dû m'avouer que je ne la supportais plus.
Gringo : Je croyais qu'une fois débarrassé de ma copine, j'aurais des tas d'aventures avec d'autres femmes. En fait, non. Du coup, je me suis remis avec elle, mais je ne table pas sur une relation durable.
Chat araignée : Ah bon ? T'es vraiment qu'un sale con irresponsable, Gringo.
Gringo : Cause toujours.

D'où viennent ces braiments d'âne qui me cassent les oreilles ? Je me redresse dans mon lit. Le réveil indique six heures. Ah ! C'est Rob qui chantonne sous la douche. Je me lève et appelle l'hôpital. Rien de nouveau : Mémé n'a pas repris connaissance. Mon regard se perd dans le vague. Apparaît Rob : une publicité ambulante pour de la crème à raser. Une serviette à la taille, nimbé d'un halo de vapeur, il fleure bon le gel douche.

— Coucou lapin ! Je t'ai réveillée ?

Je me frotte le front.

— Rob... tu comptes rester combien de temps ?

Il cesse de se frictionner et m'étudie en fronçant les sourcils avec bienveillance, comme s'il fallait que j'aie perdu la tête pour lui poser une question pareille. Il s'assied sur le lit, près de moi.

— Qu'est-ce qui ne va pas, lapin ? Tu m'en veux parce que j'ai fini tard, hier soir ?

— Non.

Il va pour m'embrasser mais je me lève.

— J'ai l'impression qu'il nous reste pas mal de choses à tirer au clair, et t'installer chez moi ne résoudra rien dans l'immédiat. Tu ne crois pas ? Quand est-ce qu'elle s'en va ? ajouté-je en le voyant incliner la tête.

— Justement, je voulais t'en parler, me répond-il en me lançant un regard de chien battu.

— Tu as laissé un commentaire sur mon site ?

— Pardon ?

— Mon site Internet. Quelqu'un a écrit un message en usurpant mon pseudo. Je m'y suis connectée, le soir où tu es revenu. Tu m'as dit que tu n'avais pas consulté la page, mais je ne vois pas qui d'autre a pu faire ça.

De l'eau goutte de sa chevelure sur son torse nu bronzé. L'humidité a collé ses cils les uns aux autres. La lumière tamisée du jour donne à ses yeux bleus un éclat inouï.

— D'accord. J'avoue ! admet-il en levant les mains en l'air.

— Pardon ?

— C'est moi le coupable.

— Toi ?!

Les mots me manquent. Une envie pressante me vient de le frapper à la tête ou pire encore.

— Mais pourquoi, enfin ?

— Je n'ai pas envie que Max te sorte son numéro de charme. Écrire des poèmes à la fiancée d'un autre… ça ne se fait pas. Pour qui se prend-il, à pondre des vers aussi pompeux ? Je te veux rien qu'à moi. Pas question qu'un rimeur à la petite semaine me chipe ma copine !

Là-dessus, il me décoche son sourire le plus éblouissant. Je me contente de le dévisager.

— Ce n'est pas lui mais Yeats, l'auteur du poème.

— Merci, tu ne m'apprends rien.

— Je ne peux pas le croire ! écumé-je. Je n'arrive pas à croire que tu aies fichu un tel bordel dans ma vie.

— Écoute, lapin… je t'aime. C'est aussi simple que ça. Le moindre rival qui se pointe, j'en fais mon affaire. Comme les animaux sauvages.

— N'importe quoi ! Comment as-tu osé ?

Il m'entoure de ses bras. Je le repousse. Ses biceps gonflés, juste ce qu'il faut, se contractent alors qu'il me retient.

— Lâche-moi ! lui crié-je en lui martelant l'épaule.

— Lapin… Je m'excuse. D'accord ? Je t'aime. Je n'aurais pas dû.

Je me débats tant et si bien que sa serviette se dénoue. Mes yeux se posent alors sur son corps. J'en oublie ma colère, un quart de seconde. Il est beau à tomber raide, or il le sait : il en joue, en prenant la pose, à l'instant même.

— J'ai eu tort. Je le reconnais.

— Tu as été cruel ! Comment en es-tu arrivé là ? Comment as-tu pu te montrer mesquin à ce point ? à vouloir contrôler ma vie ?

— Ce n'était pas mon intention.

Il réussit à prendre un air contrit. Un horrible doute s'insinue dans mon esprit.

— Tu t'attendais à le voir, à l'Académie ? C'est pour ça que tu m'y as emmenée ?

Un sourire se forme sur ses lèvres.

— Merde ! Rob !

— Je reconnais que j'ai mal agi. Je l'ai googlisé, or quand j'ai compris qu'il assisterait au vernissage, je n'ai pas pu résister. J'ai agi dans notre intérêt. Par moments, tu as besoin qu'on te protège de toi-même ! crie-t-il dans mon dos.

Je me rue à la cuisine et claque la cafetière sur le gaz, folle de rage. Comment a-t-il pu s'imaginer que j'en prendrais mon parti ?

Je consulte mon ordi. Rien. Pas de nouvelles de Max.

La cafetière gargouille. Je retourne à la cuisine me verser une tasse de café. Apparaît Rob en chemise lilas à carreaux et pantalon gris anthracite à la coupe impeccable. Il se campe près de moi en m'observant sans mot dire. Je fulmine tant que je ne supporte plus de le regarder. Tout à coup, je fonds en larmes.

— Oh, ma puce ! Lapin ! Ne pleure pas.

Il m'ôte des mains ma tasse et m'attire contre lui. Me voilà en train de braire contre sa chemise !

— Je m'excuse. Je regrette ! murmure-t-il en me serrant dans ses bras. Je ne suis qu'un gros con. Écoute… je vais l'appeler, ce type ; lui dire que c'est moi, l'auteur du message.

Je le repousse.

— Mince ! Je suis prêt à lui acheter une de ses croûtes, si tu me pardonnes.

— Au fond, tu ne vois pas en quoi tu as mal agi. Avoue !

Il consulte sa montre.

— Allez, Viv…

— L'amitié, la confiance, l'amour… ça ne signifie rien pour toi. Reconnais-le !

— Tu es injuste, là. Tu ne crois pas ? Je t'aime.

— Non, tu ne m'aimes pas. Pas vraiment.

— Viv… pas de panique. Ce n'est pas comme si tu avais un cancer ! Je vois bien que tu es dans un état pas possible, mais ça ira. Je suis là…

— Non ça n'ira pas ! Mémé est à l'hosto. Je suis sur le point de perdre mon boulot et, à cause de toi, mon meilleur ami ne me parle plus. Alors non, ça ne va pas !

— Attends un peu… tu risques de perdre ton boulot ?

— Oh ! Ça ne m'étonne pas de toi, que tu aies tiqué là-dessus en premier.

Je m'en vais m'habiller : j'enfile en vitesse une robe et des bottines, attache mes cheveux et passe sous l'eau mes yeux gonflés.

La dernière chose dont j'aie besoin, c'est d'une dispute idiote. Il faut que je passe à l'hôpital. Rob frappe un coup discret à la porte de la salle de bains.

— Viv ?

— Quoi ?

— Ça t'ennuierait de sortir ?

Je lui ouvre si brusquement qu'il sursaute.

— Je voudrais te parler. Je viens d'appeler mon bureau : j'ai obtenu de ne pas devoir partir avant une demi-heure.

Une telle grandeur d'âme m'arrache un reniflement. Je le suis jusqu'au canapé.

— Je suis conscient de t'en avoir fait baver, or je le regrette. Je t'assure ! Je veux renouer avec toi. Je sais que je m'y prends mal, mais il ne tient qu'à nous que ça marche.

Il coince une mèche volage dans ma pince à cheveux.

— Rien n'est perdu ! insiste-t-il.

Je considère mes doigts noués.

— Qu'en dis-tu ?

Il me présente le pendentif en diamant au creux de sa paume.

— Tiens ! Mets-le.

Il l'attache à mon cou à la manière d'un collier anti-puces.

— Les prix de l'immobilier flambent. J'ai décidé de vendre.

Je me plonge dans le bleu hypnotique de ses iris.

— Ce que j'aimerais, c'est m'installer ici, chez toi, et t'épouser le plus tôt possible.

Une folle envie monte en moi de crier « non ! ». Seulement, il me propose ce à quoi j'aspire depuis toujours. Il poursuit d'une voix apaisante, en me tapotant le ventre :

— Et bientôt, un bébé va prendre vie là-dedans. Ne t'inquiète pas pour ton boulot : ce n'est pas comme si tu t'apprêtais à faire carrière. Tu ne devras plus travailler à l'avenir… à moins que tu ne le souhaites. Je gagne assez pour nous deux, Viv. Auprès de moi, tu ne manqueras de rien. Nous aurons la belle vie : autant d'argent que nous voulons. D'ici peu, tu attendras un heureux événement.

À l'entendre, ça paraît tellement simple ! Je pourrais très bien céder et obtenir tout ce dont je rêvais jusqu'ici. Il me presse la cuisse.

— Je… je ne me sens pas la force d'en parler maintenant. Il faut que j'aille à l'hôpital.

— Bon, lâche Rob en accusant le coup. De toute façon, je dois partir au travail.

Il ramasse sa veste et conclut :

— Réfléchis à ce que je t'ai dit !

Il sort et ajoute, en passant la tête par l'entrebâillement :

— Courage ! Je suis là pour te soutenir. Passe le bonjour à ta grand-mère.

La porte claque. Je tends l'oreille au bruit de son pas plein d'allant dans l'escalier.

Je ramasse sa tasse de café, même pas terminée, pour la lancer en direction de la porte. Elle se fracasse contre le panneau de bois en y laissant une tache brune dégoulinante.

— Je voudrais bien, mais elle n'a toujours pas repris connaissance.

Je reste un moment à fixer des yeux la rue. Les immeubles renvoient les rayons du soleil, comme s'ils transmettaient un message codé. Comment faire comprendre à Max que je n'y suis pour rien ?

Sauf que… j'y suis pour quelque chose. C'est en partie de ma faute, non ? J'ai laissé entrer Rob alors que j'aurais pu l'envoyer paître. Il ne compte pas s'en aller de sitôt. C'est donc à cause de moi que Max a souffert. Il ne comprendra pas pourquoi j'ai invité Rob à monter chez moi… moi-même, je me le demande. Je fais le tour du salon, en réfléchissant à un moyen d'arranger la situation. Je l'obligerai à me parler. Je le bombarderai d'e-mails. Je camperai à l'entrée de son immeuble. Je remarque alors la lumière clignotante du répondeur. J'inspire un bon coup avant de presser la touche « Lecture », en espérant entendre Max.

— Bonsoir Viv, ma chérie ! C'est Mémé. Je ne me sens pas très bien. J'ai de vives douleurs dans la poitrine et la tête qui tourne. Reg me conseille d'aller à l'hôpital. Viv ? Tu es là ? Elle ne répond pas. Au revoir, ma chérie… Bisous !

Je réécoute le message, les larmes aux yeux. Elle a cherché à me joindre. Pas rassurée mais courageuse, elle m'a appelée à l'aide, or qu'est-ce que je faisais pendant ce temps-là ? Le souvenir de ma soirée m'arrache un frisson de dégoût.

Je m'en vais. Direction : l'hôpital.

Chapitre 24

L'amour

Quand l'amour vous fait signe, suivez-le, bien que ses chemins soient raides et ardus. Et quand il vous enveloppe de ses ailes, cédez-lui, même si l'épée cachée dans ses pennes vous blesse.

Kahlil Gibran

L'amour, c'est quand quelqu'un se forme une image de nous plus flatteuse que la réalité et qu'il nous donne envie de réduire l'écart entre les deux.

Jem, 19 ans, Poole

N'essayez pas d'anticiper l'amour : ce n'est jamais ce qu'on s'imagine. Plus jeune, je m'en faisais une montagne. Depuis, j'ai découvert qu'il est paisible et serein et la passion, douce et profonde. Le bonheur naît de la certitude. Mon amour, c'est le bâton sur lequel je m'appuie, après l'une des rudes ascensions que nous réserve la vie. Il est constant et sincère, tolérant et agréable à vivre. Ce qui le rend beau, c'est sa dignité, sa foi, sa virilité, sa manière d'aller de l'avant. Il me fait rire et rit à la fois de moi et avec moi. Et il y a quarante ans que cela dure.

Rose, 62 ans, Yorkshire

Le matin, il y a beaucoup de va-et-vient à l'hôpital. Les infirmières en fin de service remettent de l'ordre dans la salle, entre les rideaux repoussés au bout de leurs tringles. Je remarque qu'elles ôtent les draps du lit où gisait l'homme qui semblait sorti d'un sarcophage et me demande ce qu'il est devenu. Je reconnais Reggie au chevet de Mémé. Il lui tient la main. J'attends un instant avant de lui signaler ma présence.

— J'hésitais à tailler le rhododendron. Pour finir, je n'y ai pas touché. Je sais à quel point tu raffoles des fleurs, ma chérie, énonce-t-il en caressant la main de Mémé avec ses grosses paluches.

Il se met à fredonner *Strangers in the Night*.

— Le chat auquel tu donnes à manger s'est présenté, ce matin.

Il a paru dépité de ne pas te voir, mais bon… je suis là, moi. Sans doute que je lui laisserai des restes, s'il revient.

— Elle ne t'entend pas, tu sais.

— Oh ! Bonjour, Viv ! me salue-t-il en m'examinant sous ses sourcils broussailleux. Je suppose que ça m'aide de m'imaginer que si.

Son sourire dévoile une rangée de dents jaunies par la nicotine. Je rajuste les couvertures de Mémé avant d'embrasser sa joue à la peau sèche.

— Ça fait longtemps que tu es là ?

— À peu près une heure.

— Tu peux y aller, si tu veux. Je prends le relais.

Une vive émotion trouble le regard de Reggie.

— Merci, me répond-il en décochant un coup d'œil à Mémé. J'aime autant rester. Je le lui ai promis ! précise-t-il en souriant. Elle a horreur des hôpitaux.

— Oui, je sais, renchéris-je en le toisant. Je vais chercher une autre chaise, alors.

Je l'entends chantonner de plus belle en m'éloignant. Pourquoi ne saisit-il pas le message et ne me laisse-t-il pas seule avec Mémé ? J'approche une chaise de l'autre côté du lit et saisis la main de Mémé, que j'embrasse.

— Le médecin est passé ?

— Pas encore, me renseigne Reggie en m'adressant un piteux sourire, comme si c'était moi, l'intruse.

— Pourquoi ne pas en avoir appelé un, avant que son état s'aggrave ?

— Ah ! Elle ne voulait pas.

— Il fallait l'obliger ! marmonné-je en fronçant les sourcils à la vue de la tache mauve autour de l'aiguille de la perfusion.

— Tu sais très bien qu'on ne peut obliger Ève à rien, admet-il en souriant.

— La persuader, alors ! Je ne sais pas, moi. En tout cas, elle n'aurait pas dû se retrouver ici.

— Tu as raison.

Il frotte son pouce calleux contre le poignet de Mémé et lui baise la main. L'envie me prend tout à coup de le gifler pour qu'il fiche le camp. C'est à moi de m'occuper d'elle !

— Dis-moi, Reg… Il y avait déjà quelque chose entre toi et Mémé, du vivant de Grand-père ?

Il se redresse, inspire un bon coup. Il semblerait que je vienne de toucher un point sensible. Tant mieux !

— Je l'aime depuis que je la connais, Viv. Depuis que nos regards se sont croisés.

— Ce n'est pas ce que je te demandais.

— Elle aimait ton grand-père.

— D'un autre côté, il s'absentait beaucoup. Ça vous arrangeait bien. Non ? Vous avez attendu la disparition de ton Alice ? À moins que ça ne vous ait été égal ?

Une veine se met à battre à sa tempe.

— Ce n'est ni le lieu ni le moment, Viv, murmure-t-il.

— Au contraire ! Tu la veilles à son chevet, comme si c'était le grand amour de ta vie !

Le chuintement du respirateur artificiel meuble le silence. Un patient dans la salle tousse en expectorant.

— Eh bien oui ! C'était elle, la femme de ma vie. Enfin, *c'est* elle. Nous parlions de nous marier, avant sa pneumonie.

— Manquait plus que ça ! J'aurai tout entendu. À quoi bon vous marier ?

C'est presque comique. Les yeux chassieux de Reggie couvent Mémé d'un regard plein de tendresse.

— Si tu poses la question, Vivienne, c'est que tu n'as jamais aimé pour de bon. Tu ne sais pas de quoi tu parles, conclut-il en secouant la tête et en se levant. Non, tu ne comprends pas ce que c'est qu'aimer.

Il sort. J'ai eu ce que je voulais : me voilà seule avec Mémé. N'empêche qu'à cause de cette andouille, je m'en veux à présent.

Un mariage ? Mémé m'en aurait parlé. Je me convaincs tant bien que mal que je n'ai pas été trop vache, tout en arrangeant les cheveux de Mémé, déjà gras. J'aimerais les lui laver. Je me promets de lui acheter du maquillage pour qu'elle en ait à sa disposition à son réveil. Je lisse ses draps, quand une goutte tombe dans son cou : voilà que je pleure !

Je sais ce que c'est que d'aimer. Je sais ce qu'on ressent, quand on aime quelqu'un et qu'on redoute de le perdre.

Je longe un couloir après l'autre à la recherche de la cantine, en me guidant à l'odeur. Ça me ferait du bien d'avaler quelque chose… mais pas les plats chauds fades suintant je ne sais quoi sur le comptoir. Tout le monde ici aspire de la soupe à grand bruit ou se traîne à une table, un plateau sur les bras. On pourrait quand même attendre, d'une cantine d'hôpital, un peu plus de gaieté ! Il faudrait la peindre en orange et l'approvisionner en produits frais bons pour la santé – en offrant par exemple une dose de germes de blé pour l'achat d'un roulé à la luzerne.

Je choisis un sandwich blafard et racorni accompagné d'un café. Je m'installe à une table isolée avant de composer le numéro de Max. Je tombe sur son répondeur mais ne lui laisse un message qu'à la troisième reprise.

— Max ? C'est moi. Je suppose que tu ne veux plus me parler. On ne peut rien me cacher, hein ? Je me demandais… tu voudrais bien me laisser m'expliquer ? Il m'est arrivé pas mal de trucs et… euh… vu les circonstances, un ami ne serait pas de refus, or je te considère comme mon meilleur ami. Je suppose que tu tiens à le rester, non ? Enfin… Rappelle-moi, Max, s'il te plaît.

Je m'apprête à raccrocher quand elle attire malgré moi mon regard, tel un cygne dans une mare aux canards.

Sa robe en soie safran, ses longues jambes hâlées, ses cheveux brillants… Elle paie à la caisse avant de se retourner en rejetant la tête en arrière. Mais oui ! C'est bien elle : l'ex-copine de Rob. Sam.

Eh merde ! Je baisse les yeux en espérant qu'elle ne m'a pas repérée. Manque de chance : elle s'avance vers moi en balançant les hanches, perchée sur ses sandales chic. Son apparition a quelque chose de magique : les moribonds en sursis reprennent des couleurs rien qu'à la voir. Ça ne m'étonnerait pas qu'un essaim d'oiseaux ou un troupeau de biches s'attache à ses pas. Ses talons résonnent tandis que j'étudie la composition de mon sandwich. Clic, clac… Allez, continue ! Passe ton chemin ! Ne t'arrête pas !

— Tiens ! Vivienne ?

— Bonjour ! lancé-je en prenant l'air surpris mais ravi.

Comme si je ne la reconnaissais pas !

— Tu te souviens de moi ? Sam ? Rob nous a présentées l'une à l'autre. Je suis son ex. Comme toi !

— Ah oui ! Oh, parle pour toi : en ce qui me concerne, nous nous sommes remis ensemble.

Dieu que c'est bon ! Je savoure l'apparition d'un pli entre ses sourcils.

— Oui, il a fini par admettre qu'il ne pouvait pas vivre sans moi… Sans doute qu'il lui fallait une femme, une vraie…

Pourquoi mais pourquoi n'ai-je pas mis ma bague de fiançailles !

— Ah bon ?

— Oui, oui. En un sens, nous n'avons jamais vraiment rompu. Je suis navrée que ça n'ait pas collé entre vous, mens-je en lui adressant un sourire de commisération.

— Ce n'est pas la peine ! J'ignore ce qu'il t'a dit mais c'est moi qui l'ai quitté, le mois dernier.

Elle pose sa salade aux œufs sur la table et inspecte ses ongles manucurés.

— Il l'a très mal pris, le pauvre ! Enfin ! Que veux-tu ? Je suis tombée follement amoureuse de mon gynécologue.

Elle indique au comptoir un bel homme en blouse blanche à la peau noire comme l'ébène.

— Oh !

— Quelle coïncidence en tout cas ! Troy doit donner un cours ici, tout à l'heure. Tu sais que c'est un hôpital universitaire… Après, nous partons en week-end en France.

— Ah. Troy.

Pourquoi ne fout-elle pas le camp ?

— Quand je t'ai reconnue, l'envie m'est venue de te dire que Rob est le type le plus mesquin que j'aie rencontré, mais, à présent, j'imagine qu'il ne vaut mieux pas ? Quand je pense qu'il m'obligeait à lui dire merci, chaque fois qu'il m'invitait à dîner !

Elle part d'un petit rire cristallin, pareil au tintement d'une clochette. Son gynéco nous rejoint, en libérant un nuage de phéromones à chaque pas. Un éblouissant sourire aux lèvres, il passe un bras autour d'elle et pose une main sur sa hanche. Je les imagine tout à coup en train de faire l'amour – un spectacle aussi exotique qu'érotique.

— Bonjour.

Il a une voix si sensuelle que je voudrais l'enregistrer en train de prononcer mon nom pour me le passer en boucle.

— Bonjour !

Je lui adresse un petit signe, que j'aimerais désinvolte, en rougissant jusqu'à la racine des cheveux. Sam ne prend pas la peine de nous présenter. Elle se contente de me sourire en récupérant sa salade.

— À propos… ton pendentif, c'est Rob qui me l'a offert. Je n'avais pas le cœur de le garder, alors je le lui ai rendu en partant… il ne te va pas mal !

Je touche le diamant alors qu'ils s'éloignent – un parfait petit couple d'amoureux.

— La garce ! m'étranglé-je alors que mon esprit s'emballe en fonçant dans une multitude de directions à la fois.

Elle a rompu avec Rob, qui s'est retrouvé seul, de but en blanc. L'idée lui est alors venue de revenir vers moi en me baratinant sur l'air de « je ne peux pas vivre sans toi ». A-t-elle déjà déménagé ? Je parie que oui, il y a des lustres, mais qu'il n'a pas trouvé de meilleur prétexte pour s'immiscer dans mon quotidien. Le pire, c'est que je l'ai cru. Il m'a bien eue ! Pour ne pas changer… J'ôte le pendentif en songeant à le jeter. Sauf que nous ne sommes pas au cinéma. Je ne vais pas balancer des bijoux à la poubelle. Au besoin, je le revendrai… ça peut se mettre en gage, un diamant ? Le simple fait de songer à Rob me lève le cœur.

Une minute ! Et si elle me racontait des craques ? C'est fou ce que je suis prompte à penser le pire de Rob ! Évidemment qu'elle ment. Elle aimerait mieux mourir que d'admettre ma victoire. L'homme qu'elle voulait m'est revenu, or elle ne le supporte pas. J'exulte un bref instant, avant de comparer Rob au Docteur Apollon, et là… un doute me vient.

Je détache la croûte de mon sandwich. Si je devais miser sur l'un ou l'autre, je dirais que c'est Rob qui a menti. Ça me paraît le plus probable. Cela dit, qu'est-ce que ça change ? Peu importe qui a largué qui. Nous ne sommes plus à la maternelle. Il m'est revenu comme je le voulais. Or c'est vrai, ce qu'il a dit : auprès de lui, je n'ai plus à m'inquiéter pour mon travail. Me voilà libre de faire ce qui me chante. Passer plus de temps avec Mémé, par exemple. Rob et moi allons nous marier. Que demander de plus ? Il a promis de m'épouser sous peu. Pas lors d'une cérémonie telle que nous en rêvions à l'origine, non : à l'occasion d'une célébration chic dans l'intimité. Sans doute attendrai-je alors un heureux événement. Finis, en tout cas, les soucis d'argent ! Je rejoindrai le clan des mères de famille de Chelsea, parées de diamants, dont les poussettes dernier cri prennent toute la place aux *Starbucks*. D'accord : je n'ai aucune envie de leur ressembler, mais mon enfant aura tout ce dont il peut rêver.

Je tente de me figurer un bébé doté des beaux yeux bleus de Rob… en vain. Je pose la tête sur la table.

Je m'imagine dans la campagne irlandaise, l'enfant de Max lové contre moi dans un porte-bébé en peau de mouton. À croquer, avec ses fossettes et ses boucles noires indomptables, héritées de son père…

Je ne me rappelle ensuite plus rien, jusqu'à ce que Reggie me réveille en me secouant.

*
**

Plus jeune, je m'imaginais tous les médecins sexy, rien que parce qu'ils sauvaient des vies humaines, mais celui-là balaye mes idées reçues avec son nez marbré de veines, pareil à une carte routière, et son haleine qui empeste le café. Et encore ! Je ne parle pas de son assistant au cou rentré dans les épaules, atteint de tremblote. Ils parlent de Mémé, comme s'ils détenaient un terrible secret, qu'ils nous laissaient le soin de décrypter, en semant des indices. Il est question de prises de sang et d'un épanchement pleural.

— Qu'essayez-vous de nous dire au juste ? les interromps-je.

— Il nous en coûte toujours de conseiller à la famille de se préparer au pire, mais nous craignons une septicémie.

— Elle est si mal en point ?

— Les septicémies – plus fréquentes chez les personnes âgées – sont responsables de 80 % des décès suite à une pneumonie, ânonne l'assistant, comme s'il récitait un manuel.

— Elle va mourir ?

— Il est trop tôt pour le dire. Il lui faudra peut-être une transfusion sanguine, or la loi exige une autorisation écrite…

— Si vous l'estimez nécessaire, docteur…

La voix de Reg se brise, alors qu'il s'empare d'un stylo.

— C'est moi, la plus proche parente. Comment ça, « il est trop tôt pour le dire » ?

— Mademoiselle Summers, votre grand-mère est gravement malade. Les prochains jours s'annoncent décisifs.

— Attendez ! On ne meurt plus d'une pneumonie, aujourd'hui. Vous avez dû commettre une erreur.

Ils s'échangent un regard qui signifie : « encore une chieuse ! »

— Je le sais : je me suis renseignée sur Google.

— Mademoiselle Summers, après sept ans d'études et dix années de pratique de la médecine, je peux vous dire que, moi aussi, je me suis renseigné sur Google. Soyez certaine que nous agissons pour le mieux. Nous vous tiendrons au courant, conclut le nez marbré.

Là-dessus, ils se volatilisent derrière le rideau.

Reg, les yeux larmoyants, ne m'est pas d'un grand secours. Je considère Mémé : même ses paupières ont pris une teinte violacée. Je pose ma joue contre la sienne en lui chuchotant :

— Tiens bon ! Ne t'en va pas, Mémé. Il faut que tu restes auprès de moi. J'ai besoin de toi.

Cette fois, je laisse couler mes larmes, en priant de toutes mes forces pour qu'elle se remette. Jusqu'à la semaine dernière, je ne mesurais pas ma chance de considérer sa présence à mes côtés comme allant de soi. La main de Reg s'abat sur mon épaule.

— Ça ira, affirme-t-il. Elle s'en sortira. Pas question de la laisser partir, hein ?

Il m'attire vers lui. Sa chemise sent le savon. Son cœur bat contre mon oreille.

— Ça ira, va ! m'assure-t-il en me frottant le dos.

L'envie me vient de me blottir contre lui en éclatant en sanglots, mais je me raidis et m'écarte en m'essuyant les joues.

— J'ai besoin de prendre l'air.

— Viv… il y a quelqu'un qui s'occupe de toi ?

Ses yeux de cocker expriment une touchante sollicitude.

— Je suis adulte, Reg. Je n'ai besoin de personne pour s'occuper de moi.

Qu'il est vieux jeu ! Je m'éloigne, drapée dans mon chagrin, comme dans un manteau dont les pans trop longs me battraient les jambes.

Dehors, un soir humide s'installe sur la banlieue. Des nuages noirs sur le point d'éclater se massent dans le ciel. Une odeur de pluie monte déjà de l'asphalte. Je me dirige vers la gare. Ça ne me vaut rien de bon de traîner à l'hôpital où Reg me suit partout comme une ombre. Il me faut un changement d'air. J'ai besoin de réfléchir. Je dois admettre que j'ai négligé Mémé, ces derniers temps. Rob ne s'intéressait pas à elle, or, depuis notre rupture, je n'ai pensé qu'à lui. J'ai consacré tout mon temps à mon site en élevant mon chagrin d'amour au rang de projet. J'ai mené des recherches et pris des notes en me complaisant dans ma souffrance, que j'ai tenté de banaliser, de tourner en dérision. Alors que chacun vit une déception sentimentale à sa manière. Il n'y a pas deux chagrins d'amour qui se ressemblent.

Je risque à présent de perdre Mémé. Je comprends enfin ce qu'on ressent dans ces cas-là : un grand froid m'enveloppe le cœur, telle une nappe de brouillard. Tout va de travers et j'ai le sentiment que c'est de ma faute. Je ne sais pas pourquoi, mais il semblerait que je sois malchanceuse, au point qu'il ne peut rien m'arriver de bon. Si seulement je retrouvais Max ! J'aimerais tant un ami ou une carrière ; n'importe quoi de significatif, auquel me raccrocher. Je me creuse la tête mais ne trouve rien de mieux que « me marier ».

Eh oui : je vais me marier. Aucune raison, donc, de m'apitoyer sur mon sort. Je vais me marier, comme je le voulais. Je ne pensais quand même pas que ça m'enthousiasmerait aussi peu. Il me semble que j'ai renoncé à ma vie, en échange de la réalisation de mon vœu le plus cher, pour ne ressentir, au bout du compte, qu'un grand vide. Comme quand on aperçoit en solde, ce pour quoi on économisait depuis des lustres. Mon malaise ne fait que croître, à mesure que je rumine.

Je n'ai pas le droit de me laisser aller. Je dois garder la foi. Je vais me marier. J'aime Rob. Mémé va se remettre. Max me pardonnera. Lucy aussi. Je ferai des efforts au travail. Je décrocherai même une promotion et tout ira bien. Il le faut !

D'une maison près de la gare, s'échappe une odeur de cuisine. J'aperçois, dans un jardin, deux gamins qui délaissent un instant leur pataugeoire et courent sur une pelouse desséchée, des brins d'herbe collés aux mollets. Je m'arrête, le temps de les observer.

Leur mère intercepte mon regard. Elle me sourit et secoue la tête en se penchant pour ramasser des jouets. Elle doit penser que, moi aussi, j'ai des enfants, et que je sais ce que c'est, de ranger derrière eux. C'est sans doute l'impression que je donne. J'entrevois soudain une réalité qui me terrifie : je suis à des années-lumière de devenir mère, et ce n'est pas en épousant Rob que je me rapprocherai du but. Au contraire ! Je passerai mon temps à m'occuper de lui et amender notre relation. Bon sang ! Et si mon épanouissement devait obligatoirement passer par la maternité ?

De retour à Londres, mon moral tombe en même temps que la pluie. De grosses gouttes s'écrasent sur le trottoir en inondant bientôt la chaussée. Je monte dans un bus à la gare Victoria. Et si Mémé venait à mourir ? Mon adorable Mémé pétulante à souhait ! Je n'aurai plus qu'à regretter toutes les occasions où je l'ai envoyée paître, où j'ai eu honte d'elle, où j'ai considéré son soutien comme un dû. Je ne pourrai plus lui dire que je l'aime. Je ne la verrai plus sourire. Elle ne va quand même pas mourir ? Pas Mémé ! Un sanglot me noue la gorge. Je fuis les regards des passagers en me tournant vers la vitre, où j'essuie la buée en me tamponnant les yeux. Le bus passe cahin-caha devant l'espèce de pièce montée de la place Victoria, avant de se diriger vers Hyde Park. Si seulement elle reprenait connaissance ! Je me rattraperais. Je lui rendrais plus souvent visite. Je redoublerais de gentillesse.

Le bus file devant un clodo assis par terre sur un sac trempé. Les passants s'écartent à l'approche du chapeau où il quémande une aumône. Les Londoniens sont sans pitié ! Il faut être fort pour survivre ici. J'inspire un bon coup et me mouche. Je dois me reprendre et cesser de geindre. La circulation nous ralentit. Les vitrines se succèdent, le long de la rue. Nous voilà devant l'Académie royale, en route vers Piccadilly Circus.

L'Académie royale ! Je réclame un arrêt en appuyant de toutes mes forces sur le bouton rouge, mais le bus continue de foncer jusqu'au prochain croisement. Je sors alors sous la pluie. Presque aussitôt, mes cheveux se collent à mes joues et ma robe, à mes cuisses, alors que mes bottes détrempées changent de couleur. Je me rue à l'exposition en jouant des coudes parmi les badauds. De l'eau glacée qui ruisselle d'un parapluie me coule dans le cou. En contemplant ses toiles, au moins, je me sentirai proche de lui. Qui sait, même, s'il ne sera pas là ! Une minute ! Il ne passe certainement pas son temps face à ses toiles. D'accord, mais il a pu venir voir si elles se sont vendues : je le croiserai par hasard et… il comprendra que j'ai besoin de lui. Arrivée à l'entrée, je m'essore les cheveux en imaginant Max à l'intérieur. Des touristes déambulent, d'une salle à l'autre. La certitude me vient que je le retrouverai en me rendant là où je l'ai vu pour la dernière fois. Comme dans un film !

J'avance dans mes bottes qui couinent. Ça y est ! Voilà la salle où je l'ai aperçu, l'autre jour. Je balaye des yeux les alentours. Mon regard se pose sur une toile que je reconnais : le portrait de Lula. Mon cœur se serre, quand je me rappelle l'atelier de Max, où il l'entreposait. Je m'en approche en examinant les coups de pinceaux, en m'imaginant les gestes de Max, ses mains… Un écriteau sous le cadre indique « *Envie*. Huile et acrylique. Max Kelly ». À couper le souffle ! Même dans une salle remplie de magnifiques œuvres d'art. Un autocollant indique qu'elle a trouvé preneur. J'en suis ravie pour lui. Je passe l'index sur son nom. Max Kelly. Le brillant, le talentueux, l'irrésistible Max Kelly. Un autre tableau attire mon attention. Mais c'est moi ! Le lendemain du mariage de Jane.

Vêtue d'un maillot de l'équipe d'Arsenal et lovée dans une drôle de position sur son fauteuil, je resplendis malgré mes cheveux emmêlés et mes yeux charbonneux. Max m'a représentée le regard pétillant, sur le point d'éclater de rire. Ce que j'aimerais avoir une telle mine ! Voilà à quoi je voudrais ressembler en permanence. L'espoir renaît en moi, à mesure que je scrute mes traits sur la toile. Il m'a figurée, telle qu'il me voit. C'est ainsi que je me sens en sa présence. Il a intitulé mon portrait *Amour*. Mes habits gouttent sur le plancher, dans le silence de la salle, tandis que j'étudie mon image. C'est à peine si je parviens encore à respirer. Je me perds dans la contemplation de mes pieds et de mes cheveux sur fond de tissu rouge. L'impression me vient que Max a rallumé la veilleuse qui brûle au fond de mon cœur. Comme si lui seul y avait accès. Les curieux vont et viennent autour de moi. La pluie cesse. Tout se remet en place.

Chapitre 25

Comment s'excuser ?

1. Il faut le vouloir pour de bon. Ne jamais s'excuser si l'on ne pense pas ce qu'on dit.
2. Toujours présenter ses excuses en personne.
3. Assumer la responsabilité de ses actes. Ne pas blâmer un tiers ni se chercher de circonstances atténuantes.
4. Ne pas attendre que l'autre nous pardonne ou fasse amende honorable.
5. Dire « Navré mais... » ou « Désolé que tu le prennes ainsi... » implique que l'on ne regrette rien, au fond.
6. D'authentiques excuses vous aideront à vous sentir mieux, vous et celui que vous avez offensé.
7. Procédez comme suit : dites en quoi vous avez eu tort, ce que l'autre a dû selon vous ressentir, quelle attitude vous comptez adopter à l'avenir, et remerciez de la leçon que vous en retirez.
8. Une fois présentées vos excuses, allez-vous-en. Ne vous laissez pas embarquer dans un concours d'insultes.

Je rentre chez moi.

— Bonsoir ! lancé-je – au cas où.

Pas de réponse. J'ôte mes habits trempés avant de prendre une douche. L'eau bouillante tambourine sur mes épaules. J'incline la tête en arrière pour me mouiller les cheveux. De la vapeur emplit la salle de bains. Je m'étire le cou et pivote sous le jet en songeant à mon portrait. S'il m'arrive de ressembler à la fille sexy à la mine réjouie sur la toile, alors tout espoir n'est pas perdu. Elle me plaît bien ! C'est dans sa peau que je veux passer le restant de mes jours, or je n'y parviendrai pas sans l'auteur du tableau. Comme il n'est pas possible qu'il ait plaqué son modèle après l'avoir représentée ainsi, il ne me reste plus qu'à le trouver.

D'abord, je dois me débarrasser de Rob. Prise d'un début de pitié pour lui, je me repasse en mémoire mes déconvenues – il ne prépare jamais à dîner, il ne m'a pas une seule fois acheté de fleurs ni fait de massage… ni même donné d'orgasme digne de ce nom, maintenant que j'y pense. Son attitude implique que j'ai de la chance de le connaître, et c'est ce que j'ai longtemps cru. Je tourne le robinet, sors de la cabine et me drape dans une serviette. J'essuie la buée sur le miroir pour me regarder droit dans les yeux. Enfin calmée, j'enfile un jean et une robe-tunique noire avant de me peigner. Je m'empare de mon khôl noir dans ma trousse de maquillage : il paraît qu'un trait charbonneux sur la paupière procure un sentiment de puissance. C'est du moins ce que j'ai lu. J'en suis à ma seconde couche de mascara quand une clé tourne dans la serrure. Je retiens malgré moi mon souffle.

— Lapin ! Tu es là ?

— Dans la salle de bains.

Il s'adosse au chambranle, la tête inclinée, en me couvant d'un regard empreint d'un ersatz d'empathie ; la seule forme de compassion à sa portée.

— Tu as passé une bonne journée ? s'enquiert-il.

— Je l'ai surtout passée à l'hôpital.

— Je vois…

Il enlève sa veste et bat en retraite vers la cuisine.

— Je suis tombée sur une copine à toi, là-bas.

Voilà qui le ramène à la salle de bains.

— Ah bon ?

— Oui : Sam.

Ses traits n'expriment rien.

— Tu te souviens de Sam ? Celle que tu comptais épouser ?

— Tu lui as parlé ? reprend-il d'un ton méfiant.

— Nous avons eu une petite conversation.

— Ah. Qu'est-ce qu'elle a dit ?

— Beaucoup de bien de toi.

L'air à la fois soulagé et perplexe, il tripote ses cheveux.

— Elle t'a largué, avoue ? lancé-je en guettant sa réaction dans le miroir. Elle est partie avec un autre.

Il étudie ses pieds, tape l'un contre l'autre ses richelieus de luxe. Je me retourne vers mon reflet pour m'appliquer du rouge à lèvres.

— C'est ce qu'elle t'a raconté ?

— C'est vrai ou pas ?

Je le scrute, et c'est comme si je voyais, à travers son front, le mécanisme de ses mensonges s'emballer, à mesure qu'il les élabore. Lucy a raison : il n'est pas futé. Il se frotte le bout du nez.

— Pas exactement. Je…

— Ne me dis rien : je ne tiens pas à savoir.

— Je crois qu'elle l'a rencontré, juste avant que nos problèmes commencent. Je ne savais pas qu'elle était partie avec lui…

— Quelle importance, Rob !

Je cherche dans ma penderie mes talons les plus hauts.

— Je ne te crois plus. Un moment, tu m'as eue. J'ai failli gober que tu voulais te remettre avec moi… que tu l'avais quittée pour moi…

— Je…

— Quand je pense que j'étais persuadée que tu m'aimais, que tu voulais m'épouser et me donner des enfants !

Je crois déceler un trémolo dans ma voix. *Respire ! Contrôle-toi ! Si tu pleures, il t'embobinera de nouveau.* Il plisse les yeux face à la fenêtre. Je lance le pendentif en diamant sur mon lit.

— Tu l'as acheté pour elle, avoue ?

Son regard oscille de moi au bijou puis il acquiesce. Il ne prend même pas la peine de le nier ! J'accuse le coup. Je m'adosse contre le mur en l'observant. Il soutient mon regard. Pas un bruit…

— Tu sors ? reprend-il enfin en avisant mes chaussures.

— Oui.

Ses pupilles se vrillent aux miennes. Les non-dits et les différends jamais aplanis entre nous refont tout à coup surface. Je me détourne. Je n'ai même plus envie de m'énerver.

— Qu'est-ce que tu proposes ? demande-t-il d'une voix contrite.

— À propos de quoi ?

— De nous.

— Nous ? Il n'y a pas de « nous » qui tienne, lui asséné-je en ramassant mon sac à main. Je veux simplement que tu t'en ailles.

Il incline la tête. Ça ne se passe pas du tout comme je l'escomptais. Je m'imaginais, telle Scarlet dans *Autant en emporte le vent*, mue par une légitime indignation, sûre d'en imposer, alors qu'en fait, je me sens triste et vaguement navrée pour lui.

— Je sais que la situation se présente mal mais je t'aime…

Il ramasse le pendentif, les yeux larmoyants.

— C'est ce que j'ai longtemps cru ; je viens seulement de me rendre compte que tu n'aimes que toi-même.

— Ne dis pas ça, lapin !

Bon sang ! Il pleure pour de bon, à chaudes larmes, en sanglotant tout ce qu'il sait. Il fut un temps où une telle comédie eût produit son petit effet. Je ne l'aurais pas supportée. Aujourd'hui, je suis toutefois consciente d'assister à un brillant numéro de plus. Il avance vers moi, les bras tendus comme un petit enfant.

— Je m'excuse ! renifle-t-il. Je m'excuse, lapin ! Je n'ai pas été aussi sincère que je l'aurais dû, d'accord, mais discutons-en ! Je t'aime. Tu m'aimes. Nous sommes bien ensemble.

— Permets-moi de ne pas partager ton avis.

— Je peux changer, je t'assure.

— Rob, je ne te demande pas de changer. Il n'est plus temps de te rattraper : c'est trop tard. Je ne t'aime plus.

Il hoquette tel un gamin et secoue la tête en laissant couler son nez, histoire que je mesure l'effet de ma déclaration.

— S'il te plaît, non !

— Je m'en vais, lui annoncé-je d'une voix posée. Je ne veux plus te voir ici, à mon retour. Laisse-moi les clés en partant, d'accord ?

Les larmes qui roulent le long de ses joues ne m'inspirent qu'un léger écœurement.

— La… lapin !

Il tend la main vers moi, mais je m'esquive en ramassant ma veste.

— Entendu ? insisté-je.

Il hoche lentement la tête entre deux sanglots.

— Je suis navrée, ajouté-je, en m'en voulant un peu. Au revoir, Rob.

Je m'en vais, en laissant la porte se refermer derrière moi.

Je remonte la rue à grandes enjambées avant de me retourner. Il ne m'a pas suivie. Je prends soudain conscience qu'il ne court jamais après moi. Pas une seule fois, il n'a tenté de me rattraper, après une dispute. Je ne peux pas le croire. Pas une seule fois, en cinq ans ! Je ne vais certainement pas le plaindre. C'est lui qui est à l'origine de notre séparation, lui qui a renoncé à notre mariage. Il m'a menti tout du long. Me voilà enfin libérée ! Une énergie nouvelle m'anime. J'ai rompu le charme qui me retenait sous son emprise.

J'inspire à pleins poumons. Je me sens toute-puissante. L'envie me vient de crier à tue-tête. Je dépasse une Antillaise, à laquelle je souris. Elle me rend mon sourire. J'en frémis de soulagement. Un taxi tourne au coin de l'avenue. Je le hèle et monte à bord. Le chauffeur effectue un demi-tour pour me conduire chez Lucy.

*
**

Elle entrebâille la porte mais, au lieu de m'inviter à entrer, me rejoint sur le palier.

— Eh ben ! Si je m'attendais à ta visite…

— Je m'excuse.

Elle croise les bras et penche la tête, tout ouïe.

— Tu as raison : je suis chiante, toujours en pleine crise. Et je reconnais que je m'y suis peut-être bien complu.

— Peut-être bien ?

— D'accord : je m'y suis certainement complu et j'ai fait durer le plaisir.

Je guette sa réaction, mais elle affiche une mine indéchiffrable. L'horrible pressentiment me vient qu'elle ne me pardonnera pas.

— J'ai été au-dessous de tout, en tant qu'amie, insisté-je. Tu me manques.

Un ange passe ; nous nous regardons en chiens de faïence sur le pas de sa porte. Elle sourit enfin.

— Non, c'est moi qui ai été au-dessous de tout. Je regrette !

— Non, c'est de ma faute : je t'assomme sans arrêt à propos de Rob.

— Et moi je n'arrête pas de parler de cul.

— Ce n'est pas vrai ! Enfin… pas tout le temps.

— Allez, viens ! s'exclame-t-elle en m'ouvrant les bras.

Je me laisse envelopper par son parfum en me blottissant contre elle.

— Tu veux que je te raconte ce qui m'est arrivé ? me chuchote-t-elle au creux de l'oreille.

— Et comment !

Elle relâche son étreinte.

— Tu ne me croiras jamais ! s'enthousiasme-t-elle en haussant le ton. C'est trop fort !

— Raconte !

Elle lève sa main gauche, où étincelle un diamant, et se fige en guettant ma réaction. J'ai presque envie d'en rire : elle a l'air tellement bébête.

— Félicitations, Lucy !

— Reuben le plan cul va devenir Reuben mon mari.

— Félicitations ! répété-je en lui donnant l'accolade. Je ne pensais pas te voir un jour mariée.

— Je sais.

— Je n'en reviens pas…

— Viens ! Il est là.

Elle rejoint son appartement en dansant de joie. Je la suis dans son salon blanc. Ça me fait tout drôle : elle va épouser un type que je ne connais même pas. De la musique latino-américaine s'échappe d'un iPod. Reuben prépare des cocktails dans la cuisine. Petit, fluet comme un adolescent, il porte ses courts cheveux noirs ramenés sur le front. Son magnifique teint noisette souligne par contraste ses dents étincelantes. Lucy se colle contre lui. Ils esquissent un pas de salsa, enlacés l'un à l'autre. Je me demande si je ne ferais pas mieux de m'en aller. Ils s'approchent de moi et me prennent en sandwich, sans cesser de danser. Je me sens ridicule et me demande où cela nous mènera. Je me dégage. Ils s'éloignent en ondulant des hanches.

— Ça fait longtemps que vous arrosez vos fiançailles ?

— Depuis ce matin ! s'égosille Lucy.

— Viv, tu veux une caïpirinha ? crie Reuben, de retour en cuisine, en pressant un citron vert.

— Pourquoi pas !

— Allez, viens ! insiste Lucy en m'attirant vers le canapé. Je te demande pardon. J'ai trouvé ça nul de ne plus te voir. Raconte-moi ce qui t'est arrivé.

Elle me presse la main.

— Oh, pas mal de choses. Ma Mémé est à l'hosto.

— Non ! Elle n'a rien de grave ?

— Une pneumonie.

— Oh, j'en suis navrée pour toi.

— Ça ! Ce n'est pas facile mais elle s'en remettra !

Je m'apprête à entrer dans les détails, quand je me ravise : je n'ai pas envie de lui gâcher son plaisir.

— Joli caillou ! commenté-je en approchant de mes yeux sa main gauche.

— N'est-ce pas ? C'est fou, non ? que je me marie. Je suis si heureuse ! clame-t-elle à l'adresse du plafond en tambourinant sur le canapé.

Reuben nous apporte à boire. Il profite de remettre son verre à Lucy pour l'embrasser. La vision furtive d'un bout de langue m'incite à détourner le regard.

— Vivienne ! Lucy m'a tant parlé de toi ! Qu'est-ce qui se trame avec ce trou du cul de Rob ? me demande Reuben en s'agenouillant par terre avant de me tendre mon cocktail.

— Oh rien…

— Bon. Tant mieux. Vire-le, ce connard !

Il lève son verre, comme s'il proposait un toast. Je souris à Lucy, qui hausse les épaules.

— Tu sais quoi, Reuben ? Tu as tout à fait raison. Buvons à ma rupture avec Rob ! renchéris-je avant de siffler mon cocktail d'un trait.

— Tu comptes le larguer ? s'enquiert Lucy, pleine d'espoir.

— C'est chose faite. Il a disparu de ma vie. Maintenant, c'est de l'histoire ancienne. *Adios* ! ajouté-je au bénéfice de Reuben en agitant la main.

— Dieu soit loué ! rugit Lucy. Je ne pouvais pas le sentir.

— Je sais, tu me l'as assez souvent dit.

— Pendant toutes ces années, tu as attendu qu'il se décide. Ça ne te ressemblait pas, Viv. Il t'a ôté ta joie de vivre.

— Eh bien je vais la retrouver ! affirmé-je d'un ton plein de bravoure.

— Hourra ! J'ai envie de danser. Si nous chantions une chanson ?

— Ding dong, la sorcière est morte… commencé-je, mais Lucy a déjà choisi un autre titre – *Rocket* de Goldfrapp – et me tire par le bras.

Nous entonnons le refrain tandis que Reuben bat la mesure en tapant des mains.

— Il lui faut un autre verre ! glapit Lucy.

— Ne t'inquiète pas, *amor*. J'en ai préparé deux pichets.

*
**

C'est époustouflant, la salsa. Sans rire ! Il suffit de traîner les pieds en balançant les hanches et ça y est ! On danse ! Reuben est un excellent professeur. Lucy nous a livré une démonstration de salsa à la barre mais sans la barre. Reuben l'a filmée. L'idée m'est alors venue de jouer le rôle de la barre. Il nous a filmées toutes les deux. Le triolisme ne m'attire pas mais, si c'était le cas, je pourrais trouver pires partenaires que ces deux-là. Tiens ! Je vais de ce pas le leur dire. Je tire la chasse et renverse une babiole en fleurs séchées dans la cuvette. J'ai beau actionner le mécanisme de plus belle, elle s'obstine à refaire surface, telle la main d'un macchabée.

Au salon, Lucy et Reuben ont baissé le volume de la musique. Je m'assieds auprès d'eux sur le canapé. Reuben est quand même drôlement câlin : il caresse le genou de Lucy et… ah ! Tiens ! Le mien aussi, par la même occasion !

— Alors ? Quand est-ce que vous allez devenir mari et femme ?

— Nous le sommes déjà, techniquement, admet Reuben ; je le gratifie d'une tape sur la cuisse.

— Sans déconner !

Quel sens de la répartie, tout de même !

— Le mois prochain, me renseigne-t-il. Avant que l'été touche à sa fin.

— Nous organiserons une fête sur le thème de l'érotisme, précise Lucy. Je m'habillerai en tutu blanc, corset et bas résille blancs.

— Charmant. Très distingué.

— Et moi, je ne porterai qu'un nœud papillon, et mon sourire.

Un silence s'installe, le temps pour nous de visualiser la scène. Pas mal, je dois dire.

— Même pas une chaussette en position stratégique ? suggère Lucy.

— Ou un pantalon ?

— Ouais ! Un futal, Reub ! renchérit Lucy.

— D'accord. Mais je risque de m'y sentir à l'étroit… comprimé, si tu vois ce que je veux dire. J'aimerais mieux un caleçon. Toi aussi, tu pourrais en porter un. Ou une culotte, si tu préfères, ajoute-t-il en me pressant le genou.

— Moi ? Naaan.

— Une culotte et des bottes pour Viv ! relève Lucy en éclatant de rire.

— Moi vivante, jamais. De toute façon, tu n'as pas à imposer de tenue à tes invités.

— Attends, Viv ! Tu ne seras pas qu'une simple invitée. Je voulais d'ailleurs te le demander, seulement je ne t'ai pas vue, ces derniers temps…

Elle se lève tout à trac, en scrutant mon expression.

— Viv, tu as été une excellente amie pour moi, toutes ces années.

— Je te retourne le compliment, lui dis-je en lui prenant la main.

— Vivienne Summers, tu as toujours été à mes côtés, dans les bons comme dans les mauvais moments, poursuit-elle d'un ton solennel.

— Des mauvais moments, il n'y en a pas eu tant que ça.

— Ah bon ? Et la fois où j'ai dû me cacher chez toi ?

— Ah oui ! C'est vrai. Et quand tu as eu des problèmes avec la police en Espagne…

— Bon, tais-toi. J'essaye de faire un discours, là. Ce que je voulais dire, c'est que je peux compter sur toi. Tu es une amie fidèle. J'aimerais que tu sois mon témoin… ou ma « témouine ». Alors Viv, tu acceptes ?

Elle renifle. Ses yeux s'embuent.

— Lucy… ce serait pour moi un honneur d'être témoin à ton mariage.

L'émotion me noue la gorge. Je l'entoure de mes bras.

— J'ai tant d'affection pour toi ! murmure-t-elle, le nez dans mes cheveux.

— Portons un toast ! s'exclame Reuben, en se redressant d'un bond. Aux amis !

Je songe alors à Max. Quand je ferme les yeux en finissant mon verre, c'est son sourire qui m'apparaît.

— Aux amis ! renchéris-je.

Et surtout aux retrouvailles…

Chapitre 26

Le poème du jour

Oh Max ! Si tu savais
Distinguer les mensonges de la vérité,
Tu me reviendrais et m'embrasserais.
Tu m'avouerais que je t'ai manqué.
Parce que toi, Max, tu m'as sacrément manqué.
Vivienne Summers

Il est minuit passé. Je me doute que ma présence au pied de l'immeuble de Max doit sembler bizarre, mais je ne vois pas d'autre moyen de retrouver sa trace, vu qu'il ne répond ni à mes e-mails ni à mes coups de fil. Ma conduite pourrait-elle être assimilée à du harcèlement ?

Je lève les yeux vers la fenêtre de son appartement. Pas de lumière. Et aucune trace de sa moto. Je me dandine sous la brise en épiant le moindre mouvement chez lui, tel un Roméo à la gomme. Je lance un caillou sur la vitre mais manque ma cible. Un chien aboie.

— Où es-tu passé, bon sang ? marmonné-je, avant de tendre l'oreille, comme s'il allait me répondre.

Je reconnais les basses de *Disco Inferno* en provenance de la boîte de nuit, au coin de la rue. Une cannette vide tombe de la benne à ordures. Je sursaute, me retourne et scrute les ténèbres, en proie à l'inquiétante impression d'une présence, non loin de moi.

— Il y a quelqu'un ?

Des souvenirs de films d'horreur se confondent dans ma mémoire, en me persuadant qu'une poupée ou un épouvantail aux doigts en lames de couteau va surgir sous mon nez, d'un instant à l'autre. Il me semble percevoir un couinement rauque : quelque chose a bougé ! Je m'apprête à prendre mes jambes à mon cou en hurlant : « Il y a des clowns tueurs qui vivent dans les égouts ! » quand un petit chat paraît, la queue dressée, en s'entortillant dans mes jambes. Soulagée, je plaque une main sur mon cœur, histoire de me calmer – et aussi parce que c'est ce que font les héros des films d'épouvante.

— Dave !

Je me penche pour lui gratter la gorge, alors qu'il ronronne comme un moteur de hors-bord. Je le soulève dans mes bras. Il ferme à moitié les paupières en agitant les pattes dans le vide.

— Pauvre petit Dave ! Pauvre chaton ! Ton maître t'a abandonné.

À l'intérieur d'un rectangle de lumière, dans l'embrasure de la porte, se profile une femme en chemise de nuit Minnie Mouse. Dave se libère pour filer entre ses chevilles. Elle plisse les yeux dans ma direction avant de se retourner.

— Excusez-moi ! l'arrêté-je en m'avançant. Bonsoir. Je cherche Max Kelly. Vous savez peut-être où il est ? C'est son chat…

— Moi aussi, j'aimerais bien le retrouver !

— Ah bon ? Vous le connaissez ?

— Il m'a demandé de m'occuper de son chat : il m'a laissé cent livres, en me prévenant qu'il s'en allait et ne reviendrait pas avant un certain temps.

— Il n'a pas précisé où ?

— Non. Sinon, je lui renverrais son foutu chat. Qu'est-ce qu'il est tannant !

— Quand est-ce qu'il est parti ?

— Il vous doit de l'argent ?

— Non, c'est un ami, expliqué-je en remarquant un coup de griffe sur mon bras ; une ligne de pointillés rouge sang.

— Il a mis les bouts mercredi. Écoutez… Puisque vous êtes son amie, ça vous ennuierait de récupérer le chat ?

*
**

Message de Vivienne Summers à Max Kelly
Dimanche 8 août
1:00
Alors comme ça, tu es parti. Hum. Dans le genre mélo, c'est réussi. Quand reviens-tu ? Dave te passe le bonjour.

Message de Vivienne Summers à Max Kelly
Lundi 9 août
14:00
Max,
J'ai compris où tu voulais en venir : ton refus de me parler me va droit au cœur, merci. Comment me débrouiller pour que tu retournes à de meilleures dispositions ? Je ne conçois pas un instant que nous puissions ne plus être amis, toi et moi.
V. X
PS : Tu trouveras en pièce jointe ma collection de photos de nous. J'aime beaucoup celles de la remise des diplômes. Qu'est-ce qui était arrivé à tes cheveux ? Et ta veste ! La preuve que tu as toujours eu mauvais goût !

Message de Vivienne Summers à Max Kelly
Lundi 9 août
14:10
Max,
Si tu m'appelles d'ici cinq minutes, je t'invite à dîner au restaurant chinois. Je réglerai l'addition et tu pourras commander un cocktail rouge avec une ombrelle dans le verre.
V. X

Message de Vivienne Summers à Max Kelly
Lundi 9 août
14:20
Je peux tout t'expliquer. X

Message de Vivienne Summers à Max Kelly
Lundi 9 août
15:00
S'il te plaît, Max ! Tu n'accepterais pas de me voir, rien qu'une demi-heure ?
X

Message de Vivienne Summers à Max Kelly
Lundi 9 août
15:30
Ne fais pas ta tête de lard. Tu me manques. X

Message de Vivienne Summers à Max Kelly
Lundi 9 août
15:35
Tu préfères que je te laisse tranquille ? D'accord ! Je ne t'enverrai plus de message après celui-ci.
Au revoir ! (Silence chargé de tension.) Adieu, Max !

Message de Vivienne Summers à Max Kelly
Lundi 9 août
16:00
Ce que tu peux être têtu ! Sache que ce n'est pas attirant.

Message de Vivienne Summers à Max Kelly
Lundi 9 août
16:10
Sans compter que des poils commencent à te pousser dans les oreilles.

Message retourné à l'expéditeur. Boîte aux lettres du destinataire pleine.

*
**

Le signal de la sonnerie en Irlande émet un drôle de bruit. Leur ligne est occupée en permanence ou quoi ? Ils mettent une éternité à répondre. Dans quel genre de maison vivent-ils, pour qu'il leur faille tant de temps avant de décrocher ? Me voilà l'oreille collée au combiné à Londres, alors qu'en Irlande, un téléphone à l'ancienne produit une sonnerie stridente dans l'immense salle à manger d'un château…

— Allô ? lance enfin une voix agacée.

— Bonjour ! Madame Kelly ?

— Ah non ! Pas les assurances du Soleil ! Je vous ai déjà dit que nous n'avions pas eu d'accidents, jusqu'ici.

— Non, non : je suis une amie de Max. Vivienne Summers. Vous êtes bien Madame Kelly ?

— C'est possible.

— Je ne sais pas si vous vous souvenez de moi ?

Pas de réponse.

— Vous m'avez rencontrée alors que vous rendiez visite à Max, à l'université.

Silence.

— J'ai même fêté la Saint-Sylvestre chez vous, une année.

Bon sang, que c'est embarrassant !

— Vous dites vous appeler… ?

— Vivienne.

— Ça ne me dit rien.

— Oh. Vous ne vous souvenez pas de moi ?

— Non. Désolée.

— Ah. Le fait est que je cherche à joindre Max. Il est parti, je ne sais où. Je me demandais si vous aviez de ses nouvelles ?

Pas de réponse. J'ai l'impression de devoir lui arracher une dent. Si ça se trouve, elle a déjà raccroché.

— Allô ?

— Je vous écoute.

— Si Max appelle, pourriez-vous le prévenir que Viv a tenté de le joindre ?

— Attendez... Viv ? Mais oui, je vous connais.

— Oui. Bonjour !

— C'est vous, la brunette pour qui il en pince, non ?

— Oui ! Il en pince pour moi, alors ?

— Disons qu'il parle beaucoup de vous.

— Vous avez de ses nouvelles ?

— Pas depuis la semaine dernière. Entre nous, on dirait qu'il ne sait pas ce que c'est que le téléphone. Je lui ai demandé de nous donner un coup de fil par semaine. C'est quand même la moindre des choses. Il ne passe jamais nous voir. Sa dernière visite remonte à juillet. Il est venu au mariage de Siobahn. Elle a épousé un cousin de nos voisins...

Et ainsi de suite pendant vingt bonnes minutes – sa tante Hilda a des soucis de santé, sa sœur aînée souffre du dos depuis sa césarienne. Toute sa famille l'adore. Il leur manque comme pas permis. Pareil qu'à moi.

Chapitre 27

Facebook

Rejoignez le groupe : Où est Max ?

Objet : À la recherche de mon amour perdu

Catégorie : Cœur brisé

Description : Vaut-il mieux connaître l'amour ou pas, si c'est pour le perdre ensuite ? Je dirais qu'il ne vaut mieux pas. Je m'appelle Vivienne Summers et j'ai perdu celui que j'aime parce que je l'ai compris trop tard. Il y a eu un malentendu ; il croit que je l'ai trahi. Depuis, il a disparu. Il faut que je le retrouve. Si vous le connaissez ou l'avez aperçu, merci de lui dire que je regrette et que je l'aime.

Voici son signalement :

Nationalité : irlandaise

Date de naissance : 5 août 1974

Réside à : Londres

Comment le reconnaître : Il mesure un bon mètre quatre-vingt-cinq. Il a des cheveux noirs bouclés et l'air pas toujours très net. Il s'habille avec ce qui lui tombe sous la main — jeans, survêtements, t-shirts. Allergique à la mode.

Centres d'intérêt : poésie, peinture, motos, guitare, raconter d'interminables histoires qui tombent à plat

Son mot favori : fente

Sa couleur préférée : le vermillon

Dans la salle de réunion à l'air vicié du treizième étage, Christie gonfle sa gomme à mâcher en une bulle qui éclate. Elle l'étire en un long filament gris rose avant de le mâchouiller de plus belle.

— J'aime bien ta coupe, me dit-elle. Tu es allée chez le coiffeur ?

— Il y a des lustres.

Elle contourne ma chaise.

— Ah bon ? s'étonne-t-elle en formant une nouvelle bulle de gomme à mâcher.

— Ça t'ennuierait d'arrêter ? la prié-je en lissant quelques mèches sur ma nuque.

— Tu as opté pour une réinterprétation de la coupe Longueuil ?

— Entre nous, je ne pense pas que mes cheveux réinterprètent quoi que ce soit.

Christie soupire en s'affalant sur sa chaise et s'allonge à moitié sur la table.

— Bon. Christie, réfléchissons cinq minutes. Comment vendre dix milles bougies incompatibles avec les normes éthiques de l'entreprise ?

— C'est mission impossible. Nous sommes fichues.

— Faut-il que je le note dans le rapport à La Verrue ? « Nous sommes fichues », répété-je en faisant mine d'écrire.

— À quoi bon respecter des principes éthiques ? Tout le monde s'en fiche.

— Hormis les gamins contraints de coudre des boutons à la main, vingt heures par jour.

— Attends ! Il s'agit de prisonniers. Ce n'est pas comme s'ils avaient une vie à eux.

— Faut-il que je le note aussi ?

Christie roule des yeux.

— Sache qu'on ne plaisante pas avec le politiquement correct, chez Barnes and Worth. Enfin ! Pète-sec et La Verrue ne sont pas au courant des conditions de fabrication des bougies. Elles ne se doutent pas non plus qu'on en a commandé dix mille, ajouté-je en consultant mes notes.

— Oh, commente Christie en grattant son vernis à ongle.

— Allez, Christie ! Elles arrivent dans une demi-heure : c'est notre dernière chance de leur prouver que nous sommes bonnes à quelque chose.

— Oh là, là ! Je ne sais pas quoi te dire ! Peut-être que nous ne sommes bonnes à rien ? lance-t-elle en se frottant le visage.

— Nous pourrions acheminer le surplus à l'entrepôt de vente en ligne. Tant pis si les bougies mettent des siècles à s'écouler sur Internet ! La loi ne nous oblige qu'à mentionner le pays de fabrication, rien de plus.

— Ça marche ! glapit Christie en frappant sur la table. Génial !

— Bon… j'appelle le service informatique et je vois ce qu'il nous reste à faire.

*
**

Dix minutes plus tard, arrive Michael en chemise en soie mauve et pantalon ajusté en velours écrasé. Je lui présente Christie, dont il examine la croupe d'un œil expert, tel un gitan à la foire aux bestiaux. Il s'assied auprès de moi en battant du pied une mesure imaginaire. Son odeur de musc imprègne aussitôt la salle. Il se connecte au site de vente en ligne de l'entreprise sur mon ordinateur portable.

— À quelle rubrique souhaites-tu les proposer ?

— Je ne sais pas moi… « cadeaux de Noël » ?

— Tu ne voudrais pas plutôt qu'il s'en vende toute l'année ?

Il s'appuie contre le dossier de sa chaise en croisant les mains sur la nuque. Sa chemise, en se soulevant, dévoile une traînée de poils noirs, qui disparaît sous une ceinture en peau de serpent à boucle argentée. Ses jambes tressautent comme des baguettes entre les mains d'un batteur.

— À mon avis, me conseille-t-il, mieux vaut les classer parmi les objets de décoration.

— D'accord. Va pour le rayon déco.

Ses doigts virevoltent sur le clavier.

— Il me faudra une photo.

— Je t'en enverrai une par e-mail.

— Bon… Ce que tu me demandes n'est pas impossible, mais ce ne sera pas du gâteau. Il va falloir prétendre que le service informatique a commis une erreur ; ce qui n'arrive jamais. C'est vraiment parce que c'est toi.

— Merci Michael. J'ai une dette envers toi, maintenant. Je te dois… un coup à boire, me hâté-je de préciser en voyant sa langue se glisser sur ses lèvres.

— Ne te fatigue pas, Vivienne. Tu as laissé passer ta chance, tant pis pour toi ! Il est trop tard, à présent, m'assène-t-il en désignant sa personne d'un geste qui se veut sensuel.

— Ah bon ?

— Ouaip ! L'époque où je semais à tout vent est révolue.

— Quel dommage.

— Je ne te le fais pas dire. En particulier pour celles dont je n'ai pas eu le temps de m'occuper, souligne-t-il en me lançant un regard appuyé.

— Tu es casé, alors ? demande Christie.

— En effet, jeune Christie. D'ailleurs, tu connais la reine de mon cœur et de mon entrecuisse.

— Pardon ?

— Je vais épouser Marion Harrison.

Une éternité s'écoule avant que Christie, hébétée, percute enfin.

— Tu veux dire La Verrue ! piaille-t-elle.

Michael se fige un instant, interpellé par le surnom.

— Félicitations, Michael ! Je ne me doutais pas qu'elle et toi vous… euh…

— … faisiez la bête à deux dos ? Eh si. Depuis quelques années, même ; encore que par intermittence.

Son regard se perd dans le vague.

— C'est marrant comme on s'attache. Où que je m'aventure, j'en reviens toujours à…

— Félicitations ! le coupé-je en me levant pour le reconduire.

— À plus ! conclut-il en pointant sur moi deux doigts à la manière d'un revolver, avant de tirer sur Christie un coup de feu imaginaire.

Je m'apprête à refermer la porte derrière lui quand il me prend la main.

— Tu es invitée aux fiançailles, beauté ! lâche-t-il en m'adressant un clin d'œil.

— Merci beaucoup, Michael.

Je lui souris, sur le seuil, en attendant sa disparition dans l'ascenseur. Christie et moi tentons ensuite de rafraîchir la salle en mettant la climatisation en route. Les fenêtres du treizième étage sont condamnées, au cas où l'envie viendrait à quelqu'un de se suicider.

— Je n'arrive pas à le croire : La Verrue va se marier ! s'exclame Christie.

— Et pourtant…

— Elle a bien dix ans de plus que lui.

— Il faut de tout pour faire un monde.

— Viv, si elle a trouvé à se caser, il reste de l'espoir pour toi.

— Merci Christie, lui dis-je en accusant le coup, un sourire aux lèvres. Dans dix minutes, elles seront là. Je te propose de commencer par une mise à jour des gammes de produits en gardant les bougies pour la fin.

— D'accord.

— Jetons un coup d'œil aux dossiers…

Nous venons d'en éplucher la moitié quand entrent Pète-sec et La Verrue. Sans un mot, elles prennent place en bout de table. Au moins, La Verrue a le sourire. Pète-sec – aujourd'hui chaussée de bottes à semelles compensées mauves à peu près potables – m'examine d'un œil glacial.

— Vivienne ! me salue-t-elle d'un hochement de tête. Christine !

Je présenterais bien mes vœux de bonheur à La Verrue, mais je n'aperçois pas de bague à son annulaire boudiné.

— Pour commencer, nous aimerions en savoir plus sur les bougies scandinaves.

Mon rythme cardiaque s'emballe, tel celui d'un rat pris au piège. Je n'ai malheureusement que trop l'habitude de ce genre de mouvements de panique. J'inspire un bon coup avant de me lancer :

— Les bougies ?

— Oui, confirme Pète-sec en levant la tête.

La lumière du plafonnier, que ses demi-lunes me renvoient en plein dans les yeux, m'aveugle comme lors d'une séance de torture.

Avoue ! Passe à table ! Crache le morceau !

— Il y en a dix mille dans l'entrepôt.

La Verrue dresse le nez.

— Dix mille ? relève-t-elle.

— Très exactement, oui.

Je fais mine de consulter mes notes en remuant des papiers.

— Des prisonniers les fabriquent en Norvège.

— Des prisonniers ? relève La Verrue.

— Oui.

— Des prisonniers ? répète Pète-sec.

Elles sont dures d'oreille ou quoi ?

— Coupables de délits mineurs, attention ! Pas de meurtre avec préméditation ni de pédophilie. De vol à l'étalage, sans doute. De fraude fiscale… ce genre de choses.

Je me sens soudain libérée. Je soutiens le regard de mes chefs en souriant.

— Tu étais au courant, Vivienne.

— Oui.

Bon sang ! Ce que c'est cathartique de ne plus tourner autour du pot !

— Ça ne t'a pas dissuadée d'en commander dix mille ?

— C'est moi la responsable, avoue Christie, sur le point de fondre en larmes. Je devais me renseigner sur les conditions de travail des prisonniers, mais j'ai oublié.

— Et vu que je dois superviser son travail, c'est aussi de ma faute, renchéris-je, tout sourire, en commençant à comprendre pourquoi les catholiques se confessent.

Un silence s'installe. Les oreilles de Pète-sec s'empourprent.

— Je ne sais vraiment pas quoi dire… Vous êtes conscientes de ce qui vous pend au nez ? Nous vous avons adressé toutes les mises en garde possibles…

— Oui, oui. Enfin, moi, en tout cas, j'en ai conscience. Christie ?

Elle hoche la tête. Pète-sec pointe sur elle son index et lâche d'un ton théâtral :

— Christine, tu es virée.

Mon assistante s'étrangle, comme frappée par la foudre.

— Oh, super ! m'exclamé-je en tapant dans mes mains. Je parie que tu mourais d'envie de le lui dire !

Je me lève alors qu'une sonnette d'alarme se met à tinter dans ma tête.

— Moi, en revanche, tu n'auras pas l'occasion de me virer : je démissionne.

Mes chefs en restent babas.

— Eh oui, je m'en vais ! confirmé-je, en hissant mon sac sur une épaule. À propos : la concurrence a tenté de nous débaucher à plusieurs reprises, Christie et moi. Nous avons la réputation d'un tandem de choc dans le secteur des relations publiques. Nous ne nous laisserons pas humilier par vous et vos pareils. Viens, Christie !

Elle hésite avant de rassembler ses affaires, qu'elle met une éternité à fourrer dans son sac. Pendant ce temps-là, je foudroie du regard Pète-sec et La Verrue, qui ne savent plus quelle contenance adopter.

— Viens Christie ! Et que Dieu vous donne à réfléchir.

Je ne sais plus où j'ai entendu cette réplique. Dans la comédie musicale *Les Misérables*, je crois. En tout cas, je la trouve aussi pleine de dignité que les circonstances le réclament. Enfin, Christie contourne la table et me rejoint. Exit !

*
**

Un peu plus tard, au *Crown*, le moral en berne, nous arrosons notre départ de chez Barnes and Worth au chardonnay – un vin qui pétille encore moins que nous.

— Enfin… au moins, la concurrence a tenté de nous débaucher, commence Christie d'un air de biche aux abois.

— Euh non. J'ai simplement dit ça pour les impressionner.

— Ah ? Nous ne formons pas un tandem de choc, alors ?

— Pas vraiment, non.

J'avale une goulée de vin – un concentré de migraine à l'état liquide. Christie se tord les mains.

— Tu n'aurais pas dû démissionner.

Je souris en attendant qu'elle me remercie de mon altruisme.

— Tu imagines les références qu'elles vont nous coller, maintenant !

Mince ! Je n'y avais pas réfléchi. Mon regard se perd au fond de la salle caverneuse. Un vieux type au comptoir s'obstine à crier : « On a gagné la Coupe ! » en levant sa pinte pour boire à la victoire. Je le dévisage jusqu'à ce que ma patience s'épuise.

— Au diable les références ! Nous allons nous lancer en indépendant.

Christie paraît dubitative.

— Toi et moi ?

— Pourquoi pas ? Nous connaissons le métier et nous connaissons surtout pas mal de monde dans le milieu. Nous sommes capables de lancer n'importe quel produit sur le marché. Y compris des slips qui se mangent.

— Je suppose que nous pourrions démarcher un vépéciste spécialisé en gadgets érotiques, pour commencer ?

— Excellente idée ! En proposant une gamme entière d'accessoires culottés.

— Hum… ouais.

— Tu vas voir : une fois les seuls maîtres à bord, nous réussirons mieux qu'avant. À notre tandem de choc ! conclus-je en levant mon verre.

— À nous ! renchérit-elle en trinquant.

Nous ruminons ce qui nous attend. Pas de quoi se réjouir !

— J'ai une idée de campagne de presse ! m'exclamé-je tout à coup. Il faut que je remette la main sur quelqu'un…

*
**

Nous quittons le pub à une heure avancée de la soirée. Je compose le numéro de l'hôpital et tombe sur une infirmière qui ne se rappelle pas avoir soigné Mémé. Je la prie de me passer Reg, mais elle ne l'a pas vu de la journée. Bizarre. Je rappellerai plus tard. Espérons que quelqu'un saura me renseigner ! Pour l'instant, je n'ai qu'une envie : rentrer chez moi. Hier soir, une fois de retour avec Dave, son bac à litière et cinq boîtes de nourriture pour chat, je me suis aussitôt mise au lit, tellement je tombais de fatigue. J'aspire à passer un peu de temps seule dans mon petit nid.

C'est avec un immense soulagement que je tourne la clé dans la serrure : pas un bruit à l'intérieur. Je jette un coup d'œil au salon.

— Dave ! Où es-tu, minou ?

Sur la table basse m'attend une feuille de papier. Je laisse tomber mon sac sur le canapé et reconnaît, en la dépliant, l'écriture de gamin fixé au stade anal de Rob.

Viv,

Il faut que tu saches que tu as commis une grosse erreur. Tu es vraiment stupide. Je suis la meilleure chose qu'il te soit arrivée jusqu'ici et qui t'arrivera jamais. Je voudrais que tu te mettes bien en tête :

1) Que tu ne retrouveras <u>jamais</u> un autre homme comme moi, prêt à <u>tout</u> te donner.

2) Que je te dis <u>définitivement</u> adieu. N'espère pas que je reviendrai, tu as tout gâché. C'est fini. Ne viens pas me supplier de renouer. Bonne chance pour la suite. Quand tu penseras à moi, souviens-toi que moi, je t'aimais et que c'est toi qui as tout fichu en l'air.

Rob

J'incline la tête contre le dossier du canapé en contemplant les rais de lumière entre les lamelles des stores. Dave s'installe à mes pieds en enroulant la queue autour de ses pattes. Il cligne des yeux en ronronnant.

— Tu as l'air content de toi. À quoi as-tu joué toute la journée ?

Je froisse le message de Rob pour le lancer à l'autre bout du salon. Dave bondit à sa poursuite avant de le ramener d'un coup de patte sous la table basse. Le téléphone sonne. Je laisse le répondeur s'enclencher.

— Viv ? Ici Rob. Lapin, il faut qu'on parle. Rappelle-moi.

Dave cligne des yeux de plus belle.

— Je sais : lamentable.

Dave bondit sur le canapé, qu'il laboure de ses griffes. Je le repousse, mais il repart à l'attaque, en lacérant le cuir en cadence.

— Non !

Il s'interrompt, d'un air de réfléchir, avant de repartir de plus belle.

— Tu ne voudrais pas plutôt te lécher le cul ?

Je l'envoie promener et vais me changer. Ma chambre ressemble à un champ de bataille : mon oreiller en plumes d'oie éventré gît auprès de mon déshabillé en soie en lambeaux. Dave me rejoint sans bruit pour se lover à mes pieds, d'un air étonné. Je ramasse le kimono.

— Merde, Dave ! Il m'a coûté pas loin de cent livres !

Le chat braque ses iris couleur de citron sur la soie déchiquetée.

— Comment comptes-tu me le rembourser, hein ?

Je donne un coup de pied dans l'oreiller.

— Mon préféré, en plus !

Dave plisse les yeux face à une plume qui lui tombe sur le museau, alors que je m'agenouille en rassemblant, sur le couvre-lit, les vestiges de mon oreiller.

— Écoute, abruti : je t'interdis de recommencer, d'accord ?

Une plume se prend dans sa moustache. Il essaye de l'avaler.

— Tu as besoin d'un griffoir ?

Je réfléchis à un moyen de rattraper le désastre… avant de tout jeter dans un sac poubelle.

— Va-t'en ! Ouste !

Je chasse Dave, qui décampe, la queue entre les pattes, pour se planquer sous la table basse.

Je fais le tour de mon appartement, en quête de traces de Rob. Quel soulagement d'être débarrassée de lui ! Je n'en reviens pas. Je l'aimais, pourtant. Disons plutôt qu'il m'obsédait l'esprit. Je pensais que, sans lui, j'aurais du souci à me faire pour mon avenir – celui qui m'attend aujourd'hui : sans travail, bientôt sans le sou, et sans ami par-dessus le marché. Et surtout célibataire, pour ne pas dire « vieille fille ». Je retourne l'expression dans ma tête… Rien n'y change : c'est encore le soulagement qui prime. On ne se sent jamais aussi seul qu'auprès d'un partenaire qui ne nous convient pas. Avec le célibat revient au moins l'espoir… et la sérénité. Tout devient alors possible : nous voilà aux commandes de notre propre vie. Rien ne nous empêche plus d'apprendre le trapèze, de nous payer un piercing, de sillonner le Guatemala en camionnette ou de dîner d'un sandwich au poisson pané.

Je me rends au frigo en me figurant dans tout un tas de situations, curieuse de savoir si j'en souffrirais ou pas. Croiser Rob au bras d'une autre… Non, ça ne me ferait ni chaud ni froid. Même s'il poussait une poussette ? Ah ! Il n'est pas capable de s'occuper d'un enfant ! Tomber sur Rob en compagnie d'une top model et de leur bébé, alors que je transpire comme un bœuf au sortir d'une séance de gym ? Je me verse un verre d'eau. Aïe ! Ça me ferait mal mais surtout parce qu'ils me verraient en sueur. Dave me rejoint. Il couve le frigo d'un œil plein d'espoir en étirant devant lui ses pattes blanches.

— Quoi ? Toi, je ne te cause plus.

Je le fusille du regard. Il miaule en sourdine. Je place de la nourriture pour chat sur une soucoupe. Il ronronne en éparpillant des bouts de viande à la ronde.

— Tu ne sais pas te tenir. Pareil que ton maître.

Son maître, Max. L'adorable Max. Bandant à souhait. Comment réagirais-je, si je devais le perdre pour de bon ? Le croiser au bras d'une autre ? Je ne m'en remettrai jamais. Je me refuse d'ailleurs à l'imaginer. Pas question de le perdre ! Je me rue sur mon ordinateur et me lance dans la rédaction d'un blog, que je lui dédie.

Je ne m'arrête d'écrire qu'afin d'écraser les larmes sur mes joues. S'il était là, tout irait mieux. Je mets mon texte en ligne et attends. Quoi au juste ? Un miracle ? Max ne va pas se pointer illico à ma porte, un bouquet de roses à la main. J'allume la télé pour noyer le silence obstiné du téléphone, avant de chercher de quoi grignoter à la cuisine. Je déniche des biscuits au fromage périmés, plus un sachet de chips et m'allonge sur le canapé, la zapette à la main. Dave se love sur mon ventre et je partage avec lui les chips. À force de le gratter derrière les oreilles, je me détends peu à peu. Je viens à peine de m'intéresser à une émission sur les poils indésirables, quand le téléphone sonne. Je me pétrifie. Max ? Il a dû lire mon blog. Je cours décrocher.

— Vivienne ? lance une voix que je connais bien.

— Mémé !

— Bonjour, ma chérie.

— Comment tu vas ?

— Bien ? Et toi, ma puce ? me demande-t-elle sans force.

— Si tu savais ce que je suis contente de t'entendre !

Elle part d'un petit rire, qui se change en quinte de toux.

— Quand as-tu repris connaissance ? J'aurais tant voulu être à ton chevet !

— Ce matin. Je n'ai d'abord pas compris où j'étais. Après, il a fallu que je passe des examens. On m'a ballottée d'un service à l'autre, avant de me changer de chambre. J'aime mieux la nouvelle : il y a moins de vieux croulants.

— J'ai du mal à croire que c'est à toi que je parle ! Je me suis fait un sang d'encre.

— J'imagine… Navrée, ma puce.

— Non, non ! Tu n'y es pour rien. J'ai hâte de te voir.

— Le médecin m'a dit que je pourrais peut-être rentrer à la

maison demain.

— Ah bon ? Déjà ?

— Enfin, tu veux dire ! J'ai hâte de m'en aller. En plus, le personnel a besoin de lits pour les vieux croulants. Tu n'as pas plus tôt repris tes esprits que tu dois dégager.

Je reconnais bien là Mémé, hormis qu'elle s'exprime d'une voix plus rauque qu'avant. J'en pleurerais presque de soulagement.

— Ma foi, si tu te sens suffisamment en forme… ton état ne nécessite pas de surveillance médicale ?

— Le docteur Begg habite à deux pas de la maison.

— Tu me promets de l'appeler, au besoin ? Reg a dit que tu n'avais pas voulu qu'il le fasse venir.

— Depuis, j'ai retenu la leçon.

— Tant mieux ! S'entêter ne mène à rien : quand on est malade, il faut se soigner.

— Viv ?

— Oui ?

— J'ai un aveu à te faire. Promets-moi de ne pas te mettre en colère.

— D'accord.

Qu'est-ce qu'elle va m'annoncer ? Qu'elle a légué sa maison à la société de protection des chatons ?

— Je me marie samedi.

Chapitre 28

Blog : À Max

1. Où es-tu ?

Voilà quatre jours et quatre heures que tu as disparu. Tu ne te rappelles pas m'avoir dit que, si l'un de nous deux ne donnait pas signe de vie à l'autre pendant vingt-quatre heures, ça signifierait qu'il est mort et qu'il faudrait défoncer sa porte ? Je suis passée chez toi, mais ton appart est équipé d'une porte blindée à serrure deux points et je n'avais sur moi qu'une lime à ongles. Sans compter que je n'ai pas vu ta moto sur ta place de stationnement ; ce qui prouve que tu n'es pas chez toi. Où alors ? Ça me tue de ne pas le savoir. Si je meurs, qui va défoncer ma porte à moi ?

J'ai saturé de messages ton répondeur… et ta boîte aux lettres électronique. J'ai demandé de tes nouvelles à tes parents. À propos, ta mère aimerait que tu lui passes un coup de fil. J'ai créé un groupe qui t'est dédié sur Facebook. Je me doute que ça ne va pas te plaire mais, dès que tu reviendras, je le supprimerai. En attendant, j'ai pris Dave en otage, bien que je le regrette déjà : il est sans pitié, et à moitié sauvage. À moins que tu ne lui manques, tout simplement. Tu me manques tant ! Je ferais n'importe quoi pour entendre ta voix. J'irais même jusqu'à manger du foie. Ou chanter en public.

Si tu me lis, alors tu vois bien que je n'ai pas ménagé ma peine ! Pardonne-moi, d'accord ? Ou sinon, crie-moi dessus, mais ne me retire pas ton affection.

Je t'aime. Je l'ai enfin compris et je regrette de ne pas m'en être rendu compte plus tôt. Je t'aime très fort, Max.

V. X

J'arrive chez Mémé de bon matin : il ne fait pas encore trop chaud. Tout est calme. Je toque à la porte. Pas de réponse. J'actionne la poignée, qui cède aussitôt. Je me risque à l'intérieur.

— C'est moi !

Je jette un coup d'œil à mon reflet dans le miroir du couloir et réordonne ma coiffure. Mon odorat me joue des tours ou ça sent le petit vieux ? Je flaire un relent d'antiseptique et de moisi. Je sors de mon sac le filet d'oranges et les chocolats que j'ai apportés pour Mémé.

— Hé ho !

Je descends les marches de la cuisine, où je croise Reg, venu à ma rencontre. Un moment de gêne s'installe, alors que nous esquissons tous deux un pas du même côté.

— On danse ? commente-t-il.

— Pas dans l'escalier, quand même !

Il pivote et s'en retourne à la cuisine, en prenant plus garde que je ne l'aurais cru nécessaire, à l'endroit où il pose les pieds. À la vue de sa nuque barrée de rides, je mesure soudain sa vulnérabilité, honteuse de mon attitude vis-à-vis de lui.

— Elle est au jardin, m'annonce-t-il. Je peux te débarrasser ?

J'hésite, ne sachant quoi dire.

— Elle… va bien ?

— Oh, elle a repris du poil de la bête. Plus autoritaire que jamais !

Il part d'un petit rire. Nos regards se croisent. Il semble se méfier de moi.

— À propos : tous mes vœux de bonheur !

— Merci, Vivienne, me répond-il en dressant le menton, comme s'il s'attendait à recevoir un coup de poing.

— Je suis sincère : je me réjouis pour toi comme pour elle.

— Merci. Ça la touchera beaucoup.

Il me décoche un coup d'œil franc. Je remarque alors la belle nuance de bleu pervenche de ses iris.

— Je voulais te dire… que je m'excuse. Je sais qu'à l'hôpital, je n'ai pas été charitable, mais tu sais… sous le choc…

Il me serre l'épaule.

— Inutile de t'expliquer. Va la voir ! Elle t'attend.

Le jardin a bien changé, depuis ma dernière visite en juillet, en compagnie de Max. Le gazon a été tondu et la terrasse, balayée. Les rosiers sont en fleurs. Des plates-bandes et des arbustes plantés depuis peu, aux couleurs tellement éclatantes qu'on les croirait enduits d'une couche de peinture, encadrent la pelouse. Une nouvelle treille, à laquelle grimpent des roses, couvre la terrasse.

Même l'angelot en pierre a fait sa toilette. Reggie n'a pas chômé. Je m'arrête un instant sur le seuil, le temps de m'accoutumer à la lumière aveuglante du soleil. Je l'aperçois enfin : une frêle silhouette en chaise roulante, à l'ombre du poirier. Une boule me remonte dans la gorge, quand je me rappelle le dimanche où je suis venue avec Max, nos cocktails et les chapeaux ridicules. Je m'approche de Mémé en m'efforçant de lui masquer mon émotion. La voir ainsi diminuée, pour ne pas dire ratatinée, me choque encore plus dans un décor aussi pétulant. On croirait une feuille morte sur un gazon scmé de frais. Je remarque malgré moi ses cheveux clairsemés, ses mains raidies par l'arthrose. Une couverture en crochet aux couleurs vives lui couvre les jambes, en dépit de la chaleur.

— Mémé !

Elle tourne vers moi son visage au teint cireux.

— Viv !

Je m'agenouille auprès d'elle et lui prends les mains.

— Tu vas bien ?

Elle me sourit en écartant une mèche de mon front. Je ne sais quelle contenance adopter.

— Alors ? lancé-je en indiquant la chaise roulante.

— Ah, je sais ! Ce n'est pas la mode, pour les mariées.

— Tu vas peut-être lancer une tendance ?

Elle me sourit et me jauge d'un bref coup d'œil.

— Tu as perdu du poids, remarque-t-elle.

— Pas autant que toi, rétorqué-je en lui encerclant le poignet.

— Ah. Certes…

Je me penche pour déposer un baiser sur sa joue à la peau diaphane.

— Bon retour chez toi, Mémé ! Tous mes vœux de bonheur.

— Merci. Ça me touche que tu partages notre joie, Viv.

Je décèle au fond de ses prunelles un reste de pétulance. Une étincelle d'espièglerie.

— Je ne m'y attendais pas, admets-je.

— Parfois, il faut encaisser un coup dur pour se secouer les puces et prendre certaines décisions.

— Sans doute.

Reg nous apporte à boire sur un plateau, qu'il pose sur les marches. Mémé le houspille pour qu'il apporte une table, et surprend le regard appuyé que je lui lance, alors qu'il s'éloigne en traînant la semelle et en fredonnant dans sa barbe.

— C'est un brave homme, tu sais. Foncièrement bon.

Je lui souris.

— Et il lui reste encore quelques belles années à vivre, ajoute-t-elle.

— Je ne m'inquiète pas pour lui, l'interromps-je en lui pressant la main.

— Tu ne dois pas t'inquiéter pour moi ! me rétorque-t-elle d'un ton indigné, comme si elle ne sortait pas de l'hôpital.

— D'accord, mais c'est bien parce que tu me le demandes. Quand même, j'aurais cru me marier avant toi.

— À propos : des nouvelles de Rob ?

— Oh lui, aucun risque que je l'épouse.

Je souris à Reg, qui apporte au jardin une petite table pliante. Il l'installe auprès de la chaise roulante et se tourne pour tendre à Mémé un verre.

— Pas cette table-là, Reg ! Celle de la cuisine.

Il lève les yeux au ciel.

— Quelqu'un veut du jus de fruits ? propose-t-il en brandissant un pichet.

— Ce n'est pas du Pimm's ? relève Mémé.

— Non, ma belle. Les médecins t'ont interdit l'alcool, tu le sais bien.

Elle renifle, alors que son regard se perd du côté de la pelouse. Je me lève, accepte un verre et en tends un autre à Mémé.

— J'aimerais porter un toast ! À toi Mémé, à Reg et à l'amour.

Ils se tournent l'un vers l'autre. Je lis, dans le sourire qu'ils s'échangent, une amitié sincère, une affection durable. Je lève mon verre.

— Et à l'élu de mon cœur… où qu'il soit.

Nous buvons tous les trois.

— Pas mauvais, admet Mémé. Encore qu'un trait de gin n'aurait pas été de trop.

— Alors, ce mariage ? Vous avez loué une montgolfière ?

— Je crains que la chaise roulante ne pèse trop lourd, commente Mémé en riant de bon cœur.

— Où comptez-vous le célébrer ?

— Ici. C'est ici, notre cathédrale, annonce Reg en embrassant le jardin d'un grand geste. Nous allons nous dire oui sous la treille, avant de passer entre les chaises des invités, comme le long d'une travée.

— Parfait !

— Viv, tu m'escorteras à l'autel ? me demande Mémé.

— Bien sûr.

— Tu devras pousser ma chaise, j'en ai bien peur.

— Pas de problème. Tu veux qu'on s'entraîne ?

Je saisis les poignées de la chaise, que je conduis à l'autre bout de la terrasse. Je ne m'attendais pas à ce que Mémé pèse aussi peu : ne mesurant pas ma force, je la propulse sans le vouloir en avant.

— Je peux aussi te pousser, quand tu ouvriras le bal, proposé-je en pivotant sa chaise d'un côté puis d'un autre. Et si tu changes d'avis au dernier moment ? Il suffira de convenir d'un signal : dès que tu lèves ton bouquet, je décampe avec toi.

— Ce ne sera pas nécessaire ! s'écrie-t-elle avant qu'une quinte de toux la secoue.

Reg lui passe une serviette en papier, qu'elle approche de sa bouche, avant de la replier sur ce qu'elle vient d'expectorer.

— Tu vas devoir rester longtemps en chaise roulante ?

— Jusqu'à ce que j'aie repris de forces.

— Tu ne devrais plus tarder à t'en passer, alors.

— En effet ! me confirme-t-elle en souriant.

*
**

À mon retour, l'après-midi touche presque à sa fin. Quand je suis partie, tôt ce matin, je n'ai même pas tiré les rideaux. Ça sent le chat. Dave déboule à toute vitesse dans l'intention de s'échapper. Il me file entre les jambes, mais je le rattrape sur le palier et le ramène à l'intérieur. Il serait plus que temps de changer sa litière. De la vaisselle sale s'empile dans l'évier.

J'ouvre les rideaux de ma chambre. Le soleil entre à flots par la fenêtre, que couvre une couche de poussière. Au moins, rien n'a été abîmé en mon absence. Je commence à en avoir assez de mon appart, du panier à linge sale dont le couvercle ne ferme plus, de la salle de bains aux murs aveugles et de la douche qui goutte en permanence. Il n'est pas si moche, au fond, seulement je ne m'attendais pas à me retrouver dans un endroit pareil. Je me projetais plus dans une grande cuisine au plan carré, meublée d'une immense table où prendraient place mes enfants. Du temps où je comptais épouser Rob, en tout cas. Maintenant que j'ai compris que j'aimais Max, il me semble qu'un avenir doré m'attend, riche d'infinies possibilités plus exaltantes les unes que les autres. Si seulement je le retrouvais et qu'il m'aimait encore ! Je m'assieds sur un accoudoir du canapé.

Et s'il ne m'aime plus ? Je pense à notre dernière soirée ensemble ; pas à l'Académie, mais quand tout allait encore à merveille entre nous. Ne m'a-t-il pas dit qu'il m'aimerait toujours ? Lorsque je me rappelle son expression à l'exposition, je m'en veux à mort. Je l'ai blessé, or ce n'était pas mon intention. Une vague de mépris envers moi-même me submerge à la vue du désordre de mon intérieur. Je me décide à ramasser un paquet de chips derrière le canapé. Jamais je n'aurais cru conduire un jour ma Mémé à l'autel ! Et puis finalement… Je croyais par ailleurs à mon attachement à Rob, alors que je prenais Max pour un éternel fauché, un raté. Je trouvais mon appart chic et tendance. Je remarque des griffures sur les pieds de la chaise. Je pensais que ce serait chouette d'avoir un chat. À l'évidence, j'ai intérêt à me méfier de mes certitudes.

Mes pas me conduisent à la cuisine. Ça m'horripile qu'il n'y ait jamais de quoi manger chez moi ! Je déniche au fond du frigo un pot de ce qui a pu être du tarama dans une vie antérieure. Une puanteur redoutable émane de sous le couvercle. Je le jette dans un sac poubelle, où je rassemble tout ce dont il faut que je me débarrasse – la litière sale, par exemple. Mon porte-monnaie en poche, je descends mes ordures au rez-de-chaussée et les balance par-dessus les déchets dans la benne malodorante. Je tourne ensuite au coin de la rue, entre au mini-marché, et remplis un panier de café, lait, biscuits secs, carottes, tomates – tout ce qui me tombe sous la main, qui soit digne d'un repas. Il est temps que je grandisse, que j'apprenne à me débrouiller seule. Je choisis du vin, et pas le moins cher, pour une fois, sans oublier du produit nettoyant : un récipient en plastique en forme de canard, dont l'étiquette indique « effervescent – parfum pimenté ». Voilà précisément ce qu'il me faut : un peu d'effervescence et de piment dans ma vie. Quelques éponges à récurer pour compléter le tout et je passe à la caisse.

J'attends qu'une jeune femme aux cheveux plaqués en arrière et au cou tatoué scanne un article après l'autre.

— Quatre-vingt-dix livres vingt, m'annonce-t-elle sans même me regarder.

— Ce n'est pas donné, le produit nettoyant ! protesté-je en proie à un léger malaise.

La caissière mâche son chewing-gum, la bouche ouverte, alors que j'introduis ma carte dans le lecteur, en calculant s'il me reste assez sur mon compte. « Code bon » indique la machine. « Retirez la carte. »

Je monte chez moi mes courses, mets de l'eau à bouillir et me lance dans un nettoyage de fond en comble. Je reprends enfin le dessus : tout va s'arranger. Je fais mon lit et balance dans la cuvette des toilettes une giclée de produit détartrant pimenté. La fumée qui s'élève me pique les yeux. Je maîtrise la situation. Je le retrouverai. Je remplis de nourriture les placards de la cuisine. Je prépare du thé et allume mon ordinateur afin de me connecter sur Facebook. Le groupe « Où est Max ? » compte déjà une centaine de membres ! D'éternels romantiques, pour la plupart, qui me trouvent touchante et me souhaitent bonne chance.

Je consulte ma page : Michael m'invite à ses fiançailles. Comment faire face à La Verrue après mon départ en fanfare de la boîte ? Un inexplicable sentiment de loyauté envers Michael me pousse malgré tout à lui promettre de venir. Je vérifie ma messagerie. Pas de nouvelles de Max. Même dans l'hypothèse où il aurait pris la route et me ferait la tête, il n'est pas exclu qu'il tombe sur mon blog et comprenne à quel point je l'aime. D'un autre côté, il ne connaît rien à Facebook et je ne crois pas qu'il se connectera de nouveau à mon site après ce qui s'est passé. Il faudrait autre chose… de plus marquant. J'appelle Christie. Nous convenons de nous retrouver dans un salon de thé qu'elle connaît.

*
**

Les *whoopies* ont la cote en ce moment. Un présentoir à gâteaux à l'ancienne en propose en vitrine un assortiment aux couleurs pastel. Des toiles cirées à fleurs protègent les tables entourées de chaises en bois aux dossiers en forme de cœur. L'enseigne indique *Au chapelier fou*. Les théières y sont plus grandes que nature. Je repère Christie parmi les clientes – du genre vieilles excentriques retombées en enfance. Elle porte aujourd'hui un pantacourt en denim, un gilet à piécettes, des espadrilles montantes et une espèce de bandeau orange autour de ses cheveux relevés.

— Christie, tu devais arrêter de lire *Vogue*.

— Oh, bonjour ! Comment tu vas ?

Elle lance un baiser dans le vide, de chaque côté de mes joues.

— Au cas où tu ne le saurais pas, Viv, c'est exactement le genre de tenue qu'on voit partout sur les podiums, cette saison. Tu te souviens de mon ami Nigel ?

Je repense à la robe à plumes fichue, celle que je vais rembourser par mensualités le restant de mes jours.

— Figure-toi qu'il organise un défilé à son école. C'est lui qui a conçu ma tenue.

— Sans doute que l'an prochain, je m'habillerai comme toi maintenant, supposé-je en lorgnant le ruban orange dans ses cheveux.

— Qui sait ? En plus aseptisé, alors… En tout cas, les acheteurs des grandes marques de prêt-à-porter assistent tous aux défilés. Quelqu'un de chez Topshop est venu à celui de Nigel. Oh mais attends ! Je vais te chercher un gâteau.

Elle se lève d'un bond. Je la regarde passer commande, or je ne suis pas la seule. Christie a le don d'attirer l'attention, où qu'elle aille. C'est un beau brin de fille, mais il y a autre chose. Elle détonne. Elle surprend. Je me demande s'il existerait un moyen de mettre à profit cet aspect de sa personnalité. Nigel l'a visiblement remarqué : il lui donne ses créations à porter. Les piécettes de son gilet étincellent, tandis qu'elle m'apporte une théière à pois ridicule sur un plateau, en zigzaguant entre les tables.

— Les piécettes de ton gilet… elles devraient délivrer un message.

— « Brille, brille, petite étoile ! »

— Je songeais plus à un message émanant de nous.

— Genre : le nom de notre entreprise ?

— Oui, ou alors « Où est Max ? », histoire d'attirer l'attention sur notre campagne.

— Tu veux que nous portions des gilets de créateur à huit cents livres, ornés de piécettes indiquant « Où est Max ? ». La classe !

— Non… trop tape-à-l'œil.

— Elles sont cousues main.

Christie arrache un fil dépassant de son gilet miroitant, qu'on dirait en écailles de poisson. Mon esprit s'emballe. Je réfléchis à une campagne de grande ampleur : un défilé de mode, des reportages à la télé… le tout sans le moindre financement, bien sûr. Christie nous verse du thé.

— Des t-shirts ? lancé-je.

— Pourquoi pas.

— Barrés du slogan « Où est Max ? » et taillés dans une matière qui brille. Ton pote Nigel pourrait en dessiner, qu'il présenterait dans son défilé.

— Hum. Je me demande s'il accepterait.

— Imagine qu'une marque de prêt-à-porter comme Topshop les diffuse en magasin. Ça donnerait du retentissement à notre campagne.

— Pourquoi Topshop les diffuserait ?

— Tu ne m'as pas dit que ton pote organisait des défilés pour eux ?

— Si mais…

— Topshop se fait fort de promouvoir de nouveaux talents. Non ?

— Je pourrais toujours lui demander.

— Supplie-le Christie. Couche avec lui.

— Il est homo.

— Convainc ton coloc de coucher avec lui.

— Il n'est pas homo, lui.

— Je ne sais pas, moi… trouve quelque chose ! L'idée est trop belle pour y renoncer.

— D'accord.

Elle sort de son sac un bloc-notes Hello Kitty et un crayon assorti. La tête de Kitty s'allume à chaque mot qu'elle écrit. J'en reste baba.

— Joli stylo !

— J'aime beaucoup tout ce qui est papeterie. En particulier la marque Hello Kitty !

Elle plisse le front face à ses notes.

— « Où est Max ? », c'est tout ?

— On pourrait inscrire le nom de notre entreprise au dos des maillots, ou du moins son sigle. T.C.P.R. Le tandem de choc des relations publiques.

Christie plisse le nez.

— Ça sonne comme une M.S.T.

— Bon… Autre chose alors.

Elle referme son carnet, dont elle caresse pensivement la couverture. Nous sirotons du thé. Christie s'attaque à un sablé au citron.

— Il faudrait aussi persuader les journaux du dimanche de parler de notre campagne et du site Internet… Je m'en occupe, lui promets-je.

Je sors mon téléphone, dans l'intention d'en prendre note. En levant les yeux, je remarque un type dans la rue. Mon sang ne fait qu'un tour : grand, les cheveux noirs bouclés, il examine la vitrine de la boutique d'en face. Son jean délavé, ses vieilles bottines… on dirait Max. C'est lui ! Pas de doute. Serait-ce possible ? Je me lève. Oui… Ses larges épaules, sa manière de se camper en écartant les pieds. Bonté divine ! C'est bien lui. Je frappe contre la fenêtre.

— Max ! crié-je. Max !

Je tambourine de plus belle avant de foncer vers la porte en renversant des chaises sur mon passage. Le type se retourne et sourit en prenant par la main une petite fille qui sort de la boutique. Il lance vers moi un regard intrigué. Il hésite à me saluer et renonce, vu qu'il ne me connaît ni d'Ève ni d'Adam. Il s'en va en me laissant plantée là, les mains plaquées sur la vitre à la manière d'un mime.

Je pivote au ralenti en attendant de retrouver l'usage de la parole. J'adresse un signe de tête à la dame en tablier à volants derrière le comptoir.

— Excusez-moi, je… j'avais cru le reconnaître.

Elle esquisse un sourire de commisération pas sincère pour deux sous. Des clientes à une table dans un coin me dévisagent.

— Le spectacle est terminé. Retournez à vos gâteaux ! leur asséné-je.

Je ne me suis pas plus tôt assise que le brouhaha reprend.

— Il faut vraiment qu'on remette la main sur ton Max, admet Christie.

Chapitre 29

Blog : À Max

2 : J'ai cru que c'était toi

Nombre de jours écoulés depuis la dernière fois que je l'ai vu : 26

J'ai cru te reconnaître hier : en fait, je t'ai confondu avec un type dans ton style ; ce qui impliquerait que tu aies un style, alors que nous savons aussi bien l'un que l'autre que ce n'est pas le cas. Disons qu'il avait un petit quelque chose de toi. Je me suis couvert de ridicule dans un salon de thé en criant ton nom. Quand le type s'est retourné et que j'ai compris mon erreur, mon moral est tombé en chute libre.

Il faut que je te voie. Ça te dirait de me retrouver au pub ? Nous commanderons des gin tonics et des chips. Ou autre chose. N'importe ! J'ai envie de tout partager avec toi, même si, pour l'instant, je me contenterais volontiers de t'entendre. Tu ne pourrais pas m'appeler ? Tu ne le croiras pas, mais Mémé va épouser Reggie. Bien entendu, tu es invité à la cérémonie. Samedi, chez Mémé.

Tu sais que « non » n'est pas un mot que je comprends. C'est d'ailleurs ce que tu apprécies chez moi. Figure-toi que j'ai lancé une campagne pour te retrouver. Je sais que ça ressemble à un mauvais mélo, mais il fallait que je prenne une initiative. Histoire que tu saisisses enfin. Tu m'as dit que tu m'aimerais toujours et que ce serait à moi de décider. C'est faux : à toi de décider, Max. Je t'aime.

V. X

PS : Cinq cents personnes te suivent sur Facebook.

Lucy se campe face à un immense miroir à dorures dans une robe bustier de mariée en soie crème. Je la détaille du fond d'un fauteuil, auprès d'une demi-bouteille de champagne gracieusement offerte. Pas si gracieusement que ça, en réalité, vu qu'il a fallu débourser vingt livres pour obtenir un rendez-vous ici. Shania Twain chante *Still the One* en boucle.

— Je croyais que tu allais opter pour un corset et des bas résille blancs.

Lucy se retourne et jette un coup d'œil au miroir par-dessus son épaule. Un ruban de satin maintient le bustier serré dans son dos. Elle soulève ses cheveux en agrandissant les yeux, comme toujours quand elle examine son reflet. Une petite boule en tailleur bleu marine s'empresse autour d'elle en arrangeant les plis de sa jupe.

— Magnifique ! commente Lucy.

— Tu peux le dire. Champagne ?

Lucy s'examine d'un air manifestement satisfait en écartant les bras de son corps à la manière d'une ballerine.

— C'est en quelle matière ?

— De la soie ou du satin, non ?

— Un tissu moiré, en tout cas. Tu dirais que c'est de quelle couleur ? Nacre ? me demande-t-elle en lissant la jupe.

— Nacre ? Pour ne pas dire beigeasse, quoi.

— Hé ! C'est quoi, ton problème ? relève Lucy en fronçant les sourcils, toujours face au miroir.

— Je n'ai aucun problème, merci. Et ton tutu ?

Petite boule apporte un diadème en perles et un voile. Lucy se penche, le temps de l'ajuster. Un pan de dentelle amidonnée entoure à présent sa tête, tel un parapluie mal fermé. Lucy le frôle du bout des doigts. Petite boule grimpe sur un escabeau moquetté pour arranger le voile devant le visage de Lucy, qui s'approche du miroir… et contraint du même coup Petite boule à faire bouffer la jupe de plus belle.

— Pardon mais vous n'auriez pas de diadème qui brille un peu plus ?

Petite boule s'éloigne en trottinant sur la moquette rose.

— Tu penses qu'il n'en jette pas assez ? m'interroge Lucy.

— Oh si ! Je voulais seulement me débarrasser de la vendeuse. Ça doit l'épuiser, tant de jupes à faire bouffer.

Lucy plisse les yeux sous son voile.

— Tu me vois ? lui demandé-je.

— Hé ! Il y a des perles cousues dessus.

— En nacre ?

— 'chais pas. Il est magnifique, n'empêche. Il te plaît ?

— Ils ne vendent pas de corsets de mariée, ici ?

— Viv ! Lâche-moi la grappe avec ce foutu corset !

— Hé ! Où est passée la Lucy que je connais ?

— J'étais complètement soûle, quand j'ai lancé l'idée. Tu ne crois quand même pas que Reuben va m'épouser en caleçon ?

— 'chais pas. Je ne le connais pas plus que ça. En tout cas, moi, je me suis acheté une culotte et des bottes.

Lucy ne peut se retenir de rire.

— Ah ! Ôte-moi ce truc de la tête, tu veux bien ?

Quand elle revient, Petite boule me surprend en pleine tentative d'extraction du diadème de Lucy, en équilibre sur l'escabeau moquetté. Heureusement, elle prend le relais. Lucy s'énerve et s'empourpre… et voilà ses mèches qui rebiquent dans tous les sens.

— Viv, tu ne pourrais pas garder ton sérieux, cinq minutes ? Je comprends que ce soit pénible pour toi de te retrouver ici, après que tu t'es fait larguer…

Je lance un coup d'œil en coin à Petite boule, à la mine satisfaite.

Mais oublie-toi un peu. Tu es censée m'aider.

Lucy semble au bord des larmes, à tel point que je m'en veux.

— Excuse-moi. Il ne faut pas s'attendre à mieux de la part d'une vieille fille ! Disons que je ne me sens pas ici dans mon milieu naturel.

— Comme si je ne le savais pas déjà que tu vas finir seule dans ton coin !

— Ça va : baisse d'un ton.

— Tu ne pourrais pas cesser de t'apitoyer sur ton sort, une demi-heure ? J'aimerais vraiment ton avis.

Je m'extirpe du fauteuil et me poste auprès d'elle.

— Vraiment ?

Au fond, cela me flatte qu'elle se soucie de mon opinion. Dans un moment de déprime, j'ai craint qu'elle ne m'ait invitée que pour m'enfoncer.

— Pourquoi crois-tu que je t'aie demandé de venir ?

— Je trouve la robe fabuleuse, à condition que tu ébouriffes tes cheveux. Sinon, ça fera trop « guindé ». Au cas où tu opterais pour le voile, je te conseillerais une tenue plus « rock'n'roll ».

Lucy repousse ses cheveux.

— Tu as raison.

Elle se tourne à moitié pour s'inspecter.

— Et quand tu as raison, tu as raison.

Je la détaille de la tête aux pieds en hochant la tête.

— Tu es superbe. Sexy, mais d'un air de ne pas y toucher. Comme si ça te venait naturellement.

— C'est *la* robe qu'il me fallait, hein ?

— Je crois bien que oui.

Ses yeux s'embuent.

— Oh là, là ! J'ai enfin trouvé ma robe !

Flairant une vente, Petite boule accourt pour masquer d'une main les yeux de Lucy.

— Imaginez-vous le matin de votre mariage… commence-t-elle, d'un air de nous raconter un conte. Le plus beau jour de votre vie ! Vous voilà parée, coiffée, maquillée, parfumée.

À ces mots, elle vaporise je ne sais quoi sous le nez de Lucy et poursuit :

— Un splendide bouquet à la main, vous vous apprêtez à franchir le seuil de l'église.

Remarquant dans le miroir ma mâchoire décrochée, je retourne au fauteuil finir le champagne.

— Devant l'autel vous attend votre futur mari. Impatient de vous épouser, il jette un coup d'œil dans son dos et que voit-il ?

Elle écarte sa main, comme si elle esquissait une courbette. Lucy se mire, abasourdie.

— Je la prends, lâche-t-elle dans un souffle.

Et voilà ! Délestée de deux mille livres, Lucy est à présent l'heureuse propriétaire d'une magnifique robe de mariée Vera Wang.

*
**

— Ça te dirait, un cocktail ? me propose Lucy. Il faut fêter ma robe ! Le bar d'en face a le comptoir le plus long de Londres.

Je me demande en quoi il y a lieu de s'en prévaloir.

— Ils servent des margaritas à la pastèque ! ajoute-t-elle, comme si je ne rêvais de rien d'autre, depuis que je suis au monde.

— Allons-y ! lui dis-je en glissant mon bras sous le sien.

Nous prenons place à l'extrémité d'un interminable comptoir en métal, dans une salle tout en lambris, meublée de fauteuils en cuir capitonnés. Le barman place sur une serviette argentée nos cocktails aussi savamment présentés qu'une œuvre d'art.

— Tu imagines la petite annonce, pour recruter le personnel ? Tous ceux qui bossent ici sont beaux à tomber. « Recherche anciens mannequins chargés de servir à boire derrière un comptoir d'une longueur exceptionnelle. Sourire facultatif. »

— « Notions de préparation de cocktail exigées. »

— Ça, c'est ce qui devait figurer sur la fiche de poste.

— Je m'en doute.

J'examine Lucy un moment et décide de changer de sujet.

— Que va penser Reuben de ta robe ?

— Oh, il l'adorera.

— Vous laissez tomber la thématique érotique, alors ?

— Non ! mais ce sera plus subtil que ce que nous envisagions, l'autre soir.

— Genre ? Une pièce montée en forme de phallus ?

— Tout à fait ! renchérit-elle en riant.

— Et des slips barrés de slogans culottés ? Ça t'inspire ?

— Oui, bonne idée ! Barnes and Worth en vend ?

— Non, mais je pourrais t'en dégoter.

— Quel genre de slogans ?

— Ce qui te chante. Tu n'auras qu'à les glisser parmi des accessoires de cotillon sur le thème de l'érotisme. En remplaçant l'histoire drôle de rigueur par une position à expérimenter.

— Il suffirait de substituer un slip au chapeau, et pourquoi pas d'ajouter du lubrifiant.

— Ou une capote fantaisie.

— Ou un gadget érotique.

Nous rions de bon cœur en sirotant nos margaritas. L'idée me vient de lancer sur le marché des accessoires de cotillon olé olé. Un premier projet pour le tandem de choc des relations publiques ? Le mariage de Lucy nous servirait de terrain d'expérimentation.

— Il faudrait un truc qui évoque l'amour… des sachets de biscuits contenant un message ou des bonbons en forme de cœur.

— L'amour, oui ! s'emballe Lucy. Bonne idée ! Des confettis découpés en cœur ?

— J'achète !

Je réfléchis aux fournisseurs et aux coûts de fabrication, en évaluant le prix d'un produit de ce type. Je me rends soudain compte que je n'ai pas écouté ce que vient de dire Lucy.

— … tu es d'accord ? conclut-elle.

— Bien sûr ! lui réponds-je en souriant.

— Alors trinquons !

Nous heurtons nos verres. Je vide le mien en proie à un léger malaise et remarque une horloge numérique géante au mur. Déjà huit heures ! Je devais assister aux fiançailles de Michael à l'autre bout de la ville à sept heures. Et si je n'y allais pas ? Lucy prend connaissance d'un texto sur son Blackberry.

— Reuben va nous rejoindre, m'annonce-t-elle en souriant.

Comme souvent, je me fais la réflexion qu'elle est vraiment jolie.

— Motus et bouche cousue, au sujet de la robe.

— Compte sur moi. De toute façon, je vais devoir vous laisser. Je suis attendue à des fiançailles… quelqu'un du boulot.

*
**

On accède au *Gaga Bar* par la dernière porte au fond d'une impasse de Soho. Autant dire que c'est le genre d'endroit où il faut convenir d'un signal au préalable pour qu'on vous ouvre. Ce soir, la salle est à moitié vide. Des spots mauves au sol éclairent Michael, accoudé au comptoir. Une banderole pendouille au-dessus d'une minuscule piste de danse. « Bravo M & M ! »

Quelque chose ne va pas. Pourquoi n'y a-t-il pas de musique ? Où est La Verrue ? Quelques invités se groupent autour des amuse-gueule sur les tables. J'identifie les amis de Michael à leur tenue de figurants dans *La Nuit des morts-vivants*. Ils se retournent sur moi, à mon approche. Michael, lui, ne me prête aucune attention. Je pose devant lui mon cadeau de fiançailles.

— Félicitations !

Il fait alors volte-face en me menaçant d'une prise de judo.

— Fous le camp ! Ah, c'est toi, se radoucit-il avant de se tasser de nouveau sur lui-même.

J'attends des explications, qui n'arrivent pas. Je m'installe sur un tabouret.

— Ça va ?

Il joint l'extrémité de ses doigts et secoue la tête au ralenti.

— À ce point-là ? Je t'offre un verre ?

— Le bar est à volonté, m'informe-t-il avant de jeter un coup d'œil à sa montre en plastique digitale. Jusqu'à neuf heures.

Je réclame un verre de vin blanc à une serveuse blonde platine, à la coupe au carré asymétrique.

— Sympa, comme endroit.

Michael lance un coup d'œil de côté. Il semblerait que tout le monde s'en aille. Il se redresse soudain en oscillant avant de se raccrocher au comptoir et entreprend de déballer mon paquet aussi impatiemment qu'un gamin. Une boîte en carton apparaît. Michael ricane dans sa barbe avant d'en sortir un petit âne en métal chargé de deux paniers, qu'il place sur le comptoir.

— C'est une salière : le sel d'un côté, le poivre de l'autre.

— Putain, c'est pas croyable !

— Je suis contente que mon cadeau te plaise.

Il se tourne pour me fixer de son regard hébété par l'alcool.

— De quoi tu causes ?

— Tu es sûr que ça va, Michael ?

— Elle ne viendra pas. Elle m'a quitté.

Il se mordille la lèvre en clignant des yeux.

— Oh. Navrée.

— C'est pas de ta faute.

Des chaises raclent le sol. Les derniers invités gagnent la sortie.

— Allez, courage ! lance l'un d'eux.

Michael lève la main sans se retourner mais, sitôt la porte refermée, il pivote sur son tabouret et lance l'âne contre le béton.

— Merci d'être venue.

— Ouais, bien parlé. Il a eu son compte, estime la serveuse.

— Le bar est à volonté !

— Plus maintenant. Plus quand on lance des trucs sur les murs. Il serait temps de partir.

— Quoi ? J'arrose mes fiançailles !

— Allez, pas de vagues…

— Je vais le ramener chez lui. Accordez-nous une minute, d'accord ?

Michael pose le front sur le comptoir. La serveuse le considère d'un air tellement écœuré, que j'en viens à prier pour le jour où son cœur platine se brisera en mille morceaux.

— Michael ? Michael ?

Il tourne la tête de mon côté, les yeux fermés.

— Je t'aime, marmonne-t-il.

— Si tu rentrais, hein ?

— Hum ?

— Allons-y !

Je le saisis par le coude. Il entreprend de se lever et me passe les bras autour du cou.

— Tu danses, Marion ?

— Michael, c'est moi : Vivienne.

Il soulève une paupière.

— Danse avec moi ! me supplie-t-il en me traînant vers la piste. Toi, mets-nous de la musique ! ajoute-t-il à l'intention de la servuse, qui lève les yeux au ciel avant de nous passer une chanson de Herb Alpert, dont la voix résonne dans la salle vide.

— Tu vois ce type ? Il est amoureux de toi.

Nous esquissons un début de cercle pendant que la serveuse ferme la boutique.

— Elle adore ce morceau. Marion !

— Allons-y. Tu as déjà mangé ?

Je parviens enfin à le traîner jusqu'à la porte.

— Attends !

Il se baisse pour ramasser l'âne. Je le pousse dehors. L'air frais nous gifle le visage.

— Marion… Marion… répète-t-il à n'en plus finir.

Nous gagnons une avenue passante.

— Je vais t'appeler un taxi.

Je lève un bras, dès que j'en avise un, mais un coup d'œil du chauffeur à Michael, pas très ferme sur ses jambes, le dissuade de s'arrêter. Michael s'avance sur la chaussée, dans l'intention d'en héler un autre. Je le ramène de force sur le trottoir, où il sanglote sans bruit en se raccrochant à l'âne.

— Ne pleure pas, Michael, le consolé-je en le serrant contre moi.

— Elle m'a plaqué.

— Tu me l'as déjà dit.

— Elle ne veut pas m'épouser.

— Tu n'en sais rien. Elle a peut-être le trac à l'idée de passer devant monsieur le maire ?

— Elle m'a envoyé un texto. Tu veux que je te le montre ?

— Non, merci.

— Je me suis fait larguer par SMS ! crie-t-il à un groupe de passantes ; ce qui leur arrache un gloussement.

Il se met alors à geindre lamentablement.

— Allez, Michael, reprends-toi ! Mieux vaudrait rentrer chez toi, maintenant, lui conseillé-je en passant un bras autour de ses épaules.

— Elle est partie.

— Je sais.

— Elle est partie, répète-t-il en pleurant à chaudes larmes. Ma Marion.

— Allez ! Je sais ce qu'on ressent, dans ces moments-là, mais ça ira.

— Il ne me reste plus rien, sanglote-t-il. Plus rien, hormis cet âne à la con.

Il me vient à l'esprit que mon cadeau a peut-être été la goutte d'eau qui a fait déborder le vase. Planté auprès de moi sous le vent, Michael chiale de plus belle, alors que je le retiens de s'effondrer en tentant d'arrêter un taxi.

Un chauffeur finit par s'arrêter devant nous. Je lui glisse un billet, en lui demandant de reconduire Michael chez lui. Celui-ci trébuche, au moment de se hisser sur la banquette arrière, et se raccroche à la portière.

— Vivienne, tu ne voudrais pas… me tenir compagnie cette nuit, lâche-t-il en m'invitant d'un geste à monter.

— Non, Michael.

Il tourne vers moi ses joues baignées de larmes.

— Merci pour ta proposition, mais non. Ça ne me paraît pas une bonne idée. Bonne nuit, conclus-je.

Il hoche la tête et se vautre sur le siège arrière. Je fixe des yeux son catogan qui disparaît au coin de la rue, en songeant que la chanson dit vrai : tout le monde souffre, un jour ou l'autre.

Chapitre 30

Blog : À Max

3. Les ruptures des autres

Nombre de jours écoulés depuis la dernière fois que je t'ai vu : 27

Je commence à me demander si le mariage ne réussit pas qu'à tout compliquer. Je reconnais qu'il ne m'est pas évident de le voir sous un tel angle, moi qui me suis déjà acheté trois robes de mariée – sans parler de mon abonnement de trois ans au magazine Mariage. Franchement, qui nous a mis en tête qu'il était légitime de s'attendre à ce que quelqu'un s'engage à passer le restant de ses jours auprès de nous et que nous devions vendre notre âme en échange d'une cérémonie idyllique où tout le monde sera témoin de notre engagement à passer le restant de nos jours auprès de quelqu'un d'autre ? Pourquoi ne pas tout simplement aimer jusqu'à ce que l'amour s'étiole ? jusqu'à ce que l'élu de notre cœur soit emporté par la mort ou un prof de gym ? Pardon. Ce que j'écris ne paraît sans doute pas très cohérent, mais je viens de passer une rude soirée. Je t'aime, ce n'est pas plus compliqué que ça, et je ne tiens pas à ce que nous en fassions un cirque.

V. X

PS : Déjà huit cents personnes te suivent sur Facebook.

C'est aujourd'hui le 30 août : le mariage de Mémé. Je me réveille dans mon petit lit d'enfant. Mes posters de Take That ont disparu de ma chambre mais pas ma collection d'animaux en terre cuite. Je raffole de l'écureuil. J'enfile les mêmes jean et t-shirt qu'hier et ouvre la fenêtre. Le ciel bleu nappé d'un soupçon de brume annonce une magnifique journée, que le soleil ne va pas tarder à réchauffer. Une camionnette stationne dans l'allée : « Le traiteur des grands jours ». À la cuisine, je tombe sur une petite dame en pantacourt blanc et chemise rayée au col relevé, en train de s'affairer en donnant des ordres. Je me prépare du café, en la gênant malgré moi dans ses mouvements.

— Les pilons de poulet, Dominic ! rappelle-t-elle, en roulant des yeux, à un ado dégingandé. Mon fils, précise-t-elle, lorsqu'elle surprend mon sourire.

— Vous me paraissez bien jeune pour avoir un aussi grand garçon, lui dis-je, histoire de me montrer gentille.

Quel âge peut-elle bien avoir ? Quarante-cinq ans ?

— J'ai trente-sept ans.

Doux Jésus ! Elle n'a que cinq ans de plus que moi et, déjà, un fils de cette taille ! Un examen plus attentif me révèle que le temps ne l'a pas épargnée. Elle a des poches sous les yeux encore plus marquées que les miennes. Je m'aperçois, à son attitude, qu'elle s'attendait à un commentaire de ma part.

— Vous ne les faites pas ! lancé-je, sur un ton que j'espère amical, avant d'emporter mon café au jardin.

Je suppose que c'est moi qui ne me conforme pas aux normes. Célibataire sans enfants à trente-deux ans. Je ne suis pas comme tout le monde. Je m'approche de la statue, au beau milieu de la pelouse, et songe à ma mère, qui m'a eue à dix-sept ans. Courageux de sa part ! même si elle n'a pas assumé ses responsabilités jusqu'au bout. Avoir une mère aussi jeune m'a sans doute causé du tort, dans un sens ou un autre. Qui sait si, inconsciemment, je ne repousse pas l'amour ? Je parierais que je l'ai lu dans *Trouvez votre voie – Libérez-vous*. Je touche les ailes de l'ange. Aux dernières nouvelles, ma mère sillonnait l'Amérique du Sud. Elle ne viendra donc pas aujourd'hui. Un soulagement ! Elle ne réussirait qu'à provoquer une scène en gâchant tout, telle une méchante fée au berceau d'une princesse. Je sirote mon café, quand je me sens tout à coup encline à plus de clémence. Que connaissait-elle de la vie, à dix-sept ans ? Et moi ? Et les autres ? Qu'est-ce que nous en savons tous ? Peu importe notre âge !

Je me tourne vers la maison. Des sièges ont été disposés sur la terrasse ; de banales chaises en bois, au dossier orné d'un ruban de satin, comme convenu. Je me faufile entre elles jusqu'à la treille. J'ai demandé au fleuriste de livrer des roses, en plus du bouquet de Mémé. Je compte lui réserver la surprise d'en décorer sa chaise roulante, mais il faudrait pour cela qu'elle la quitte un instant. Je lève les yeux vers la maison baignée de soleil. Un chèvrefeuille grimpe le long de la façade décrépite, qui ne manque pourtant pas de charme. Mémé apparaît dans l'encadrement d'une fenêtre à l'étage.

— Bonjour ! la salué-je.

Elle me répond d'un geste de la main.

— Les tables sont arrivées ? s'enquiert-elle.

— Pas encore. Le traiteur est en plein préparatifs.

— Il faudrait les dresser sous les pommiers.

— Il n'est que neuf heures.

— Je ne peux m'occuper de rien dans ma chaise.

— Ne bouge pas, j'arrive !

Je traverse la cuisine, où flotte un fumet de poulet rôti à l'ail, et gravis l'escalier en colimaçon.

La moquette d'un rose fané est usée jusqu'à la trame sur l'arête des marches. Je trouve Mémé dans sa salle de bains, en train d'essayer de placer la bonde dans la baignoire, du fond de son fauteuil roulant.

— Laisse-moi t'aider.

— Mince ! Même sur mes béquilles, je n'y arriverai pas : impossible de me baisser.

Je lui donne un coup de main et tourne les robinets.

— Tu veux bien verser un peu d'huile de bain ? me prie-t-elle.

Je me sers du flacon qu'elle me tend. Un suave parfum de sous-bois emplit la pièce.

— Quelle journée splendide pour se marier ! m'exclamé-je en amenant Mémé devant le miroir.

— Oui, mais tu as vu la mariée ? Une petite vieille rachitique en fauteuil roulant.

— Ne dis pas ça !

Je lui brosse les cheveux et les enroule sur des bigoudis.

— Aïe ! Tu tires trop fort.

— Pardon, m'excusé-je en la voyant grimacer.

— Je ne veux pas qu'ils bouffent trop à l'arrière : je n'ai pas envie de ressembler à une retraitée lors d'un voyage en autocar.

— Ne t'inquiète pas : tu auras l'air belle comme tout.

— Avant, en y mettant du mien, j'arrivais à *être* belle et pas seulement à en avoir l'air, mais ce temps-là est révolu.

— Tu seras toujours ravissante : il n'y a qu'à voir l'ossature de ton visage.

— Tu ne crains pas que je donne l'impression d'en faire trop, avec ma tenue ?

Je considère la robe, sur un cintre accroché à la porte de la penderie. Longue et d'une coupe toute simple, couleur perle, à manches trois-quarts. Rien à redire !

— Mais non ! Qu'est-ce que tu racontes ?

— Tu ne crois pas que j'ai passé l'âge de porter ce genre de vêtement ?

— Non. Pourquoi doutes-tu de toi, tout d'un coup ?

— Je me sens nerveuse… et ça me rend dingue de ne pas pouvoir me déplacer comme je veux. Je déteste cette saleté de chaise !

Des larmes lui montent aux yeux. Je repose un bigoudi pour placer une main sur son épaule.

— Je sais que ce n'est pas logique, vu que je vais épouser Reggie, mais j'aurais tant voulu que ton grand-père soit là ! m'avoue-t-elle d'une voix qui se brise.

— Je comprends.

— Je pensais que l'envie finirait par me passer, de partager avec lui mes joies et mes peines.

Je m'assieds auprès d'elle et lui prends la main.

— J'ai accepté sa disparition. J'ai même fini par m'en remettre. Seulement, il arrive que ça me sorte de l'esprit : je lui prépare une tasse de thé ou je me promets de lui parler d'une chose ou d'une autre. Quel choc, alors, quand je me rappelle qu'il n'est plus là !

Elle s'interrompt pour se moucher. Je lui presse la main en refoulant mes larmes. Jusqu'à présent, elle n'avait pas abordé le sujet devant moi. La dernière chose dont elle ait besoin, c'est que je me mette à chialer. Hélas ! rien ne lui échappe.

— Ne commence pas ! me reproche-t-elle.

— C'est plus fort que moi.

Nous voilà en train de pleurer comme des enfants perdus.

— Tu sais, le matin, au réveil, les vieilles habitudes reprennent le dessus : j'étais tellement programmée pour vivre avec lui que je m'imagine qu'il est encore là. Il faut un événement qui sorte de la routine pour me rappeler à la réalité.

— Ton remariage, par exemple ?

— Oui ! me confirme-t-elle en riant.

Elle s'essuie les yeux. Nous échangeons un regard.

— Il te rend heureuse, Reggie ?

— Oui.

— Tant mieux : je tiens à te voir heureuse. Grand-père aussi aurait été de mon avis.

— Je sais.

Mémé se penche vers moi et me serre contre elle en inspirant, le nez dans mes cheveux. Je la sens se ressaisir : quand elle lève de nouveau les yeux sur moi, il ne reste plus aucune trace de vulnérabilité dans son attitude.

— Enfin ! Je n'ai pas à me plaindre. Mais toi, Vivienne ? Où est Max ?

Entendre son nom me procure à chaque fois un frisson.

— Là est la question.

— C'est ce que j'ai lu.

Lu ?

— Dans le journal, m'explique-t-elle en indiquant sa table de chevet. Ton intervention sur Facebook a eu du retentissement.

Un entrefilet attire mon attention dans le quotidien ouvert en page 7. « Une amoureuse se sert de Facebook pour retrouver l'homme de sa vie » indique la manchette. Dessous apparaît une photo de Max me tenant par le bras au mariage de Jane, plus un extrait de mon blog. Je lis à voix haute :

— *La recherche de Max Kelly a créé le buzz en Australie et même au Mexique. Le groupe « Où est Max ? » compte à présent dix mille membres.* Waouh !

— J'ai été surprise, de te reconnaître dans le journal.

— Moi aussi, ça m'étonne qu'on y parle de moi. Je n'étais pas au courant.

Mémé attend une explication.

— Je me suis lancée dans une sorte de campagne pour retrouver Max. J'ai rédigé un communiqué de presse, mais je n'aurais pas cru que les journaux s'en feraient aussi rapidement le relais.

Voir mon histoire imprimée me donne un coup de fouet. Dix mille membres ! Et les médias qui s'en mêlent… On va le retrouver, Max ! Il mesurera la force de mon amour et nous n'aurons plus qu'à nous balader, main dans la main, face au soleil couchant.

— Une campagne ? relève Mémé en souriant.

— Plusieurs chroniqueurs m'ont promis de parler de mon site dans un supplément du dimanche et je leur ai touché un mot de Max. J'ai aussi demandé à un créateur de mode de concevoir des t-shirts indiquant « Où est Max ? ». Si tout va bien, Topshop en vendra bientôt.

— Topshop ? Rien que ça ? Tu crois que ça lui plaira, tout ce battage ? Et s'il était tout bonnement parti en vacances ?

— Nous avons couché ensemble.

— Ça, je l'avais deviné.

— Il m'a déclaré sa flamme, mais je me suis pointée au vernissage de son exposition au bras de Rob.

— Oh là ! J'en ai manqué, des rebondissements, à l'hôpital !

— Mémé, je l'aime. Si tu savais à quel point ! Il s'imagine que je l'ai trahi, et pourtant non. Et là, il a disparu. Il faut que je le retrouve. Voilà ce qui m'est venu à l'idée, conclus-je en agitant le journal.

Mémé hoche la tête, comme si je venais de monter un spectacle de marionnettes, l'année de mes six ans.

— Quoi ? m'impatienté-je.

— Rien. Tu prends tout tellement à cœur ! En un sens, je t'admire.

— Je n'ai pourtant pas le sentiment d'en faire trop.

— La plupart des gens acceptent leur sort et se résignent. Pas toi ! Toujours en quête de je ne sais quoi… Déjà, petite, tu n'aspirais qu'à changer le monde… commente-t-elle, à moitié pour elle-même.

Ses paroles me vont droit au cœur.

— Je finirai bien par trouver ce que je cherche.

— À moins que tu ne renonces à chercher pour te laisser trouver.

Un silence s'installe.

— Ça m'étonnerait ! conclus-je en riant pour ne pas que Mémé s'appesantisse sur mon cas. Mais assez parlé de moi ! Tu ne devais pas te marier, aujourd'hui ?

Elle tourne vers moi son visage souriant, auréolé de bigoudis.

— Je crois bien que si.

Je la reconduis à la baignoire. Une gêne s'installe, au moment de l'aider à entrer dans l'eau. Qui m'aurait dit que je verrais un jour ma Mémé nue ! Elle se retient à mon cou, tandis que je lui ôte sa chemise de nuit, à la dernière minute, en évitant de poser les yeux sur les os de son bassin et ses omoplates saillantes. Lorsqu'elle disparaît enfin sous la mousse, je ne me sens pas moins soulagée qu'elle.

— Je vais m'assurer que tout avance comme prévu, lui annoncé-je avant de filer.

De retour à sa chambre, je siffle une gorgée de champagne et relis l'entrefilet dans le journal. Mémé a-t-elle raison de penser que je prends tout trop à cœur ? Et si j'en faisais trop en me démenant pour retrouver Max ? Je me plonge dans son regard pétillant sur la photo. Je ne vois pas ce que je pourrais faire de mieux que de le chercher. Je ne vais quand même pas rester les bras croisés, au risque de le regretter le restant de mes jours !

— Viv ? m'appelle Mémé depuis la salle de bains. Tu veux bien aller voir si les tables sont arrivées ?

— D'accord.

Je retourne à ma chambre, en poussant devant moi la chaise roulante, afin de la couvrir de roses et de rubans, pendant que Mémé fait sa toilette.

Chapitre 31

Blog : À Max

4. Le mariage de Mémé

Nombre de jours écoulés depuis la dernière fois que je t'ai vu : 28

Tu te rappelles, quand tu as fait semblant de m'épouser ? Je reconnais que tu venais de rouler ton premier joint en y fourrant tout ton sachet d'herbe, et que tu pestais contre l'agrafe au bout mais, à mon avis, ça compte quand même. L'anneau de cannette de bière en guise d'alliance ? Le petit-déjeuner de noces à base de fish and chips ? La lune de miel d'un jour dans la banlieue de Manchester ? Je regrette à présent de ne pas t'avoir laissé m'embrasser sur le traversier.

Que te dire ? Aujourd'hui, j'ai conduit Mémé à l'autel : elle a épousé « Reggie le voisin d'à côté ». Je n'y vois aucune objection : il la rend heureuse. J'ai quand même eu les larmes aux yeux, quand ils ont échangé leurs consentements et qu'elle a dit « Aie chaque jour l'assurance que je t'aime ». Là, j'ai craqué. Tu ne trouves pas ça merveilleux, comme engagement ? Après le vin d'honneur, elle a prononcé un discours sur l'amour, et porté un toast à Grand-père. Tout le monde pleurait. Des musiciens sont venus jouer du jazz. Nous avons eu droit à un gâteau à la noix de coco, et du champagne à volonté. Ça, au moins, ça t'aurait plu. En résumé : une journée idéale, sauf que tu n'étais pas là.

Demain matin, Mémé part avec Reggie en Espagne pour quelques semaines. Je lui ai demandé d'ouvrir l'œil. Ça ne m'étonnerait pas qu'en ce moment même, tu flânes sur une plaza et que tu fasses ton intéressant en commandant en terrasse un café solo dans une minuscule tasse. Je parierais que tu lis du Sartre. À moins que tu n'en sois réduit à peindre le portrait de touristes pour survivre. En tout cas, ce n'est pas sympa de disparaître.

Tu ne pourrais pas revenir ? Tu me manques, Max.

V. X

PS : Trois mille personnes te suivent à présent.

— Allô ?

— Mademoiselle Summers ?

— C'est moi. Bon sang ! Quelle heure est-il ?

— Bonjour, je me présente : Ruby North. Je travaille pour Radio Amour.

Je me redresse dans mon lit : il fait jour, dehors.

— B'jour.

— Vos tentatives de retrouver Max Kelly ont retenu mon attention.

— Oh.

— Je viens de parcourir un article de *Lire Dimanche,* où il est question de vous, et je pense que votre histoire pourrait intéresser nos auditeurs.

Lire dimanche ? Je cherche à tâtons mon portable sur ma table de chevet. Huit heures du matin. Et nous sommes bien dimanche. Comment se fait-il que tout le monde me coure après ?

— Je m'excuse de vous appeler aussi tôt, mais votre téléphone ne va probablement pas cesser de sonner aujourd'hui, or je tenais à convenir avec vous d'une date pour une interview sur notre antenne.

— Une interview ?

— Oui, quelques questions à propos de Max. Dans le cadre d'une spéciale « amour perdu ». Vous l'avez retrouvé, à propos ?

— Non.

— Ah ! Bonne chance, alors. Accepteriez-vous d'en parler à nos auditeurs, dans nos studios ?

Les battements de mon cœur s'accélèrent, sous le coup d'une montée d'adrénaline. Je suppose qu'aucune publicité n'est à négliger. Sans compter que la radio est diffusée dans toutes sortes d'endroits. Si Max tombe sur l'émission par hasard, j'aurai en quelque sorte l'occasion de lui parler.

— D'accord.

— Super.

Je note : Radio Amour, allée du Cœur, à Battersea, demain, à une heure, Ruby North, et je raccroche. Mince alors ! Dans quoi ai-je mis les pieds ? Je me lève et enfile des vêtements qui traînaient par terre ; un jean et un t-shirt, sur lequel Dave s'est pelotonné, à en juger par les poils de chat qui y adhèrent. Je sors mes lunettes de soleil et cours acheter le journal.

Dix minutes plus tard, me voilà de retour chez moi, une tasse de café à la main et, dans l'autre, un exemplaire de *Lire dimanche*. Je l'ouvre à la chronique de Donna Hayes – une double page, intitulée cette semaine : « Le triste sort des cœurs brisés ». Sous le titre apparaît une photo de Donna, les cheveux dans le vent, plus jolie qu'en réalité. Voici ce que je lis :

On se sent bien seul, quand on vient de se faire plaquer et qu'on en a le cœur brisé. Les amis et la famille se détournent, les collègues prennent la fuite et les invitations se tarissent. Il ne faut pas se voiler la face : personne n'apprécie les malchanceux en amour. Où trouver du réconfort quand, après des semaines, des mois, voire des années, on ne peut repenser à son ex sans fondre en larmes ? La possibilité existe de se documenter sur le sujet, de prendre des cours d'estime de soi et même de chasser son ex de ses souvenirs par une séance d'hypnose (voir carnet d'adresses). Pour le moment, je conseillerais plutôt cœurs-brisés.com ; un refuge pour ceux qui souffrent de leur solitude. On peut s'y lamenter sur son sort auprès d'autres déçus de l'amour, participer à des discussions de groupe, prendre connaissance d'histoires vraies à faire dresser les cheveux sur la tête ou obtenir des conseils sur l'art et la manière d'épiler son minou. Plus un club qu'une simple adresse Internet, cœurs-brisés.com vous remontera le moral à coup sûr et, si c'est vous qui avez plaqué votre ex, évacuez votre culpabilité en vantant ses mérites à la rubrique « Mon ex de retour sur le marché du célibataire ». Le site est ludique, d'utilisation facile et, surtout, porteur d'espoir. Psst ! Si vous aimez les contes de fée, jetez un coup d'œil au blog que la créatrice de cœurs-brisés.com, Vivienne Summers, a dédié à son amour perdu, ou rejoignez le groupe « Où est Max ? » sur Facebook. Des milliers d'internautes en sont déjà membres.

Un bon point pour Donna Hayes. Elle a tenu sa promesse. Mince, tout de même ! Je n'en reviens pas. Mon site et mon blog, dans la presse nationale ! Je me connecte à Facebook. « Où est Max ? » compte à présent dix-sept mille membres. Voilà qui prend de l'ampleur ! Mon portable se met à vibrer sur ma table de nuit. Christie.

— Tu as vu le journal ? lui demandé-je.

— Lequel ?

— *Lire dimanche*. On y parle de moi. Ou plutôt de mon site, mais mon nom apparaît dans l'article, en relation avec la campagne « Où est Max ? ».

— Ah ? Je ne l'ai pas lu.

— Excuse-moi. Je croyais que c'était la raison de ton appel.

— Non.

Un long silence s'installe. Si je ne l'entendais pas respirer, je croirais que la communication a été coupée.

— Que puis-je pour toi, en ce radieux matin, Christie ?

— Je voulais te dire que Nigel a dessiné deux modèles de t-shirts, et en a fabriqué quelques-uns.

— Super ! Il veut bien nous aider, alors ?

— Oui, oui, me répond-elle d'une voix lointaine.

— Bon et… il faut choisir un des deux modèles ?

— Non.

J'attends une explication, qui ne vient pas.

— Christie ? Ça va ?

— Oui, je suis en train de poser du vernis à ongles sur mes doigts de pieds.

— Pour en revenir aux t-shirts ?

— Nigel en a dessiné deux ; il y en a un qui me plaisait bien, mais ses potes du milieu de la mode ont tous décidé de porter l'autre.

— À quoi il ressemble ?

— Je suis vraiment navrée, Viv ; Nigel est imbuvable, par moments. Figure-toi qu'il a rédigé le message en français.

— En français ?

— Je sais. Désolée ! Sans compter qu'il ne s'est pas éreinté : il a tout bonnement inscrit « *Où est Max ?* » en majuscules noires sur un t-shirt blanc. Je ne pense pas que ça te plaira. Sur l'autre modèle, plus élaboré, le message figurait dans une langue parlée dans ce pays. Quoi qu'il en soit, Nigel est pote avec Betty George. Tu vois qui c'est ? Une mannequin.

— Betty George ?

La coqueluche des médias, aux cheveux ultra-courts, aux jambes interminables et à la moue boudeuse ?

— Cet abruti de Nigel lui en a filé un, et un paparazzi l'a prise en photo avec. Il va falloir opter pour ce modèle-là, du coup.

— Betty George a été photographiée dans un t-shirt « *Où est Max ?* » ?

— Oui. Je regrette que tu n'aies pas eu le temps de donner ton avis.

— C'est génial ! Qui a publié la photo ?

— Le *Post*.

— Je te rappelle.

Oh mon Dieu ! Oh mon Dieu ! Je sors en courant me procurer le *Post*. Betty George, rien que ça !

C'est fou ! La voilà bras dessus bras dessous avec une créature sublime, uniquement vêtue d'un t-shirt barré du prénom de mon amour – et d'une ceinture. En un sens, la proximité physique du prénom de Max avec les seins de Betty George me gêne, mais je n'épiloguerai pas là-dessus. C'est tellement fantastique, que j'ai peine à le croire. Je me connecte à Facebook : dix-huit mille membres ! Des dizaines de milliers de personnes ont par ailleurs consulté mon blog. Je rappelle Christie.

— C'est parfait Christie, on ne pouvait pas rêver mieux.

— Sauf que le français reste une langue étrangère.

— Ça ajoute au mystère. Nigel est formidable.

— Oh, si tu n'y vois pas d'inconvénient alors… tant mieux.

— J'en veux un. Je le mettrai demain. Je vais passer à la radio, Christie !

— Personne ne verra ta tenue, à la radio.

— J'en veux un quand même !

L'envie me vient de la serrer contre moi et d'embrasser ce fameux Nigel. Nous convenons d'un rendez-vous dans un bar de Smithfield. Christie me promet de supplier Nigel de venir. Je me sens excitée comme une puce. Je m'apprête à rencontrer, dans un bar branché, un créateur de mode prometteur qui connaît Betty George. Si seulement Max était là ! À vrai dire, il se pourrait bien qu'il refasse surface, après un tel battage…

*
**

Me voilà en pleine crise vestimentaire. Je comptais porter un jean moulant noir sauf que mes jambes ressemblent à des panais, dans un pantalon ajusté. Je ne trouve rien d'assez tendance, parmi ma garde-robe, pour convenir à un rendez-vous avec un créateur. Quelqu'un sonne à la porte. Pas Max, quand même. Non, certainement pas. À moins que ? Mon cœur s'emballe. Je presse le bouton de l'interphone.

— Oui ?

— Bonjour ! lance une voix d'homme.

— Bonjour ?

— Viv, c'est moi : Rob.

Je relâche le bouton. Que fabrique-t-il ici ? Ne lui ai-je pas déjà dit de ne plus mettre les pieds chez moi ? Nouveau coup de sonnette. Merde ! Que faut-il que je fasse ?

— Rob ? lui dis-je par l'interphone. Ça t'ennuierait de foutre le camp ? Tu as mal choisi ton moment.

— Il y a quelqu'un auprès de toi ?

— Hein ? Non.

— Parce que si c'est le cas, je te jure que…

— Qu'est-ce que tu veux ?

— Te voir.

— Impossible. Du moins, pas maintenant.

— Il faut que je te voie, Viv.

— Je vais couper la communication, Rob. Tu veux bien t'en aller ?

— Non ! proteste-t-il.

Je lui coupe le sifflet en relâchant le bouton. L'instant d'après, il écrase la sonnette. Je me réfugie dans ma chambre, où je m'empare du sèche-cheveux pour ne plus l'entendre. Au bout d'un moment, j'éteins l'appareil et tends l'oreille. Rien. Dieu merci ! La dernière chose dont j'aie besoin, c'est d'une scène avec Rob.

Je me décide pour une robe noire, mais elle me paraît si terne que j'enfile des *leggings* dessous. Je rassemble mes cheveux sur ma nuque, résolue à les attacher, quand la sonnerie reprend, en cadence cette fois, comme au début d'une symphonie de Beethoven. Argh ! C'est insoutenable. Je me rue sur l'interphone.

— Quoi encore ?

— Je ne supporterai pas de ne plus te voir. Je t'ai apporté des fleurs.

— Rob, je m'apprête à sortir.

— Laisse-moi au moins t'offrir les fleurs.

— Tu les as trouvées dans une station essence ?

— Non, ce sont des roses qui m'ont coûté les yeux de la tête. J'en ai acheté une douzaine. Roses en plus.

— Et c'est bien à moi que tu comptais les offrir ?

— Enfin, Viv !

— Je suis sur le point de sortir.

— Je t'attends, alors.

Zut ! Je ne peux quand même pas l'empêcher de poireauter dans la rue.

— À toi de voir, mais je crains que ça ne me prenne un temps fou de me préparer.

Et voilà : il a réussi à me mettre les nerfs en pelote. Je relève mes cheveux, mais les mèches trop courtes à l'arrière ne tiennent pas

en place. Autant les laisser pendre, alors. Au tour des chaussures…
j'aurai l'air d'en faire des tonnes en optant pour des talons, non ? Je
me rabats sur des ballerines. Un trait de khôl vite fait, du *gloss* sur
les lèvres et me voilà prête. Je fourre mon portable et mon porte-
monnaie dans un grand cabas vert d'un kitsch assumé, genre décalé,
et tente d'apercevoir Rob par la fenêtre de la cuisine. Aucun signe
de lui. Dave bondit sur le plan de travail en frottant sa queue contre
mon bras.

— Je t'ai dit de ne pas jouer ici !

Il me donne un coup de tête avant de se pelotonner contre moi
en ronronnant. Je le dépose par terre et verse dans sa soucoupe une
ignoble mixture en boîte à base de poisson.

— Sois gentil, hein ? Je reviens…

Je ramasse mes clés et sors en claquant la porte.

Il fait plus chaud dehors que je ne l'imaginais. Je commence
à regretter d'avoir mis des *leggings*. Sitôt refermée l'entrée de
l'immeuble, Rob s'avance, un magnifique bouquet à la main.

— Bonjour Viv, commence-t-il d'un ton solennel.

Il est beau à ne pas s'en remettre : il me lance, sous ses cils,
un regard implorant, digne d'une pub pour du parfum. Sans doute
que je devrais m'accrocher à son cou : il laisserait alors tomber les
fleurs, avant un gros plan sur le flacon de sent-bon, puis sur nous en
train de nous embrasser. « Pardonne-moi, la nouvelle eau de toilette
de… » annoncerait une voix *off* sensuelle.

Ce n'est toutefois pas ce qui se passe. Nous restons plantés là, à
nous regarder en chiens de faïence, tandis que je réfléchis au moyen
de me débarrasser de lui.

— Comment tu vas ? s'enquiert-il.

— Bien.

— Tant mieux.

Je laisse mon regard errer le long de la rue.

— Tiens ! Je te les offre, m'annonce-t-il en me tendant le bouquet.

— Je ne peux pas accepter.

Il prend un air choqué, puis sincèrement peiné.

— Ah ? Bon… Je comprends.

Je hoche la tête en fixant le bout de mes souliers.

— Qu'est-ce que tu as fait à tes cheveux ?

— Il faut que j'y aille, le préviens-je, mais il me retient par le bras.

— Non, Viv !

Je me libère d'une secousse.

— Tu ne peux pas m'accorder dix minutes ? insiste-t-il. Allons boire un café. Je ne sais pas, moi !

Le souvenir de sa froideur, toutes les fois où je l'ai supplié de me revoir, me donne envie de lui rendre la pareille.

— Rob. Tu ne peux pas me lâcher ?

Il retire sa main.

— Pardon, s'excuse-t-il en me tapotant le bras. Navré !

— Ça va.

Je fais mine de m'éloigner, mais il me suit.

— Vivienne, s'il te plaît ! Nous comptions passer le reste de notre vie ensemble. Qu'est-ce que ça change, dix minutes de plus ou de moins ?

— Je suis pressée.

— Mais Viv ! gémit-il.

Les larmes qui jaillissent de ses yeux me stoppent net dans mon élan. Je ne supporte pas de voir un homme pleurer.

— Ah non ! Pas de larmes ! m'emporté-je.

— Je n'arrêterai pas de pleurer, tant que tu n'accepteras pas de m'accorder cinq minutes.

Nous entrons dans un café, près de la station de métro. Rob commande un déca au lait écrémé et moi, un cappuccino, dans lequel je verse deux sachets de sucre, sous son regard inquisiteur.

— Alors, tu te crois amoureuse de Max ? finit-il par lâcher.

— Je ne le *crois* pas, j'en suis certaine.

— Qu'est-ce qui fait de lui l'homme idéal ?

— Oh, un tas de choses.

J'hésite à lui faire part de certaines, et me ravise à temps.

— Tu ne tiens pas à le savoir.

— Non, admet-il en promenant les yeux autour de lui. Il est question de toi dans les journaux, à ce que j'ai vu.

— Eh oui ! reconnais-je, enthousiaste.

— J'imagine que tu l'aimes vraiment, si tu lui as consacré un blog.

— Je suppose que oui. Pourquoi as-tu lu mon blog ?

— Oh, je ne compte pas le pirater ou te nuire en quoi que ce soit. Je voulais juste te dire ce que j'en pense.

— C'est méritoire de ta part.

— Hum…

Il sirote quelques gorgées de son déca, avant d'essuyer une moustache de lait sur sa lèvre supérieure.

— Tu crois qu'il reviendra ?

— Je n'en sais rien. J'espère.

— Tu sais que, moi aussi, je pourrais lancer une grosse campagne médiatique pour que tu me reviennes.

— Mais tu ne le feras pas.

— Non, admet-il.

Je souris. Lui aussi. Je nous trouve remarquablement adultes, à discuter ainsi calmement, après tout ce qui s'est passé entre nous. D'humeur magnanime, je lui saisis la main.

— Tu t'en remettras, lui promets-je.

— Oh moi, oui. Toi, en revanche, tu risques de finir seule. Tu veux que je te dise pourquoi ?

— Vas-y.

— Tu ne sais pas ce que tu veux.

Je finis mon cappuccino afin qu'il ne me voie pas sourire.

— Je suis prêt à t'accorder une dernière chance. Je veux bien attendre un mois que tu gaspilles ton énergie à la poursuite de ton Max mais, ensuite, Viv, je tirerai un trait sur toi.

— D'accord, Rob.

Je me lève et hisse mon sac sur mon épaule.

— Il faut vraiment que j'y aille. Sois gentil : n'attends pas un mois. Je ne perdrai pas une minute de plus avec toi…

— Sache que je ne considère pas ta réponse comme définitive, lance-t-il alors que je m'éloigne déjà. Tu as tes règles, c'est pour ça que tu m'as repoussé ? Réfléchis à ce que je t'ai dit.

— Bon vent, Rob !

Je repasse devant lui en m'éloignant : un type extraordinairement beau, auprès d'un bouquet de roses, occupé à choisir sa prochaine victime parmi son répertoire téléphonique. Malgré tout, je ne peux me défendre d'une certaine sympathie pour lui. Dire que j'ai tant souffert par sa faute ! Dire que c'est à cause de lui que je risque de perdre mon meilleur ami, l'homme de ma vie ! Non, pas question que cela finisse ainsi ! Je ne le tolérerai pas. Je m'engouffre dans la bouche de métro en direction de Smithfield.

*
**

Je dois retrouver Christie dans un bar, près de la halle aux bouchers, et me voilà devant la halle. Il y a vraiment des bouchers qui vendent de la viande, ici. Pas aujourd'hui, mais les preuves sont là : des pigeons picorent un bout de viande ramolli dans une flaque rosâtre, près du caniveau. Je ne vois de bar nulle part. En revanche, je reconnais Christie derrière une fenêtre à demi masquée par un rideau de fer, où a été peint le mot zoo. Je traverse la rue et pousse une porte cloutée. À l'intérieur, tout est peint en noir. Y compris le sol en béton. Des bancs en plastique noir – dont certains au rembourrage lacéré – encadrent d'immenses tables. Des graffitis couvrent un mur. Ah non ! En fait, il s'agit du menu : je reconnais les mots « petit-déjeuner servi à toute heure ». Des néons fluo le long des plinthes projettent des ombres sur les parois. Une musique de fond guillerette complète l'ambiance. Une sympathique serveuse en salopette rouge retroussée sur un seul mollet vient à ma rencontre.

— J'ai rendez-vous avec des amis, lui annoncé-je, pas mécontente de moi, avant de rejoindre Christie, qui se lève pour me faire la bise.

Elle a revêtu aujourd'hui une espèce de grenouillère en jean délavé et des espadrilles montantes roses. Un bandeau noir lui enserre le crâne. Ses cheveux blonds en dépassent, dressés dans tous les sens, comme les feuilles d'un palmier.

— Viv ! Je suis trop contente ! glapit-elle.

Je jette un coup d'œil, par-dessus son épaule, à Nigel. Il me sourit en levant la main ; sa manière à lui de me saluer, je suppose.

— Je te présente Nigel. Nigel, Viv.

— Bonjour, dis-je, un peu plus fort que je ne l'escomptais.

Je ne l'imaginais pas du tout ainsi : il n'a pas l'air très net, dans son t-shirt Iron Maiden et son pantalon rayé qui semble provenir d'un vieux costume de l'Armée du Salut. Il a coupé court ses cheveux blond paille dans l'espoir de masquer sa calvitie naissante et porte des lunettes rondes à monture métallique. Je me rends soudain compte que je suis hors du coup. Pas tendance pour deux sous. Je ne pige rien à la mode ! Je me sens aussi déboussolée que la fois où j'ai investi des mois d'argent de poche dans des pantacourts en jean, alors que tout le monde est venu à la boum de l'école en Levi's 501.

— Tu veux boire quelque chose ? me propose-t-il.

Je jette un coup d'œil à leurs verres, à moitié remplis d'un liquide rouge. Qu'est-ce que ça peut bien être ? Une boisson rouge, un dimanche matin…

— Un bloody mary.

— Haut les cœurs ! commente-t-il, sans sourire, de sa voix haut perchée.

Je me tourne vers Christie, dans l'espoir de décoder le sens de sa repartie. Je remarque alors son mascara blanc et son rouge à lèvres à paillettes. Elle m'adresse un sourire encourageant.

— J'espère que vous ne m'avez pas attendue trop longtemps ?

Nigel secoue la tête. Mon regard oscille de l'un à l'autre. On dirait, à les voir, que je viens de leur faire perdre le fil d'un *soap opera* particulièrement captivant. Je passe moi-même commande à la serveuse.

— Un autre jus de pastèque ? propose-t-elle à Nigel, qui décline son offre d'un mouvement de tête.

Un silence s'établit. Christie me sourit en haussant les épaules.

— Bon…

Je me lance à l'eau, en souriant à Christie.

— Je pourrais voir un t-shirt ?

Voilà qui tire Nigel de sa torpeur ! D'un sac à dos, il sort un maillot blanc, qu'il déplie sur la table. De grosses lettres noires s'étalent en travers. Je caresse celles qui forment le prénom de Max.

— Ça me plaît beaucoup.

— Ouais, la marque a de l'avenir, commente Nigel, qui extirpe de son sac un turban et une casquette « *Où est Max* ? ».

— La marque ?

— Je comptais la décliner en plusieurs produits différents. Le logo a un impact visuel fort.

— Tu imagines, Viv ? « *Où est Max* ? » marqué tout partout ! s'emballe Christie.

— Je vois, oui… mais, le jour où il reviendra ? Plus besoin de le chercher, à ce moment-là. Que deviendra la marque ?

— Disons que je la conçois comme ancrée dans le réel, mais pas pour autant liée à quelqu'un de particulier, m'explique Nigel.

— Sauf qu'il y a un prénom écrit dessus.

— Le prénom a valeur d'universel.

— Ah.

— Il n'y a pas qu'une direction possible du sens. On peut très bien l'entendre comme « Où est le maximum ? ».

— Sauf qu'il est marqué « *Où est Max* ? ».

— Libre à chacun d'y projeter sa propre interprétation. Il n'est pas forcément question de ton ami, hormis de ton point de vue, bien sûr. Le logo fonctionne de manière autonome.

Honnêtement, je ne sais fichtre pas de quoi il cause, et l'impression me vient que la situation m'échappe. Je sirote mon bloody mary. Pourquoi a-t-il fallu que j'en commande ? Je déteste le jus de tomate.

— Entendu. Qu'en penses-tu, toi, Christie ?

— Je comprends ton point de vue. D'un autre côté, le côté existentialiste de la chose me plaît bien, lâche-t-elle d'un ton rêveur.

— Ah ? Ça t'ennuierait de m'expliquer ?

— Pas maintenant, Viv ! proteste-t-elle en me décochant un regard navré.

— En tout cas, le t-shirt me plaît beaucoup. Merci de l'avoir conçu.

Nigel approuve d'un hochement de tête.

— Je peux ? demandé-je en montrant sa création.

— Bien sûr.

— Il est vraiment super. C'est fou, non ? que Betty George ait décidé d'en porter un !

Retiens-toi, Vivienne. N'en fais pas tout un plat.

— Ouais, ça se présente plutôt bien, estime Nigel.

— L'essentiel, c'est quand mêmc de retrouver Max.

— Bien sûr, renchérit-il en souriant. Encore que : qu'est-ce que ça signifie, au juste ?

Un autre silence s'abat.

— Hum… s'interpose Christie.

Je me tourne vers Nigel dans l'espoir qu'il s'explique.

— C'est toi qui a dessiné la tenue de Christie ? me renseigné-je.

— Non. Et d'ailleurs, quelle tendance illustres-tu aujourd'hui, Christie ? Le retour à la gym tonic des années 1980 ?

— La gym tonic de l'espace, rectifie-t-elle.

— Cool, commente-t-il.

Je finis mon cocktail, remontée par le mélange de vodka et de *Worcestershire sauce* au fond de mon verre.

— Tu connais bien Betty George ? demandé-je à Nigel, qui se tourne vers moi en éclatant de rire, aussitôt imité par Christie.

Je suis en train de passer pour une imbécile et je ne comprends même pas pourquoi. Est-il tellement cool que je ne mérite pas de lui adresser la parole ? À moins qu'il ne pète plus haut que son cul et ne sache pas ce qu'est la politesse. Après cinq minutes d'un parfait silence, je décide d'invoquer un prétexte pour m'en aller. J'ai alors droit à un adieu particulièrement chaleureux de la part de Christie.

— Ne t'inquiète pas, me chuchote-t-elle à l'oreille, je m'occupe de son cas et je te rappelle. À plus ! conclut-elle, un ton plus haut, au moment où se referme derrière moi la porte déglinguée.

Je frissonne en prenant la direction de la bouche de métro. Comment interpréter ce qui vient de se passer ? Il y a manifestement des vibrations auxquelles je n'ai pas été sensible. Je poursuis ma route au hasard en direction de Chancery Lane. Les rues désertes me renvoient à ma solitude. Qu'en penserait Max ? Le mot « foutaises » me vient à l'esprit. Je l'imagine tout à fait le prononcer. D'un autre côté, il n'est pas là : il n'a donc pas à émettre d'opinion. Je traverse la rue. Des voitures me filent sous le nez, en transportant des couples ou des familles ; des gens qui savent où ils vont. Où est-ce que je vais, moi ?

Je prends le métro. Je jette un coup d'œil au fond de mon cabas, au t-shirt où figure son nom, et je songe malgré moi que je l'ai trahi, vendu, à moins que je ne me sois vendue, moi, en déballant mon intimité sur la place publique. Je repousse l'idée pour me concentrer sur mon objectif. Retrouver Max, coûte que coûte.

Chapitre 32

Blog : À Max

5 : Nous voilà célèbres

Nombre de jours écoulés depuis la dernière fois que je t'ai vu : 29

Je suppose que tout le monde a un faible pour les histoires d'amour. La situation a pris de ces proportions ! Une enseigne de prêt-à-porter va bientôt commercialiser des t-shirts où apparaît ton nom. Te voilà en train de devenir une marque sur le point de conquérir le monde. Ah ah ! Je me demande quand même si la machine ne s'emballe pas trop : Il n'est plus question que de toi partout. Y compris dans le journal. Demain, je passe à la radio. Tu te rends compte ? Sur Radio Amour, dans l'émission de Stuart Hill.

L'idéal serait que tu appelles pendant que je suis à l'antenne, pour me demander de t'épouser. Bien sûr, je dirai oui. D'un autre côté, ça t'obligerait à me passer la bague au doigt à la télé, ce qui nous couvrirait de ridicule, tu ne crois pas ?

Le pire, en revanche, serait que tu ne reviennes jamais. Je resterai toute ma vie la pauvre fille même pas fichue de remettre la main sur son amour. Je finirai seule, puisqu'il n'y a que toi qui compte à mes yeux. Je ne t'ai pas trahi, Max, et je ne me serai pas démenée en vain, si j'obtiens l'assurance que tu l'as compris. Je ne te parlerai plus de Facebook, je ne veux pas te faire fuir.

Je t'aime,

V. X

— Vous écoutez Stuart Hill, sur Radio Amour FM, sur 101.1. Je reçois aujourd'hui Vivienne Summers, qui va nous parler de sa recherche de l'homme qu'elle aime, tout de suite après Michael Bublé et *Just Haven't Met You Yet*…

Stuart Hill ôte son casque et pose un coude sur le panneau de contrôle qui nous sépare. Il a l'air normal, quand on l'écoute à la radio, mais dans la vraie vie, je crains qu'il ne soit un peu taré ; un genre de Willy Wonka de la bande FM. Vêtue de mon t-shirt « *Où est Max ?* », je me demande où j'ai atterri. Le studio a connu des jours meilleurs : il sent le pet. Des posters de stars des années 1980, aux bords racornis, masquent les murs. Nous voilà loin du décor raffiné que je me figurais. Je n'en reste pas moins enthousiaste. J'espère que ma voix passera bien à l'antenne ; j'ai horreur de m'entendre, sur les vidéos de mes amis. On dirait que je parle au ralenti.

— Elle est prête, la jeunette éperdue d'amour ? se renseigne Stuart, les yeux près de sortir de leurs orbites.

Je me demande s'il n'abuse pas des substances illicites.

— À la fin de la chanson, poulette, tu mets ton casque et en avant les questions ! me prévient-il en m'adressant un sourire de tordu. Ça roule ?

— Ça roule ! m'écrié-je, en modelant mon intonation sur la sienne.

Il m'examine pensivement.

— C'est vraiment pour ce Max que bat ton joli petit cœur, jeune demoiselle ?

— Oui, je…

— Tu t'imagines qu'il va revenir en courant ? Bonne chance !

Je m'apprête à répondre, quand il lève la main et place son casque sur ses oreilles.

— Vous écoutez Stuart Hill. Je reçois aujourd'hui une charmante jeune femme : Vivienne Summers. Bonjour, Vivienne.

— B'jour, Stuart ! lancé-je, d'un ton un brin trop désinvolte.

— Viv, tu recherches l'homme de ta vie, qui a disparu, si j'ai bien compris ?

— Oui, Stuart. Je voudrais le retrouver. Il s'appelle… dois-je le dire ?

— Je crois bien que oui.

— Max. Max Kelly.

— Oh, mais, je le connais, je l'ai encore croisé au pub, tout à l'heure.

— Pardon ?

— Je plaisante, ma belle. Vas-y, dis-nous tout.

— J'aimerais tant le retrouver que j'ai créé sur Facebook un groupe baptisé « Où est Max ? ».

— Un truc énorme !

— Oui, admets-je en riant.

— Et qu'est-ce qui te fait croire qu'il a envie que tu le retrouves, ton Max Kelly ?

— Nous venons tout juste de nous mettre ensemble, il m'a dit qu'il m'aimait. J'espère que, quand il verra combien je l'aime, il se rendra compte que…

— Tu l'aimes ?

— Oh oui. Si tu savais à quel point !

— Qu'est-ce que tu ressens ?

— C'est formidable et ce serait encore mieux s'il était là.

— Un peu comme de voler sans ailes ?

— Voler sans… ?

— Il te comble ?

— Je suppose que oui, enfin surtout s'il était là, auprès de moi.

— Plusieurs journaux ont parlé de toi et tu portes aujourd'hui un t-shirt de ta campagne. Qu'est-il écrit dessus ?

— « Où est Max ? »

— Ce n'est pourtant pas ce que je lis.

— Parce que c'est marqué en français.

— Il est Français ?

— Non, Irlandais.

— J'espère que vous suivez, chez vous ? m'interrompt-il en ricanant. (Je me sens soudain idiote.) Sinon… la chance t'a souri ? Tu as eu des nouvelles de ce Max ?

— Pas encore, mais je garde espoir ! affirmé-je en riant à mon tour.

— Parle-nous de ton blog, Vivienne. Tu y as mis ton cœur à nu, tu ne crois pas ?

— Si, en un sens. Je poste chaque jour un message à Max pour, euh… lui montrer qu'il ne s'écoule pas un jour sans que je pense à lui.

Oh non ! Ma gorge se noue. Je ne vais quand même pas chialer !

— Il t'a répondu, ton Max ?

Je m'efforce de me ressaisir.

— Non, pas encore.

— Il ne t'est pas venu à l'idée, Viv, et je ne dis pas ça par cruauté, qu'il ne souhaitait pas que tu le retrouves ?

Une musique tristounette passe soudain en fond sonore.

— J'espère que si !

— Tu m'étonnes, ma chouette. Pourrais-tu nous dire pourquoi il est parti ? me demande gentiment Stuart.

— Oui. J'ai… euh… il y a eu un malentendu : il m'a crue avec quelqu'un d'autre, alors qu'en fait, non.

— À ta place, mais il faut reconnaître que je suis vieux jeu, je me serais contenté de lui téléphoner. Pourquoi tout ce battage ?

— Il n'a pas répondu à mes coups de fil. C'est une manière pour moi de lui montrer ce que je ressens et…

La musique tristounette monte d'un cran.

— Non, mais, parce qu'il aimerait peut-être mieux que tu le laisses tranquille, ma chouette. Je ne veux pas te casser le moral ; je me demande juste si tu y as songé ?

— Oui, mais, selon moi, il y a une autre explication à son silence.

Je me vois tout à coup en pensée dans ce studio minable, un casque à la con sur les oreilles. Une folle envie me saisit de fuir à toutes jambes. Je sais qu'un jour, je retrouverai Max, mais pas ainsi. Pas en me laissant humilier en public, ni en humiliant Max. Rien ne se passe comme je l'escomptais. Je ne sais pas ce qui m'a traversé l'esprit. J'essaye d'expliquer quelque chose de personnel à ce type. En vain ! La situation tourne à l'absurde.

— Il semblerait que beaucoup de gens s'intéressent à Max : le groupe qui lui est dédié compte plus de dix mille membres sur Facebook. Même moi, je m'y suis inscrit ! Pourquoi, à ton avis ?

— Parce que les gens veulent garder foi en l'amour.

— Tu crois ? L'amour ne te semble pas plutôt voué à l'échec, dans notre monde cynique et matérialiste ?

— Selon moi, non… et je ne suis pas la seule à le penser.

— Je partage ton avis. Nous avons la foi, toi et moi. Nous croyons au pouvoir de l'amour.

— En ce qui me concerne, je veux seulement retrouver mon ami.

— Je vois. Et si jamais tu ne le retrouves pas ? Qu'est-ce que tu comptes faire ?

— Si je…

— Oui ! Imaginons qu'il ait vu ton blog, sa page Facebook, et même qu'il nous écoute en ce moment, et se dise : « Nom d'un petit bonhomme ! »

À ces mots, Stuart prend l'accent irlandais.

— « Elle ne va donc jamais me fiche la paix, celle-là ! »

Je me résous enfin à considérer une telle éventualité. Je me suis mise en quatre pour lui prouver mon amour, mais s'il venait à me le reprocher ? Je repense à ma conversation avec Mémé : « Toujours en quête de je ne sais quoi… Déjà, petite, tu n'aspirais qu'à changer le monde. » Je ne me vois soudain plus comme une amoureuse écrivant des messages dans le ciel mais dans la peau d'une femme arrogante et nombriliste qui refuse de laisser partir quelqu'un qu'elle a blessé.

— Comment réagiras-tu, dans ce cas-là, Vivienne ?

— Je n'avais pas réfléchi aussi loin.

Je m'efforce de sourire, malgré le crescendo de violons dans mon casque. Je n'ai réfléchi à rien, en fait. Comme d'habitude ! J'ai foncé sans me préoccuper du reste, convaincue du bien-fondé de mon projet ; convaincue, surtout, que Max entrerait dans mon jeu. Bien que je le considère comme mon plus fidèle ami, j'ai fait de sa disparition un cirque. Mon cœur se serre. Je me suis trompée sur toute la ligne. Comment est-il possible que je foire systématiquement ce que j'entreprends ?

— En réalité, Stuart… je peux ajouter quelque chose ?

— Tu passes à la radio, ma chouette. On ne demande pas mieux que de t'écouter.

— J'aimerais renoncer à ma quête de Max.

— Renoncer ?

La musique déprimante cesse du même coup.

— Oui. Renoncer.

Stuart attend la suite, les yeux rivés à la table de commande. Un crépitement retentit dans mon oreille. Un silence radio ? À cause de moi ? Mauvais, ça !

— À partir de maintenant, je ne chercherai plus Max, déclaré-je pour combler le blanc, en jetant un regard désespéré aux cheveux blonds clairsemés de Stuart, qui incline la tête sans un mot. Je tiens à respecter son intimité. Manifestement, il n'a pas envie que je le retrouve.

Stuart redresse le front, la mine triomphale, avant d'opiner du chef, d'un air pénétré.

— Je présente mes excuses aux membres du groupe « Où est Max ? » mais je vous prie tous de cesser les recherches.

J'ôte mon casque ; ce qui s'entend dans le micro. J'enlève mon t-shirt, le range au fond de mon sac, et reste plantée sur mon siège en débardeur. Stuart s'échine à tripoter des boutons.

— Chers auditeurs, vous venez de l'entendre comme moi ! La charmante Vivienne Summers, un peu perturbée sans doute, a renoncé à chercher Max Kelly. En un sens, je l'approuve, vu qu'on ne peut forcer personne à nous aimer, et qu'en amour, il ne faut rien précipiter, comme nous le savons tous ! En tout cas, Radio Amour vient de vous annoncer la nouvelle en exclusivité.

Il lance un jingle avant d'enchaîner sur la chanson *Someone Like You*, interprétée par Adele. Il enlève son casque et se pince l'arête du nez d'un air abattu. Ruby me raccompagne à la porte du studio. Je jette un coup d'œil à Stuart, par-dessus mon épaule. Il vient de fermer les paupières.

— Il se sent bien ?

— Oui, pas de souci : il se prépare pour la suite.

— Ah. Je crains que mon intervention ne l'ait pas satisfait.

Navrée !

Ruby ne me répond que par un sourire.

— Merci de m'avoir invitée ! conclus-je à la manière d'une gamine à un goûter d'anniversaire.

— Tout le plaisir était pour nous !

Ruby me conduit à la sortie. Un escalier décrépit me mène à la rue. Que vient-il de m'arriver au juste ? Un peu déboussolée, je marche face au vent en réfléchissant. Or, plus je réfléchis, plus je me convaincs du bien-fondé de ma décision. La sérénité me revient un peu plus à chaque pas, telle l'huile sans laquelle ne pourraient pas tourner les rouages de mon esprit.

*
**

De retour chez moi, je me fais couler un bain ultra-chaud et me prélasse sous la vapeur jusqu'à ce que le bout de mes doigts se fripe. Il est possible de changer. Moi-même je compte bien changer, devenir quelqu'un de sérieux et de pondéré, le genre de personnes qui m'a toujours intriguée. Finies les affabulations ! Plus de projets tordus, à partir de maintenant. Et terminées les fêtes. Je ne lirai plus non plus de poésie. De la poésie, franchement ! Quand je pense où ça m'a menée… Une fois l'eau refroidie, je sors de la baignoire et enfile ma robe de chambre qui peluche. Celle qui m'arrive aux chevilles. La seule qu'il me reste, étant donné que Dave a réduit en lambeaux l'autre, en soie *glamour*. De toute façon, je n'ai plus besoin d'une robe de chambre *glamour*. Encore que ? J'allume mon ordinateur et m'installe au clavier.

Chapitre 33

Blog : À Max

6 : C'est fini

Nombre de jours écoulés depuis la dernière fois que je t'ai vu : 30

Mon passage à la radio a tourné à la catastrophe. Si tu savais ! Tout avait pourtant bien commencé dans l'enthousiasme, mais Stuart Hill n'a pas cessé de me demander : « Qu'est-ce qui t'amène à croire qu'il souhaite que tu le retrouves, ce Max ? » Je me disais : ça tombe sous le sens. Je l'aime, il m'aime. Sauf que je ne sais pas ce que tu ressens. J'ai la prétention de croire que je parviendrai à te reconquérir, mais si je t'avais trop profondément blessé ?

Et si tu ne voulais plus jamais me revoir ? Je ne le supporterais pas. D'un autre côté, ça me tue de l'admettre, mais il me semble que, si tu voulais que je te retrouve, tu serais déjà ici auprès de moi.

Alors bon… Max…

Je tiens à te présenter mes excuses, à te dire que, le soir où tu m'as vue au bras de Rob, tu as eu tort d'en tirer des conclusions. Je tiens aussi à te dire que je ne suis qu'une pauvre nulle. Sache enfin que je n'écrirai plus sur ce blog.

Je garde l'espoir de te retrouver. Je continuerai à te chercher et à t'aimer, mais je renonce à ce battage démentiel. Ma campagne est finie. Au cas où tu voudrais encore de moi… tu sais où me trouver.

V. X

Je fixe le curseur, jusqu'à ce que ma vue se brouille. J'ai pris la bonne décision. Il est temps pour moi de poursuivre mon petit bonhomme de chemin sans plus vouloir tout retourner, comme me l'a conseillé Mémé. Je ne m'emballerai plus, à partir de maintenant. Je resterai en paix avec le monde. Sereine. Je réprime un sanglot.

Je lis les messages des internautes. Je suppose que je devrais les remercier par un dernier billet, conclure dignement. Je contemple par la fenêtre le crépuscule. Les jours raccourcissent. Le thermomètre chute et mon été de folie touche à sa fin. Je songe aux journées de canicule en compagnie de Max. J'ai laissé filer ma chance de connaître l'amour. Je retourne à mon écran et me mouche un bon coup. Dave vient se lover autour de mes chevilles. Un nouveau message s'affiche.

Hé, Viv, je suis là !

M. X

Mon cœur bondit ! Bah ! Il doit encore s'agir d'un canular. Quelques internautes ont déjà tenté de se faire passer pour lui. Mieux vaut ne pas relever. Je fixe les mots sur l'écran… Et si c'était bien lui et que je laissais une fois de plus échapper ma chance ? Sauf que ça ne peut pas être lui. Il appellerait, non ? Encore un taré.

Cela dit, je ne perdrai rien à m'en assurer.

Si c'est bien toi, Max, téléphone-moi d'ici cinq minutes.

V. X

J'attends. Rien. J'attends encore un peu plus. De qui je me moque ? Je vais à la cuisine me verser du jus d'orange. Finie la picole. Il faut que je renonce aux mauvaises habitudes. Je retourne au salon en prenant bien soin de ne surtout pas regarder mon ordinateur. Je m'installe sur le canapé en feuilletant le journal. Dave se met à miauler en griffant le pied d'une chaise. Satané chat !

— Arrête ou je te fais piquer.

Il bondit sur la chaise, puis sur la table, et se frotte contre mon ordinateur en ronronnant.

— Je ne plaisante pas !

Il me vient à l'esprit qu'il tente peut-être de me transmettre un message, à l'instar de Lassie.

— Qu'est-ce qu'il y a ? Des nouvelles de ton maître ? Il est coincé au fond d'un puits ?

Dave me dévisage en clignant des yeux. Je m'approche de l'écran.

Suis en Espagne. Mon portable ne capte pas, à cause des montagnes.

M. X

Pas question de me monter la tête ! J'ai de toute évidence affaire à un imbécile qui se croit drôle. Encore que…

Qu'est-ce qui me prouve que c'est bien toi ?
V.

J'attends en grattant Dave entre les oreilles. Il ronronne comme une tronçonneuse. Nouveau message :

Qu'est-ce que tu racontes ? C'est moi, regarde !
M. X

Je reste rivée à l'écran. Je n'ose plus espérer. Mon cœur est déjà en mille morceaux. S'il s'agit d'une imposture, je crains bien de ne pas m'en relever.

Prouve-le.
V.

Je ne peux quand même pas rester assise à poireauter ! Je me promène dans mon appartement. Rien de nouveau à l'écran. Donc, ce n'était pas Max. Je resserre ma robe de chambre et coince mes cheveux derrière mes oreilles. Toujours rien. Je considère Dave, qui ronronne de plus belle auprès de mon ordi.

— Ce n'est pas lui. Ne rêve pas.

J'emporte mon verre à la cuisine. Au retour, je consulte à nouveau mon blog. Rien de rien.

Chapitre 34

Ce que je sais de Vivienne Summers
Par Max Kelly

Elle a une tache de naissance de la forme de l'Irlande sur la fesse droite.
Elle a le rire le plus salace que j'aie entendu.
Elle est têtue comme une mule.
Elle n'aime ni les motos ni l'équipe d'Arsenal ni les tatouages mais elle m'aime, moi, sa Mémé loufoque et les roses anglaises.
Elle prend du thé le matin, du café après déjeuner et du vin blanc sec le soir.
Elle a toujours été nulle en poésie et ne sait pas dessiner.
C'est quand elle sourit qu'elle me plaît le plus.
Elle ne tient pas l'alcool.
Sa couleur préférée, c'est le rose, bien qu'elle croie que c'est le bleu.
Elle n'a pas de patience et aime donner des ordres mais elle est adorable et foncièrement bonne.
J'ai cru mourir, le soir où elle m'a brisé le cœur, en se présentant à une exposition au bras d'une tête de nœud prénommée Rob mais, comme je ne peux pas vivre sans elle, il va falloir que je la retrouve.
Si j'avais la certitude qu'elle m'aime, je me lancerais à la conquête du monde.
C'est la créature la plus sexy que j'aie jamais vue.
C'est mon amie, futée, belle et désopilante.
J'aimerais passer du temps avec elle.
J'ai entendu dire qu'elle me cherchait ; je me demandais si elle aimerait séjourner en Espagne.
Tu me crois, maintenant ?
M. X

C'est donc toi !
V. X

Alors, l'Espagne ?
M. X

Chapitre 35

Nouveau message de : Ryanair.com
Merci d'avoir choisi Ryanair pour vos déplacements.
Ce reçu n'est pas valable pour l'embarquement.
Votre e-billet vous sera envoyé à l'adresse e-mail que vous nous avez fournie.
Merci de vérifier les informations ci-dessous puis de cliquer afin de valider votre réservation.
Nom du passager : Vivienne Summers
Date : 2 septembre 2011
Aéroport de départ : Londres, Heathrow, UK
Destination : Gérone, Espagne
Aller simple

Clic.
Adios amigos.

Derniers titres parus chez MA éditions

Les Héritiers de Stonehenge, Sam Christer, Juin 2011

Francesca – Empoisonneuse à la cour des Borgia, Sara Poole, Novembre 2011

L'Évangile des Assassins, Adam Blake, Novembre 2011

Zéro Heure à Phnom Penh, Christopher G. Moore, Février 2012

Le Refuge, Niki Valentine, Février 2012

Le Sang du Suaire, Sam Christer, Mars 2012

Francesca – La Trahison des Borgia, Sara Poole, Avril 2012